D1009602

LA JEUNE FILLE AU MIROIR VERT

DU MÊME AUTEUR :

Le Fils des glaces, Lattès, 2002.
Anna et le botaniste, Lattès, 2004.

www.editions-jclattes.fr

Elizabeth McGregor

LA JEUNE FILLE AU MIROIR VERT

Roman

Traduit de l'anglais (Grande-Bretagne)
par Françoise Smith

JC Lattès
17, rue Jacob 75006 Paris

Titre de l'édition originale
The Girl in the Green Glass Mirror
Publiée par Bantam Books, un département de Transworld Publishers,
une division de The Random House Group, Ltd.

ISBN : 978-2-7096-2585-2

Pour R le magicien.

Prologue

Il tendit la loupe vers la lumière.

Plus petite qu'une pièce d'une couronne, elle était encerclée d'un épais anneau d'ébène patiné, aussi lisse que le verre lui-même. Il observa un moment le grain soyeux du bois. Il approcha la loupe de son visage et vit le monde se transformer de nouveau, se muer en ombres cotonneuses.

Richard Dadd était adossé à la plus haute fenêtre de Bedlam.

En 1844, dans le plus vaste asile d'aliénés de Londres, les patients s'entassaient dans un long couloir à chaque bout duquel s'élevaient deux fenêtres. Trente mètres les séparaient, obscurité grouillante et crasseuse, tourbillon de visages indistincts. Une bonne centaine de personnes se pressaient là. La foule, l'obscurité, et deux malheureuses fenêtres. Ici régnaient la folie et la peur. Quelqu'un était assis par terre près de lui, ses affaires pressées contre son cœur pour les protéger des piétinements de la foule. C'était un garçon d'une quinzaine d'années. Il avait les cheveux sales, le visage marbré de traînées noirâtres après la toilette sommaire faite par l'infirmier. Dadd se tourna vers cet inconnu, examina son crâne, ses orbites, sa bouche, ses yeux. Les yeux, surtout. Sa main libre fut agitée d'un soubresaut, le pouce et l'index se collèrent l'un à l'autre. Il lui fallait un crayon ou un bout de charbon. Mais pas de couleur. Il n'y avait aucune couleur dans ce regard-là, ni aucun de ceux qu'il croisait ici.

Il ne voyait que des yeux vidés de leurs pigments, où passaient des reflets fugaces. Et sous la surface, le monde parallèle de la pensée. Au cœur de la pensée, l'instinct. Au cœur de l'instinct, la créativité. Il voyait Dieu dans le regard de cet enfant égaré, assis sur le sol malpropre. Dieu allumait l'étincelle. Dieu peignait la lumière sur sa toile de ténèbres, façonnait les étoiles, insufflait la vie à des cendres.

Dadd se tourna vers la fenêtre à barreaux, examina le moustique prisonnier d'une toile d'araignée.

Il approcha la loupe à la recherche du thorax desséché, convulsé, observa les pattes fragiles s'agiter dans leur prison de soie. L'insecte se mua en monstre d'une audacieuse beauté. Il était formé de segments opaques, fines tiges de carbone. Dans la chair, il voyait se dessiner des montagnes, le ciel à perte de vue. Des bouches, des prairies, des insectes, des objets, des plis de tissu, des navires, des mains. Bacchanalian Scene *et* The Diadonus, *une tonnelle, la lame d'un couteau, des ponts, la lande, des brassées de fougère et le bras tendu du magicien.*

Il recula, souffle coupé.

Il découvrait une infinité d'univers, imbriqués les uns dans les autres.

1.

Une semaine à peine après que son mari l'eut quittée, Catherine Sergeant assista à un mariage. C'était une magnifique journée de printemps, froide mais ensoleillée, sans un nuage. Un manteau de givre recouvrait l'épaisse porte de l'église. Elle fit exprès d'arriver en retard pour éviter les conversations, ce qu'elle ne put cependant pas faire après la cérémonie.

Le photographe conduisit les mariés près des arbres pour les immortaliser en plein soleil, sous un voile vaporeux de fleurs d'acacia.

« Catherine », appela quelqu'un.

Elle se retourna. C'étaient Amanda et Mark Pearson.

« Pourquoi ne pas nous avoir dit que tu étais invitée ? Nous aurions pu venir ensemble.

— Je me suis décidée à la dernière minute.

— Où est Robert ? fit Amanda.

— En déplacement.

— Pour le travail ?

— Oui », répondit Catherine après une hésitation.

Elle papillonna de groupe en groupe. C'étaient des amis d'amis, pas de la famille, heureusement ; Catherine n'était qu'une invitée parmi d'autres. Il y avait des gens qu'elle ne connaissait pas et qui ne lui adressèrent pas la parole.

Elle s'isola, s'appuya contre un muret. Elle portait du rouge et soudain, cette couleur festive et pimpante lui parut tout à fait déplacée. Elle n'avait vraiment pas de quoi pavoiser. Elle était déboussolée et s'étonnait même d'être venue à présent, de s'être habillée ce matin, d'avoir pris la voiture. D'être arrivée ici, avec ses chaussures et son tailleur rouge flambant neufs. Incroyable d'être sortie cette semaine pour acheter les chaussures, d'être entrée dans un magasin, d'avoir fait un chèque. Incroyable d'avoir pu faire comme si de rien n'était.

La routine. Travailler, conduire, faire des courses, manger, dormir.

Avait-elle dormi ? Quatre heures, maximum. Pas plus de quatre heures par nuit depuis une semaine.

Le regard perdu sur les collines et les champs environnants, sur la campagne dont l'unique route serpentait à travers un nuage de hêtres nus et grisâtres, Catherine se sentait totalement épuisée.

Elle baissa les yeux sur le muret, examina le vert pâle teinté de rouille, le jaune vif et le gris du lichen sur le calcaire : voilà qui lui changerait les idées. Elle se concentra sur les couleurs, les tombes baignées par le soleil d'avril. *Alexander Seeley, 18 novembre 1804, sa femme Claudia Anne.*

Les perce-neige formaient un tapis. Un merle la regardait du coin de l'œil depuis la tombe voisine, perché sur un ange de pierre aux grandes ailes repliées, plume après plume.

Tout près, on distribuait des boissons pendant que le photographe s'activait.

Au loin, Amanda lui faisait signe de venir en soulevant son verre.

Ce n'est pas difficile, se dit Catherine. Ton mari est en voyage d'affaires – explication simple, plausible –, voilà pourquoi tu es venue seule. Il rentre demain ou après-demain.

Elle traversait une phase où le temps était défaillant, n'avait plus de sens, comme dans un rêve. Pour supporter cette épreuve, il fallait simplement se faire à l'idée que les heures puissent passer en un éclair ou sembler interminables.

Demain, après-demain peut-être, il rentrera.

Répète-le, encore et encore.

Il suffit de le dire pour que cela se réalise.

2.

Il était huit heures ce lundi matin-là lorsque Catherine arriva à la salle des ventes.

Entreprise indépendante, Pearsons constituait une rareté, et c'est justement ce qui lui avait plu dès le départ. Elle occupait un immense entrepôt dans une ville qui, deux siècles auparavant, était célèbre pour le tissage de la soie. Aujourd'hui, tout ce qu'il en restait, c'étaient les cottages au linteau richement décoré d'un cartouche portant les initiales de l'ancienne compagnie et qui s'alignaient dans la rue principale, et derrière eux, le Pearson's hall à la façade de briques jaune rosé.

Au loin se détachaient les collines calcaires, les prairies où affleuraient les vestiges d'antiques haies et même l'ombre de champs de l'époque médiévale. Parfois, aux dernières heures d'un jour d'hiver, en longeant la crête pour se rendre en ville, Catherine apercevait le fantôme de ces vieux sillons.

Elle traversa l'arcade de l'entrée principale soutenue par des colonnes de style géorgien et pavée de carreaux bleus ornés d'acanthes blanches. Elle ôta son manteau, ravie d'être à l'abri. Il faisait encore terriblement froid. Elle fouilla sa poche à la recherche de son portable et vérifia qu'il était bien allumé. Ni message, ni texto. Elle le rangea.

Hormis l'entrée, l'entrepôt n'avait rien de glorieux : deux petits bureaux face à face et, au fond, une vaste pièce à la charpente apparente. Ce matin, elle était envahie par les meubles à tel point que l'on avait du mal à circuler. La vente avait pour thème « Objets victoriens et divers » et rassemblait un grand nombre d'objets, vestiges de centaines de vies. Les antiquaires étaient déjà là et estimaient la marchandise ; elle reconnut les visages familiers, les passionnés qui griffonnaient déjà dans leur catalogue.

Il y avait là une infinie variété d'objets : près de la porte, elle repéra une assez jolie chaise de bibliothèque transformable en escabeau, sculptée de motifs floraux, avec marches escamotables sous le siège ; à côté, en revanche, se trouvait une commode au vernis écaillé qui, même neuve, n'avait jamais eu le moindre charme. Elle se faufila dans les allées étroites, entre les secrétaires, les porcelaines, les cadres vides, les meubles en Lloyd Loom, les ivoires et l'argenterie enfermés dans une vitrine, les pendules cassées, les aquarelles fanées dans les tons gris et sépia. En passant près d'un carton rempli de disques, elle jeta un coup d'œil au premier de la pile : *Concerto pour piano nº2* de Tchaïkovski. La pochette représentait une rose de Damas. Elle détourna le regard.

C'est alors qu'elle aperçut le tableau.

C'était un portrait qu'elle connaissait bien ; celui d'une jeune femme en robe blanche, assise, main gauche appuyée sur le rebord de la chaise, main droite repliée sur les genoux. Derrière elle étaient tendus des rideaux jaunes à travers lesquels on devinait une rue. Tons bleutés.

Catherine parcourut à nouveau le portrait des yeux. Objectivement, les défauts anatomiques étaient nombreux. Le bras droit était trop court, les doigts à peine ébauchés. La main gauche était presque disproportionnée. La chaise n'allait pas non plus, la courbe maladroite du dossier lui donnait l'air d'avoir été rajouté au petit bonheur. Et pourtant, de loin, le portrait semblait parfait. Quelque chose dans ses défauts même le rendait merveilleux.

Mark Pearson était assis dans le bureau au bout de l'entrepôt.

« Catherine, s'écria-t-il.

— Il est là », dit-elle en désignant le tableau.

Il se leva pour aller la rejoindre et annonça :

« Il l'a amené en personne.

— M. Williams ? fit-elle, étonnée.

— Oui, samedi. Je ne pouvais pas refuser. »

Personne n'aurait pu refuser. Le portrait était l'œuvre d'un aquarelliste écossais.

« On devrait attendre le mois prochain, pour le mettre en vente avec les objets d'art.

— C'est ce que je lui ai dit », fit Mark avec un geste de la main, « mais tu sais à quel point ce vieillard peut se montrer acariâtre...

— Pourtant, il m'a dit qu'il ne souhaitait pas s'en défaire.

— Je savais qu'il finirait par nous le vendre. Combien de fois t'a-t-il demandé de passer chez lui déjà ? Quatre ou cinq ?

— Je n'arrive pas à y croire », murmura Catherine en fronçant les sourcils. « Je n'y comprends rien, il adorait ce portrait.

— Il ne l'aime peut-être plus, cela arrive. »

Incrédule, elle regagna le bureau. En la voyant approcher, un des antiquaires lui adressa un sourire concupiscent. Elle lui lança un regard moqueur. Il avait une soixantaine d'années, pesait environ cent trente kilos et tentait de camoufler son crâne chauve sous son unique mèche grise.

« Bonjour, Catherine, s'exclama-t-il en la reluquant.

— Bonjour, Stuart, comment allez-vous ?

— Quelle belle marchandise vous avez là ! » ajouta-t-il en riant.

Elle entra dans le bureau, jeta son manteau sur une table en grommelant :

« Tu as de quoi rendre Brad Pitt jaloux, toi. »

Elle s'installa, le regard perdu dans le vague. Elle se prit le visage dans les mains, et des images de roses s'imposèrent à elle. La rose sur la pochette du disque avec ses pétales veloutés, si sensuels au toucher. Un parterre de roses rouges dans un jardin, des années auparavant. Un bouquet de roses rouges emballé dans du cellophane, il n'y avait pas si longtemps. Quarante-deux roses au parfum capiteux, d'un luxe étouffant.

Pourquoi ce bouquet ?

Parce que cela fait quarante-deux jours que je te connais.

La porte s'ouvrit.

Elle posa les mains sur la table.

« Qu'est-ce qui t'arrive ? demanda Mark.

— Rien.

— Que t'a dit Stuart ?

— Ça n'a rien à voir avec lui. Ça va.

— Qu'est-ce que ça doit être quand ça ne va pas », dit-il en faisant le tour du bureau.

Elle ouvrit l'agenda.

« Tu remarqueras que c'est une Minton, fit Mark en posant une tasse de café devant elle.

— Merci, je suis touchée. C'est quoi ça ? » demanda-t-elle en désignant une note correspondant à un rendez-vous pour le lendemain matin.

« Un type qui a appelé hier », fit Mark en s'asseyant sur le rebord du bureau.

« Bridle Lodge ?

— C'est près de West Stratford. J'ai noté les indications pour toi », ajouta-t-il en lui montrant un post-it.

« Tu ne veux pas de moi ici ? »

Il but son café d'un trait et plongea son regard dans celui de Catherine.

« Avec cette tête d'enterrement, non merci. »

Mark, de quinze ans son aîné, était l'un des hommes les plus aimables qu'elle eût jamais rencontrés. C'était plus que de l'amabilité : il était galant et prévenant.

« Allons, qu'est-ce que tu as ? » insista-t-il.

S'il y avait quelqu'un à qui elle aurait dû pouvoir se confier, c'était bien lui.

Mais elle en fut incapable.

Ce soir-là, elle appela la mère de Robert qu'elle n'avait pas vue depuis plus d'un an. Elle s'installa dans la cuisine, garda le téléphone à la main un long moment.

Autour d'elle, les objets témoignaient encore de la présence de son mari : ses magazines posés dans le panier, au bord du comptoir, ses notes sur le pense-bête – rendez-vous chez l'ostéopathe, ticket de pressing –, la tasse à café dont il s'était servi samedi soir, abandonnée près de l'évier, là où il l'avait laissée. Catherine était trop superstitieuse pour la changer de place.

Lorsqu'elle trouva enfin le courage de composer le numéro, le téléphone sonna longtemps dans le vide. Elle s'apprêtait à raccrocher quand Eva répondit enfin.

« Catherine à l'appareil.

— Bonsoir, Catherine.

— Comment allez-vous ?

— On va dire pas mal.

— Je sais que cette question va vous paraître étrange, mais Robert est-il chez vous ?

— Robert ? Cela fait des mois que je ne l'ai pas vu.

— Il ne vous a pas appelée la semaine dernière ?

— Robert ne m'appelle jamais, répondit sa mère. Vous non plus, d'ailleurs. »

Catherine serra le poing.

« Il ne vous a pas écrit ? s'entêta-t-elle.

— Que se passe-t-il Catherine ?

— Je n'en sais rien. Il est parti.

— Parti ? » Eva Sergeant semblait amusée. « Vous êtes-vous disputés ?

— Non, pas du tout.

— Il a bien dû se passer quelque chose.

— Il n'y a rien eu du tout, répondit Catherine. Lorsque je me suis réveillée dimanche matin, il n'était plus là. J'ai trouvé un message, une courte lettre disant qu'il devait partir. Il a tout emporté : vêtements, argent, cartes de crédit, chéquier. Son portable.

— Vous avez essayé de le joindre ?

— Bien sûr, cinquante fois par jour depuis dimanche. J'ai laissé plusieurs messages.

— Pas la peine de hausser le ton. »

Catherine prit une profonde inspiration.

« Excusez-moi », dit-elle.

Il y eut un long silence.

Catherine imaginait Eva dans sa maison de cinq étages. Elle la voyait, assise à la table de la cuisine, au sous-sol, paquet de cigarettes à portée de main, jouant avec son briquet. Elle n'ouvrait jamais les rideaux, gardait les volets clos en permanence, la maison fermée, afin de protéger les tapis et les meubles que son mari et elle avaient rapportés du Moyen-Orient. Malgré ces précautions, ils semblaient délavés, fanés, comme vidés de leurs couleurs.

La cuisine était une relique des années cinquante et pourtant, c'est là que la mère de Robert gravitait, vers la chaleur. Quelle heure pouvait-il être ? Catherine consulta la pendule. Dix-huit heures cinquante.

« Qu'est-ce qu'il fait ? s'enquit Eva.

— Pardon ?

— Robert. Qu'est-ce qu'il fait ?

— Il n'est pas au bureau…

— Mais il a toujours le même poste ?

— Oui. »

Comment aurait-il pu en être autrement ? Le travail de Robert était toute sa vie. Il était comptable dans l'antenne régionale d'une grande entreprise à Salisbury. Il devait faire une heure de trajet par jour pour s'y rendre. Il partait à sept heures du matin pour arriver le premier et devait souvent être le dernier à quitter le bureau. Elle se creusa la tête, à la recherche d'un détail qui lui aurait échappé ces dernières semaines. Le nom d'un client. Mais rien ne lui vint.

C'était peut-être autre chose. Il avait peut-être démissionné ? Elle n'y avait pas pensé avant. Au bureau, on lui avait dit qu'il était absent mais peut-être qu'ils mentaient pour le couvrir.

« Au moins, il n'a pas été enlevé, commenta Eva.

— Que voulez-vous dire ? »

Eva alluma une cigarette, aspira une bouffée avant d'ajouter :

« S'il a pris toutes ses affaires, c'est qu'il avait l'intention de partir. »

Catherine reposa le combiné et monta à l'étage. Ce n'est qu'en entrant dans sa chambre qu'elle prit la mesure de l'insouciance d'Eva. Agacée, elle se débarrassa de ses vêtements et prit une douche brûlante. Elle se frotta consciencieusement, se fit un shampooing. Comment une mère pouvait-elle être aussi peu concernée par la disparition de son fils ? Eva faisait preuve d'une telle désinvolture. Et puis, insulte suprême, elle avait sous-entendu que le départ de Robert était prémédité et n'avait rien d'un accident. Pas un mot de réconfort, pas la moindre trace de compassion.

Elle se frotta les yeux, pleins de savon. Eva semblait sous-entendre que le comportement de Robert était sans conséquence, presque prévisible. Mais cela ne lui ressemblait pas. Robert vivait sa vie avec la régularité d'un métronome. On pouvait compter sur lui. C'était l'une des choses qui l'avaient attirée en lui au début, son air fiable, sa force tranquille. Eva se trompait. Mais il fallait dire aussi qu'elle se fichait pas mal de son fils : Edward, son mari – victime d'une attaque quelques années auparavant – et elle l'avaient envoyé en pension quand il était tout petit. Eva n'avait pas montré d'émotion particulière le jour du mariage de Robert, pour qui le simple fait qu'elle se fût déplacée tenait du miracle.

Catherine sortit de la douche et aperçut son reflet dans le miroir, les joues rouges, l'air hagard. Elle se sécha, s'étendit sur son lit et s'enfouit sous les couvertures.

Sa colère l'empêchait de pleurer.

Elle ferma les yeux et la vérité s'imposa à elle.

Elle le sentait venir depuis un an.

3.

Sa vie, ce qu'elle considérait comme sa vraie vie, avait commencé grâce à la peinture.

Un jour d'été particulièrement étouffant, à Londres, au cours d'un interminable été où la pierre de Portland semblait chauffée à blanc, délavée par l'éblouissante lumière presque fluorescente, Catherine avait découvert les musées. Lasse de parcourir Oxford Street au coude à coude avec les touristes, elle devait sa première visite à une dispute avec sa meilleure amie à l'angle de Millbank, à propos d'une vétille dont elle n'avait pas souvenir. Elle avait sauté dans le premier bus qui passait, était descendue près de la Tate, avait emprunté l'escalier de conte de fées de l'entrée, se prenant pour Cendrillon. Elle ne pensait qu'à sa petite personne alors, nombrilisme obsessionnel de l'adolescence, et se moquait pas mal de l'art.

Elle s'était retrouvée dans une immense pièce vide au dallage froid et s'était assise en plein milieu pour admirer les tableaux surdimensionnés, les cartons de Raphaël où il avait fait preuve d'une belle ingéniosité en représentant la silhouette du Christ, les reflets dans la mer de Galilée en négatif pour que les perspectives des tapisseries soient exactes. Enthousiasme de la jeunesse.

Jusque-là, Catherine s'était destinée, comme ses parents, à une carrière scientifique. Elle deviendrait chimiste. Son avenir était tout tracé : elle se consacrerait à un domaine de recherche précis et deviendrait célèbre pour ses découvertes. Elle allait épater tout le monde. Elle avait opté pour les sciences, à ses yeux la meilleure façon de se confronter aux mystères de l'univers. Elle adorait les détails visibles seulement au microscope, la vie qui fourmillait jour après jour loin des regards humains. Elle aimait l'idée que son environnement – elle y compris – soit composé de fils indestructibles, renaissant même lorsqu'on les croyait anéantis. Triomphante, la vie s'agitait sur un miroir, une lame de verre.

Mais pour la première fois, ce jour-là, elle avait vu les tableaux de Richard Dadd.

Elle avait délaissé les géants de Raphaël pour flâner dans une pièce de dimension plus modeste. Là, dans un coin, sur le mur, presque à l'abri des regards, elle l'avait trouvé. C'était un petit tableau, d'une trentaine de centimètres environ, d'un vert intense, intitulé *The Fairy Feller's Master Stroke*. Juste sous le centre du tableau se tenait un homme, de dos, qui soulevait une hache. Par terre devant lui, on distinguait une tache ovale au-dessus de laquelle la lame de la hache dessinait un rectangle doré, l'un des seuls détails de couleur claire au milieu d'un océan de vert et de brun. Sur le moment, tout ce qu'avait remarqué Catherine c'était l'homme, la foule qui l'entourait et le fait qu'il se trouvât dans une clairière ; et puis elle se rendit compte qu'il n'était pas entouré d'arbres, mais d'herbes hautes et que la foule avait quelque chose d'extraordinaire. Parmi elle on distinguait des pirates, des nains, des libellules, des visages et des mains difformes ; des pieds minuscules, des jambes grotesques, des ailes repliées dans le dos de certains personnages. Des satyres embusqués dans le sous-bois touffu ; un vieil homme assis presque sous la lame. Des courtisans de toute espèce – insectes, êtres humains – étaient réunis autour d'un couple royal. Sous leurs pieds, caché sous un tapis de marguerites, bras tendu vers la droite, doigts levés, un magicien vêtu d'une cape semblait orchestrer l'exécution.

Elle relut le titre du tableau. *The Fairy Feller's Master Stroke*. Le coup de maître du coupeur de fées.

L'espace d'un instant, elle se demanda si le vieil homme était la victime, avant d'apercevoir la forme sombre au sol. C'était une noisette ou une faine placée de sorte que la hache la casse en deux en tombant. Coup de maître, en effet, que de la fendre en un seul geste...

Catherine eut soudain très envie de toucher le tableau. Il foisonnait de détails, le rendu de chaque feuille, chaque pétale, était parfait. Les herbes jaillissaient du tableau. Les yeux, les ongles, les plis des vêtements, la moindre ride étaient reproduits avec précision, au millimètre près. Avec une application forcée, presque douloureuse. Rien ne comptait que le détail.

Elle finit par s'éloigner pour aller croiser le regard magnifique des portraits victoriens et préraphaélites de la collection principale. En passant, elle put admirer l'œuvre de Sargent et le *Derby Day* de Frith. Les visages dans la foule du tableau de Frith lui rappelèrent les lutins de Dadd et le vibrant éclat de la hache suspendue dans les airs.

Elle n'en apprit davantage sur le peintre que plusieurs semaines plus tard : on l'avait acclamé comme un génie. Il avait visité la Syrie et l'Égypte, était tombé malade au cours du voyage. À son retour chez lui, il luttait déjà avec les premiers symptômes de la schizophrénie. Après avoir tranché la gorge de son père avec un canif, il avait été interné pendant plus de quarante ans ; le tableau qui hantait Catherine, ainsi que beaucoup d'autres, avait été peint à Bedlam, hôpital psychiatrique dont le nom était devenu synonyme de terreur.

Ses parents ne la comprenaient pas. À leurs yeux, son obsession pour l'art serait passagère. Ils n'en tenaient pas grand cas, s'en moquaient même, comme d'une toquade d'enfant gâtée.

Ils vivaient à l'étranger et elle ne les voyait qu'une fois par mois environ. Ils étaient sociables, généreux et travaillaient à Bruxelles pour l'ONG Médecin Libre, dont ils étaient chargés de négocier le financement, et multipliaient les voyages. Quand elle était âgée de neuf ou dix ans, ils avaient passé deux ans en Somalie – période de solitude pendant laquelle elle ne les avait pas vus et avait passé les fêtes et les vacances chez des amis. Pour les scientifiques et les administrateurs très cartésiens qu'ils étaient, l'histoire de Richard Dadd avait tout l'air d'une fable.

« Tu plaisantes ? » lui avait demandé son père en riant, alors qu'il conduisait à tombeau ouvert dans les rues de Londres. « Un peintre ? Un fou ? » Il s'était retourné pour lui lancer un sourire.

« Je change de spécialité », avait-elle répondu.

Sa mère, assise à l'avant, l'avait alors dévisagée en demandant :

« Que vas-tu faire ?

— Histoire de l'art.

— Que Dieu nous protège ! » s'était exclamée sa mère en souriant, comme si Catherine plaisantait.

« Ça m'étonnerait, ma chérie », insistait son père. Elle revoyait ses mains hâlées agrippées au volant. Il était si séduisant, cet homme à la voix forte, au teint typiquement anglais. Pour lui, la vie de sa fille était toute tracée, une vie faite de recherche et d'exploration, de pragmatisme. C'était exactement ça : une vie pragmatique, la vie d'une femme d'action.

« L'histoire de l'art », avait dit Catherine. Les phares dansaient sur les haies. Une lueur bleu pâle illuminait le ciel alors que la nuit les enveloppait. Elle fut surprise de pouvoir distinguer des filaments d'étoiles et des lambeaux de nuages. Dadd chuchotait à son oreille, comme un ongle grinçant sur une vitre, une épine contre sa peau.

Catherine était élève dans une école des environs d'Hampstead et tous les jours, elle passait devant une petite maison en bardeaux sur Hampstead Heath. Le bow-window donnait directement sur la rue et, à moins de regarder par-dessus le portail blanc, on aurait pu penser que la maison était très étroite, grande comme un mouchoir de poche. Un jour, peu après avoir découvert le tableau de Dadd, elle s'était arrêtée pour déchiffrer la plaque bleue sur la façade. « George Romney, 1734-1802. »

C'était un artiste ruiné après avoir tenté de fonder une petite académie de peinture. Assise dans la bibliothèque de l'école, elle repensait aux filaments magnifiés par le microscope, aux herbes de Dadd pareilles à de la corde ; à Romney dans sa petite maison en bardeaux, son pinceau courant sur la toile, à la complexité des détails chez Frith et Dadd. Elle s'était longtemps interrogée sur l'obsession de Dadd pour le minuscule et l'invisible, toutes ces images subliminales qui passent en un éclair.

En poursuivant sa lecture, Catherine était tombée sur une liste d'artistes ayant vécu à Londres. Le nom de Constable côtoyait celui de Dadd. Constable avait emménagé à Hampstead pour mettre un terme « à la vie triste et instable qui est la mienne depuis mon mariage » ; mais sa femme avait été emportée par la tuberculose après la naissance de leur septième enfant.

En tournant la page, elle découvrit la reproduction de l'esquisse d'Hampstead Heath, le cadre bucolique et, au loin, l'ombre bleutée de Londres. Et puis les esquisses et les aquarelles réalisées deux ans après la mort de sa femme, auréolées d'une lueur dansante, où la pluie est chassée de la toile par la lumière crue du soleil qui forme une arche à gauche du tableau. Elle découvrit que Constable tenait un journal où il notait ses relevés météorologiques : « 30 septembre 1822, vent vif venant de l'est… S.E.5 heures Vent d'est. »

Qu'il ait pu déterminer avec précision la qualité de la lumière au jour et à l'heure près la fascinait. S'appliquer, utiliser l'art pour arrêter le temps, immortaliser un moment sur la toile, dans la pierre ou le bronze. Frith supportant le froid glacial dans une gare pour immortaliser une journée de la fin du XIXe siècle ; Constable griffonnant ses relevés atmosphériques pour figer quelques secondes d'une après-midi qui, sans lui, aurait pu tomber dans l'oubli. D'autres journées, d'autres moments eux aussi immortalisés sur toile : la découverte du Sphinx consignée par Henry Salt ; la moue de désapprobation du duc de Wellington surplombant son placard de médailles saisie par Goya.

Visages figés pour l'éternité : Marie-Antoinette grotesquement fardée en 1783 ; à peu près à la même période, les familles Melbourne et Milbanke paradant avec leurs chevaux, immortalisées par le pinceau de Stubbs. Richelieu par Champaigne, apparemment gêné et attristé par la débauche d'ocre et de satin rouge qui l'entoure.

Bien sûr, les artistes avaient le don de voir le monde, mais il y avait autre chose : une part d'eux-mêmes passait dans leur œuvre, sur la toile. Elle avait refermé le livre et quitté la bibliothèque.

Les tableaux, les détails et les impressions qu'elle avait ressenties à leur vue, leur univers, l'habitaient.

The Last Evening de Tissot et *La Naissance de Vénus* par Bouguereau, la déesse soulevant sa longue et épaisse chevelure et découvrant son dos, tout entière à son désir secret. La douce explosion de lumière du *Nocturne* de Whistler, le *High Yellow* de Frost. Elle se mit en quête d'ouvrages sur la peinture dans les bacs des bouquinistes, en découvrit sur Gaddi, Gainsborough, Siberechts et Sickert. Elle se souciait peu du style ou de l'époque, seul le détail l'intéressait. Cela devint une obsession. Le lys et l'anémone retombant nonchalamment dans la nature morte de Ruysch ; le galon de soie tressée rehaussant le visage de la jeune princesse peinte au XVe siècle par Pisanello.

Elle se remémora un week-end de printemps passé avec ses parents quinze ans plus tôt. Sa mère, qui avait attrapé froid, s'était pelotonnée devant la fenêtre du cottage, et l'air morose, regardait la pluie tomber. Ses mains, qu'elle réchauffait sur sa tasse de café, étaient gercées par le sel. Son père et sa mère s'étaient occupés d'un projet d'approvisionnement en eau potable, quelque part dans l'estuaire d'une rivière en Israël. Ils avaient encore des fleurs tatouées sur le dos de la main, cadeau d'une jeune fille dans un kibboutz. Catherine se souvenait de la complexité du motif : une guirlande de pétales circulaire.

Sa mère l'avait prise dans ses bras et Catherine s'était installée près d'elle pour observer la pluie dégouliner sur les vitres.

« Quel pays déprimant, avait murmuré sa mère.

— Tu le penses vraiment ?

— Absolument, c'est pour ça que je reviens toujours. » Son large sourire s'effaça ; elle pencha la tête. « Tu veux me dire ce qui ne va pas ? »

Catherine s'était blottie au creux de son épaule et avait caressé le tatouage du bout des doigts.

« Je n'en sais rien. Emmenez-moi. »

À ces mots, sa mère avait posé sa tasse pour la dévisager. Catherine avait lu de l'inquiétude dans son regard, et tout ce qui la caractérisait : intelligence, courage, extravagance et, chose insupportable pour une adolescente, calme olympien.

« Vous avez une vie tellement passionnante.

— Mais tu dois finir le lycée.

— Je sais. Mais quand j'étais petite, je vous accompagnais toujours. »

C'était bien le cas, avant sa première rentrée des classes. Ses premières années avaient été si colorées. Devenue adulte, elle se demandait souvent si ses sensations d'enfant avaient déterminé le choix de sa carrière. Les pays se mélangeaient dans sa tête, leurs noms aussi. Trop jeune pour se souvenir des endroits exacts, elle n'en avait pas moins retenu le goût de la gorgée de café bue dans la tasse de son père sur une terrasse nue ; l'image de maisons aux façades blanches et crème, de toits effondrés, d'un jeu de cartes éparpillé, d'une pente douce, curieusement indissociables du goût sucré des tomates, plus proche de celui d'un fruit que du légume acide qu'elle mangeait ici. D'autres images, au hasard des souvenirs : dans une ferme jamaïcaine, réveillée avant tout le monde par le bruit d'oranges tombant de l'arbre et frappant un toit de tôle, elle ramassait les fruits dans un seau tandis que la terre ocre s'accumulait entre ses doigts de pieds. Un tapis de citrons en train de pourrir couvrait le sol parce que le vieux paysan était trop perclus de rhumatisme pour se baisser ; contraste du jaune et de l'orange sur le rouge de la terre, odeur de la pulpe pourrie, contact de l'écorce sous ses talons.

Il y avait aussi ce qui semblait une infinie succession de ports et d'aéroports ; souvenir du batelier qui leur avait fait traverser le Bosphore à Istanbul, l'intérieur de son minuscule ferry tout d'ébène poli comme du verre ; de la femme qu'ils avaient prise en stop à la sortie de Kuakas et qui les avait accompagnés jusqu'à Marmara, silencieuse, drapée dans sa robe brune à rayures qui n'en finissait pas de faire des plis sur ses genoux et dans laquelle elle cachait ses bras hâlés. Elle avait effrayé Catherine avec ses regards pleins de gratitude.

Le seul endroit dont elle avait retenu le nom, Pamukkale, et sa colline en forme de pièce montée, les vasques calcaires où se reflétait le soleil couchant, rose orangé sur fond de ciel bleu pâle.

Sa mère avait tenté de la rassurer. « Quand ce projet sera terminé, nous passerons six mois à la maison. Tout l'été et tout l'automne. On fera du cheval. On louera un cottage dans la région des lacs, d'accord ? Ça te plairait ? »

Catherine culpabilisait. Elle comprenait depuis toujours la valeur de leur action. Mais elle éprouvait un étrange pressentiment depuis qu'elle avait vu le tableau de Dadd : il fallait s'efforcer de retenir tout ce qui vous échappait, de s'accrocher à l'invisible, aux non-dits. Elle avait plongé le regard dans les yeux noisette de sa mère, ces yeux pleins de franchise qui lui souriaient.

« On passera du temps ensemble », avait promis celle-ci.

Restée seule quand ils furent partis tous les deux, elle les associa à l'expérience vécue cet hiver et ce printemps-là, et dont les cartons de Raphaël et le tableau de Dadd avaient constitué le point de départ.

Esseulée, frappée par ce deuil soudain, si violent qu'elle en ressentait une douleur physique, rien ne pouvait l'apaiser sauf la lumière : ses reflets sur l'eau, les miroirs, les vitres, la lumière diluée, rendue plus intense ou diffuse par l'huile, les pastels ou l'aquarelle. Elle aurait aimé savoir peindre à cette époque-là, s'absorber dans la création, dans une activité qui aurait allégé sa souffrance. Mais elle savait qu'elle n'avait aucun talent. Elle ne pouvait être que spectatrice.

Elle se surprenait à regarder le centre d'un tableau, au cœur d'*An English Autumn Afternoon* de Ford Madox Brown, au cœur de l'obscurité, de l'incroyable précision des détails : les arbres, l'inclinaison d'un visage féminin, la silhouette d'un clocher à l'horizon, la délicatesse scrupuleusement rendue d'une main, d'une aile ou d'une feuille sur le fond vert d'un jardin, tout ce qui pouvait émousser la lame acérée du malheur pressée contre sa gorge et qui l'empêchait de respirer.

Samedi matin. Encore en robe de chambre, à quatre pattes par terre, Catherine fouillait les tiroirs du bureau. Elle n'avait pas pu s'endormir avant trois ou quatre heures du matin et à son réveil, quelques heures plus tard, cette idée l'obsédait.

Il devait y avoir un indice, oui c'était sûr, un détail auquel elle n'avait pas prêté attention. Le mot de Robert était si succinct : « Je dois partir. Je t'appellerai. » Il y a forcément un espoir, s'était-elle dit. Un espoir auquel se raccrocher. Et les images de Romney, Jennings, Constable, d'une telle lucidité, lui vinrent à esprit. Il y aurait un détail, un détail auquel elle n'avait pas prêté attention. Seul le détail comptait.

Elle était allée directement dans la pièce où Robert passait le plus clair de son temps depuis un mois environ. Il s'enfermait dans le bureau, des tableaux de comptabilité éparpillés autour de lui. Un jour, en regardant par-dessus son épaule, elle avait vu qu'il s'agissait de leurs propres finances et non de celles d'un client comme elle l'avait supposé.

« Quelque chose ne va pas ? avait-elle demandé.

— Non. »

Elle n'avait pas insisté. Robert avait toujours aimé tout vérifier lui-même. C'était un être méticuleux ; encore un trait de caractère qui, bizarrement, l'avait attirée chez lui : sa prudence.

« Je suis ton filet de sécurité », avait-il plaisanté un jour, au début de leur relation.

Le premier tiroir était rempli de papier à lettres, d'enveloppes blanches à l'en-tête de sa société, de trombones, d'agrafes, de cartes postales. Des reproductions de Mark Raven achetées dans la boutique de souvenirs du Musée Van Gogh, à Amsterdam. Ils y avaient passé un week-end à l'automne précédent, c'était son idée à elle.

« Ça paraît très cher pour un simple week-end, avait-il protesté.

— Deux cents livres à peine. C'est une offre spéciale.
— Tout de même... » Mais ils y étaient allés.

Elle étala les images par terre. C'était Robert qui les avait achetées. Noir, blanc, gris, vert : les couleurs de Raven. Moroses. Robert les avait-il achetées parce qu'il était morose ? Elle faisait de la psychologie de bas étage sans doute, se perdait en conjectures ; ça n'a pas de sens, se dit-elle.

Une autre de ses cartes : un merveilleux portrait de Ghirlandaio cette fois-ci, le profil d'une jeune fille vêtue d'une robe brodée d'or, à l'air merveilleusement calme et serein. Catherine se demandait s'il l'avait choisie par hasard. Elle imaginait Robert passant les cartes postales en revue pendant qu'elle feuilletait les livres d'art, en examinant une au hasard, la reposant. Était-ce un choix conscient ? C'étaient juste quelques cartes postales trouvées sur un présentoir près de la caisse, pendant qu'il l'attendait en silence.

Elle regarda de nouveau dans le tiroir.

Au moins une douzaine de catalogues de vente de chez Pearsons, l'un d'eux ouvert. Elle lut : « *Lot 543 : un collier articulé de style victorien en or jaune, avec motif de feuillage stylisé...* » Elle parcourut la page des yeux. Un pendentif, une épingle, une broche, une châtelaine en émail, un papillon serti d'aigues-marines monté en broche. Elle fronça les sourcils, incapable de se rappeler si cette page avait une signification particulière pour elle. Elle ne se souvenait pas d'avoir dû enchérir pour un client, et les bijoux en eux-mêmes ne l'intéressaient pas le moins du monde : elle ne portait jamais ni collier ni broche et ne possédait qu'un seul bracelet.

Son regard s'attarda sur une libellule sertie de cabochons de rubis en alternance avec des brillants, pièce de grande valeur. En caressant le papier, elle s'aperçut que le catalogue était ouvert à cette page depuis un certain temps car on avait du mal à le refermer.

Elle le mit de côté et fouilla le tiroir suivant.

CD pour l'ordinateur, scotch, ciseaux, cartouches d'encre pour l'imprimante.

Elle continua à chercher. Des relevés de compte. Elle les avait vérifiés le jour du départ de Robert, persuadée d'y découvrir une explication, dans le langage que son mari maîtrisait le mieux. Elle avait parcouru les pages, cherchant quelque chose d'évident, des dépenses et des montants inhabituels, vérifié les relevés de la carte de crédit reçus la semaine précédente. Pas de note d'hôtel, de facture d'agence de voyage. Rien de bizarre.

Elle s'allongea en position fœtale par terre, sur les cartes postales, les catalogues, y enfouit son visage et posa les mains sur ses yeux. « Où peux-tu bien être ? » murmura-t-elle.

*
* *

Vers midi, Catherine partit pour Bridle Lodge sur un coup de tête, sans prévenir le propriétaire de son arrivée. Elle s'empara simplement des clés de la voiture et de son manteau avant de claquer la porte. À la sortie de la ville, elle consulta la carte dépliée sur le siège et s'aperçut alors qu'elle suffoquait, en proie à une crise de panique.

Elle avait pris la voiture pour tromper l'attente. Elle était incapable de se concentrer sur quoi que ce fût, outre cette idée obsédante : *Je l'attends.* Cette obsession avait pris corps, constituait une véritable présence pour elle. Après avoir bu son café – elle n'arrivait à rien avaler de solide mais en revanche, mourait de soif –, Catherine avait attendu une bonne quinzaine de minutes dans le couloir, indécise. Elle n'arrivait pas à franchir le seuil ; il lui fallait attendre. Et s'il revenait pendant qu'elle était sortie ? Et s'il appelait ?

Elle rivait les yeux sur le téléphone qui ne sonnait pas. Il valait mieux sortir. Rester là ne le ferait pas sonner et ne ferait pas revenir Robert non plus. Il valait mieux s'occuper, aller voir Amanda et Mark, leur confier ce qui s'était passé. Garder pour elle un pareil secret tenait de l'absurdité.

« Pourquoi diable n'as-tu rien dit ? s'exclameraient-ils. Tu es folle ? Depuis quand est-il parti ? Presque quinze jours ? Catherine, enfin… »

J'attendais, expliquerait-elle.

L'attente l'accompagnait en voiture à présent, ombre inanimée qu'elle ne pouvait comprendre ni maîtriser. Elle en voulait terriblement à Robert de lui faire ça, de la rendre à ce point impuissante.

Elle attendit au carrefour jusqu'à ce que le conducteur derrière elle klaxonne. Au bout d'un moment, il vint frapper à la portière. La route était étroite, il y avait un feu rouge, personne ne pouvait la doubler.

« Qu'est-ce qui se passe ? » hurla-t-il. Il avait le même âge qu'elle. Il frappa de nouveau à la vitre, sourcils froncés.

Je n'y peux rien, désolée, avait-elle envie de dire, *j'attends.*

« Oh, mon Dieu », murmura-t-elle, main levée en signe d'excuse.

Elle passa en première, appuya sur l'accélérateur et sortit du carrefour sans même vérifier si la voie était libre.

Flight out of Egypt, 1849-59

Depuis qu'ils l'avaient amené à Bedlam, Dadd était obsédé par l'idée de fuite.

Au début, il s'apercevait à peine de sa captivité. Le temps avait changé d'aspect, compressé et déformé comme dans un rêve, et il s'imaginait qu'il lui suffirait de poser le pinceau sur la toile pour changer d'horizon.

Mais il s'était ravisé.

Il avait passé cinq ans en cage, comme les prédateurs du jardin zoologique. Parfois, M. Munro, son médecin attitré, lui rendait visite. Munro lui avait expliqué qu'il était fils et petit-fils de médecin et que les trois générations avaient exercé à Bedlam, cet asile monstrueux de Moorfields. Un jour qu'il tentait de briser le silence de Dadd, il lui avait dit que lorsqu'il était enfant, Turner, Hunt et Cotman rendaient souvent visite à sa famille.

Au nom de Turner, Dadd avait levé les yeux.

« L'art ne me laisse pas indifférent », avait ajouté Munro.

Et on avait apporté à Dadd des couleurs et une toile.

Il s'était d'abord inspiré de ses souvenirs de voyage en Syrie et en Égypte, avant qu'Osiris ne s'empare de son âme et ne lui montre le point de la gorge au-dessus de la clavicule par lequel Dieu lui-même insufflait la vie, l'endroit où il fallait enfoncer la lame pour libérer le souffle de vie. C'est par ce point précis qu'Adam avait reçu le souffle divin. Osiris le lui avait montré en Égypte en 1842, par une nuit de pleine lune, tandis que l'équipage du bateau chantait en faisant cercle sur le sable.

Ce soir funeste, en voyant son père debout devant lui à Cobham Park, Dadd avait compris pourquoi on l'avait envoyé. Les voix l'y exhortaient, une instruction divine. Pas pour détruire la vie, mais pour la libérer. Pas pour défier Dieu, mais pour faire acte d'allégeance au Créateur. Seuls les élus empruntaient ce chemin. Seuls les élus avaient le droit de voir création et destruction lutter pour le pouvoir aux confins de l'existence. Osiris lui avait mis le poignard dans la main, avait posé l'avant-bras sur l'épaule de son père et pressé la lame sur sa gorge.

Come Unto These Yellow Sands *: Viens sur ce sable blond, c'était le titre d'un des tableaux qu'il avait exécutés cette année-là. Son chant des sirènes à lui. Un retour vers le lit sablonneux du Nil, la vase qui tourbillonnait dans l'eau ; il sentait les grains de sable lui caresser la main au gré du courant.*

Sur la toile, des silhouettes nues ou à demi nues se pressaient sous une arche rocheuse en bord de mer, défilaient en contre-jour comme des notes de musique sur une portée, clés et accords faits de chair. De haut en bas, de droite à gauche, les silhouettes allaient et venaient, passant de l'ombre à l'aveuglante lumière. En transe, épuisés, ils défilaient, véritable marée humaine. Viens sur ce sable blond. Approche des confins de la folie.

Prisonnier de ces cages résonnant de hurlements, de ce labyrinthe de couloirs et de cellules où divaguaient les âmes, profitant du rai de lumière qui tombait de minuscules fenêtres placées haut sur les murs, Dadd avait peint la Syrie, Louxor et Damas. Il en avait rempli des carnets entiers. Il avait essayé de ressusciter l'aveuglante lumière qu'il avait vue là-bas, la chaleur, l'intoxication des sens. Les villages, Baalbek, Nazareth, Carmel et Jérusalem l'avaient ensorcelé. Après sa visite du Caire, il avait été subjugué par la majesté des temples de Karnak. Mais, pendant son voyage entre Alexandrie et Malte, les Dieux antiques lui avaient rendu visite et avaient envoyé des démons aux visages livides danser sur son lit à la nuit tombée, et s'enrouler autour du marchepied d'où ils le tourmentaient.

Délires d'un esprit capricieux, avait-il pensé !

Dehors, les hommes faisaient le tour du globe. Livingstone traversait le Kalahari pour arriver jusqu'au lac Ngami, les Anglais colonisaient l'Inde ; le virtuose Paganini tirerait bientôt sa révérence. Les révolutions se succédaient en Europe. Chopin, en proie à la maladie, entreprenait son dernier voyage vers la mort ; Foucault et Fizeau réalisaient la première mesure de la vitesse de la lumière. Et lorsque Munro autorisa Dadd à peindre au chevalet, c'est la traversée d'un désert qu'il représenta.

Une caravane faisait halte sur une plage. De nombreuses années auparavant, pendant son séjour en Syrie, il avait écrit à Powell que la vue des femmes sur la plage, bercées par le bruit du ressac, le rendait fou ; c'était une scène tellement enivrante qu'elle aurait pu faire perdre la tête à un esprit faible comme le sien. Il écrivait cela avec le plus grand calme, comme si sous son crâne, la tempête ne grondait pas déjà, nuages d'orage qui s'amoncelaient, murs indigo...

Il les décrivait, ces femmes qui marchaient, vêtues d'amples robes bleues aux larges manches, portant leurs cruches en équilibre sur la tête. Il avait représenté un seul enfant nu, un petit garçon les bras croisés au premier plan, à qui personne ne prêtait attention. C'était davantage l'évocation d'un désir perdu qu'un véritable être de chair et de sang.

Et enfin, l'année de ses soixante ans, il en vint à cette grande image pleine de vie. Une toile de plus d'un mètre de côté, embrasement de rouge, d'or, de blanc et de vert. Des porteuses d'eau, des hommes à cheval ou à dos de chameaux et des lames : lances et cimeterres, sabres et poignards pendant aux ceintures. De nouveau ces visages et ces fronts larges, les yeux vides, l'indifférence. Des mains tendues dans le coin gauche de la toile, griffes démoniaques juste sous l'image apparemment innocente d'une fillette couverte d'un châle qui va puiser l'eau à la source. Au centre, les épaules drapées dans une peau de léopard, un guerrier se désaltère. À droite, un garçon chuchote à l'oreille d'un vieillard. On distingue des danseuses, des marchands, des soldats et, dans l'angle, au pied de tout ce désordre, le Christ aux genoux de sa mère.

Dadd retoucha le tableau encore et encore. Il n'arrivait pas à faire disparaître les lances, ni le reflet métallique des armures. La lumière parait les cruches d'une patine argentée. Partout où l'on posait les lèvres. Partout où Dieu avait touché l'homme de ses lèvres, avait insufflé la vie à travers la couleur sur la toile. C'était lui qui les avait créés, ces jeunes filles, ces enfants, tous ces visages de femmes, ces fronts d'hommes pleins de sagesse, ces veines étranges sur les bras, par l'intermédiaire du pinceau sanglant.

Tout ça l'épuisait.

Il avait fui, disparu un moment, s'était perdu dans la foule, sur la toile.

Mais pas pour longtemps.

4.

Robert traversait l'aéroport lorsqu'il aperçut Amanda.

Il se dit qu'il avait été ridicule de croire qu'il pourrait s'en tirer en se faisant tout petit, et dès qu'il vit l'associée de Catherine dans le hall des départs – Amanda parée de ses plus beaux atours, pashmina blanc compris, l'impérieuse Amanda – faire au revoir de la main à sa mère, il eut un coup au cœur.

Allez, c'était parti.

« Robert ! » s'écria-t-elle.

Il sourit et poussa son chariot dans sa direction.

Elle le prit dans ses bras pour l'embrasser. « Tu rentres de voyage ?

— Oui. » Était-elle au courant ? Pouvait-il en être autrement ?

« Catherine y a fait allusion l'autre jour. »

Il ne réagit pas.

« Dans un endroit de rêve ? »

Il y eut un blanc pendant qu'il étudiait son visage inexpressif. « En Italie, répondit-il, Rome.

— Formidable ! » Elle l'avait pris par le bras et l'entraînait déjà loin du flot de passagers qui débarquaient. « Je ne pense que du bien des entreprises qui envoient leurs employés en voyage d'affaires à Rome, soupira-t-elle. Je ne me souviens même plus du dernier voyage que Mark et moi avons fait. Les seules fois où je vais à l'aéroport, c'est pour accompagner maman. »

Ils approchaient de la sortie. Il l'écoutait sans parti pris, poliment, en se demandant s'il la reverrait jamais.

« Elle prétend pouvoir se débrouiller toute seule, mais tu sais, elle a soixante-dix-sept ans. Je l'imagine coincée sur le périphérique dans un taxi, incapable de se rappeler où elle doit aller.

— Comment va-t-elle ? » s'enquit-il. La réponse ne l'intéressait pas. En fait, il n'avait qu'une envie : partir.

« Elle a des rhumatismes. Mark doit être en train de remercier le Seigneur en ce moment. Elle est ignoble avec lui. Tout simplement ignoble. »

Ils s'étaient arrêtés. « Ta voiture est là ? demanda-t-elle.

— Oui.

— Tu ne veux pas que je te ramène ?

— Non merci. »

Un ange passa. « Catherine va être contente de te revoir », ajouta Amanda.

Cette phrase impliquait-elle autre chose ? Non, Amanda n'aurait pas pu garder son calme si Catherine s'était confiée à elle. Elle se serait répandue en invectives, aurait exigé des explications.

« Bon, dit-elle, j'y vais avant que la M4 soit envahie par les Range Rover.

— OK.

— On se voit bientôt. Pourquoi pas pour dîner dimanche soir ? Tu nous parleras de Rome.

— Au revoir », lança-t-il en souriant.

Il la regarda se frayer un passage dans la foule, à pas rapides. Il savait qu'elle conduisait vite aussi. Elle serait de retour dans trois heures environ. Il se passerait peut-être trois ou quatre heures avant qu'elle ne parle à Catherine.

Robert est rentré ? Je l'ai vu à l'aéroport.

« Au revoir », murmura-t-il à nouveau pour lui-même.

5.

En février, la vallée en aval de Bridle Lodge avait été inondée. John Brigham qui promenait son chien tout près des noues avait vu la rivière sortir de son lit. C'était un dimanche matin, un beau temps froid et sec avait succédé à une semaine de violentes averses, mais la force du courant en amont avait fait monter les eaux. Les champs – étendue d'un vert vif quadrillée par des arbres et de petites haies, ponctuée de fossés d'irrigation hérités de l'ère victorienne pourtant rarement saturés – avaient été noyés sous les eaux en l'espace d'une seconde.

Il était huit heures du matin et il arrivait de la forêt de Derry Woods. Frith le devançait en courant à toute allure sur le sentier et en fouettant l'air de sa queue. John s'était arrêté à une patte-d'oie : l'un des chemins s'enfonçait dans la forêt, l'autre repartait vers la route et un troisième menait au village en traversant la rivière. Il avait admiré la vallée en contrebas, les nappes de brume s'élevant au-dessus de l'eau, la teinte bleu pâle du ciel annonçant une journée ensoleillée. Il était resté accoudé à l'échalier un bon moment.

Il n'était de retour que depuis quinze jours et n'habitait Bridle Lodge que depuis dix. Toujours pas habitué au climat anglais après avoir connu le soleil d'Andalousie, Frith grelottait encore. Il devait faire bon à Aloro en ce moment, alors que les premières chaleurs s'abattaient sur les plaines plantées d'oliviers à perte de vue ; une curieuse brume opalescente devait couvrir la côte, signe avant-coureur de l'été. Le toit en tôle de la terrasse entamerait bientôt son concert de percussions, craquant et se dilatant sous le soleil de l'après-midi. Ils avaient passé ces sept dernières années dans une ferme près d'Aloro, dans les montagnes. En janvier, il avait loué la maison et fait ses paquets pour rentrer chez lui.

Toujours accoudé à l'échalier, une main sur la poitrine, John vit Frith revenir vers lui en courant. L'air perplexe, l'épagneul lui lança un regard plein d'impatience.

John escalada l'échalier pour reprendre sa promenade ; Frith l'escorta tandis qu'il suivait le sentier à présent plus étroit, bordé d'une haie d'un côté et d'une barrière de l'autre. Des moutons paissaient dans les champs en contrebas et sur la pente de la colline ; ils se serrèrent les uns contre les autres dans un coin au passage des deux promeneurs. Comme il atteignait le sommet de la colline, John vit l'eau submerger les champs ; l'étroite route goudronnée, à peine assez large pour deux véhicules, disparut soudain.

Un homme d'une cinquantaine d'années était planté devant chez lui lorsque John et Frith pénétrèrent dans le village. Du pont, construction grossière à trois arches vieille de quatre siècles, il ne restait plus aujourd'hui qu'une bande de briques à laquelle aucune route ne menait et dont aucune route ne partait. Les sentiers de halage, autrefois très fréquentés, avaient disparu comme les hauts-fonds envahis par le cresson en été. La rivière offrait un spectacle magnifique près du pont : ses eaux bouillonnaient, masse grisâtre et frémissante, tortueuse. Plus loin, l'herbe disparaissait et elle reprenait son cours, sereine, sa surface à peine ridée par quelques vaguelettes. Plusieurs autres villageois étaient sortis de chez eux pour assister à la scène.

« Ça s'est passé en un clin d'œil », expliqua l'homme. « Une voiture était engagée sur la route, le conducteur a dû faire marche arrière. Quelqu'un d'âgé en plus.

— Où est-il passé ? demanda John.

— Quelqu'un le suivait, il l'a aidé à faire demi-tour. »

John sourit. « Peter Luckham, dit l'homme en lui tendant la main.

— John Brigham.

— Vous êtes le nouveau propriétaire de Bridle Lodge ?

— Exactement.

— Je ne voudrais pas vous vexer, mais…

— Oui ?

— Eh bien, ce genre d'incidents ne se produirait peut-être pas si les écluses et les canaux étaient propres chez vous.

— Les écluses ? fit John en fronçant les sourcils.

— En contrebas de la maison, près du buisson de rhododendrons. »

John l'avait repéré, évidemment. Même si la visite de la maison, à l'occasion de son voyage à l'automne, s'était faite au pas de course, il n'aurait certainement pas pu manquer les gigantesques rhododendrons et les camélias au bout de l'allée. Le jardin qui entourait la maison était dans un piètre état, à l'abandon, mais d'après ce que John avait pu voir en jetant un rapide coup d'œil, au bout de la pelouse, derrière les haies, plusieurs sentiers envahis par les feuilles et les mauvaises herbes zigzaguaient vers un ruisseau. Un buisson de rhododendrons de dix mètres de haut s'élançait à l'assaut du ciel.

« Magnifique spectacle au printemps », avait commenté l'agent immobilier.

Magnifique somme de travail, oui, s'était dit John en se demandant s'il en verrait la fin un jour.

« Il y a des écluses », fit-il d'une voix blanche en se tournant vers Peter Luckham.

« En tout cas, il y en avait quand mon père s'occupait du jardin. Toute une série de portes. Vous pourriez réguler l'eau.

— Je n'ai rien remarqué du tout.

— Pas étonnant avec toute cette saleté. »

John sourit. Saleté : on pouvait voir les choses comme ça, en effet. Une jungle de buissons, des arbres à feuillage persistant dont les branches ployaient jusqu'au sol, un enchevêtrement d'orties et d'hellébores. Quelques jours plus tôt, en apercevant les premières pousses bleutées pointer entre les arbres, il avait compris que le sol serait bientôt couvert de jacinthes qui prospéraient grâce à l'ombre et à l'humidité.

Des écluses ? Les portes de canaux d'irrigation ? Il n'avait rien vu.

« C'est Pettertons qui a construit la maison en 1880, poursuivit Peter. Il a dessiné le jardin et placé les écluses pour créer un lac artificiel. Ça ressemble plus à une mare envahie par les nénuphars, aujourd'hui ; c'est le coin qui ressemble à un marécage.

— C'est le produit de la main de l'homme », fit John d'un ton rêveur. C'était logique. Pendant l'hiver, la boue avait tout submergé. Un épais rideau de saules pleureurs masquait ce qu'il avait pris pour une berge naturelle.

« Il faudrait nettoyer tout ça », s'exclama Luckham, mains dans les poches, regard fixé sur le pont. « Si je puis me permettre. »

*
* *

Le printemps approchait à présent. Encore un mois de patience. John s'était attelé à cette tâche insensée plusieurs semaines auparavant, un soir de février. Alors que le jour déclinait, il s'était dirigé vers la partie du jardin bordant le ruisseau. Le crépuscule était un moment éphémère : il ne durait qu'une quinzaine de minutes les jours de grisaille. À force de rester à l'intérieur, il s'était senti oppressé par le ciel monotone, les nuages menaçants qui ne donnaient jamais de pluie. Il avait dû sortir prendre l'air.

Fou de joie, Frith décrivait des cercles autour de lui sur l'herbe détrempée et l'éclaboussait de boue au passage. John marchait d'un pas lent ; il sentait l'humidité se déposer sur ses vêtements. Les arbres dégoulinaient de pluie.

Il se répétait qu'il avait eu tort de rentrer et d'acheter cette maison. Pourtant, pendant tout l'automne, il avait été obsédé par l'idée de revoir l'Angleterre. Pas parce que l'avenir y serait plus souriant... il avait simplement envie de se retrouver chez lui, là où il avait grandi. Et en chemin vers l'ancien lac, il s'efforçait de se rappeler ce qui l'avait conduit à prendre cette décision. Voilà ce qu'il était venu retrouver, se disait-il, l'humidité et la mélancolie de l'hiver anglais, les pluies venues de l'Atlantique qui balaient continuellement les Somerset Levels.

À l'abri des rhododendrons et des camélias, il observa l'eau serpenter le long de la butte. Il repensait au dernier projet qu'il avait réalisé à Londres avant de partir pour l'Andalousie. Il avait quarante ans à l'époque ; Claire était morte depuis deux ans. Il savait déjà en acceptant le chantier de Hampstead que ce serait son ultime projet en Angleterre. C'était un tournant pour lui : tout ce qu'il faisait était nouveau.

Grâce à lui, cette maison était inondée de lumière.

Le client avait vu la maison de Daryl Jackson sur la côte de Nouvelle Galles du Sud, à Bermagui, et désirait exactement la même chose, de grandes baies vitrées aux châssis de bois et un style décontracté. Pour Bermagui, il n'y avait rien à faire, bien sûr. Difficile de reproduire l'atmosphère australienne dans une maison mitoyenne de style edwardien à Hampstead... Mais il avait abattu un mur, agrandi la courette en pierre d'une quinzaine de mètres, créé un passage ouvert qui ressemblait à un cloître au centre de la maison, avec des fenêtres de chaque côté donnant sur le jardin.

Le couple répétait sans arrêt : « C'est tellement clair ! »

Voilà le cadeau qu'il leur avait fait : un peu de la lumière qui commençait à filtrer dans son cœur après deux années d'obscurité complète. Deux ans à passer d'un chantier londonien à l'autre, tel un zombie, concentré sur les charges, les proportions et les permis de construire ; courbé sur sa planche à dessin jusqu'aux petites heures du jour parce que la chambre déserte le terrorisait. Se contentant de faire du surplace, comme s'il marchait dans une forêt en trompe-l'œil.

Pour lui, à l'époque, c'est à ça que se résumait Londres – et tout le reste : une espèce de fresque mouvante projetée sur les murs. Des silhouettes, de rares bruits. Après la mort de Claire, il s'était jeté à corps perdu dans le travail et son univers était devenu bidimensionnel. Les plans qu'il concevait. Les esquisses de bâtiments. Les chantiers de rénovation. L'endroit sans profondeur où il était immobilisé.

Et une fois les maisons terminées, lorsqu'elles devenaient tridimensionnelles, quand le bavardage des gens, leurs allées et venues, leur famille, leurs animaux, les couleurs remplissaient l'espace – ah, bon sang, le nombre de pendaisons de crémaillère auxquelles il avait été invité et où le bruit était presque insupportable ! –, c'est à ce moment-là qu'elles cessaient de l'intéresser. Les maisons s'étaient métamorphosées, avaient pris corps. Elles l'avaient trahi, avaient levé le camp pour partir vivre leur vie. Ce qui paraissait encore plus curieux, c'est que tous ces bavardages, toute cette animation semblaient le dégoûter. Il aspirait au silence. Il ne voulait pas des familles et des couleurs.

Il voulait rester dans le monde incolore et sans relief qu'il avait créé.

Pourtant, ce dernier projet – la maison inspirée de celle de Jackson – était différent. Le jour où le chantier avait pris fin, il avait sablé le champagne avec les propriétaires, partagé leur enthousiasme. C'était un nouveau départ pour eux. Et pour lui aussi ; il partait pour Aloro, dans les montagnes d'Andalousie, vivre en pleine lumière. Son affaire était entre de bonnes mains. Il gardait le bureau et les employés ; il reviendrait de temps en temps pour faire office de consultant. Le temps était venu, il le savait, de tout lâcher. Son univers changeait.

Il perçut un mouvement. Frith sortit en trombe des buissons, précédé par un faisan qui battait frénétiquement des ailes. John s'arrêta, surpris. Ses réflexions sur les chantiers et la lumière s'envolèrent au passage des deux animaux. Il était soudain de retour dans le jardin grisâtre et détrempé. Le faisan rasait le sol, peinant de toute évidence à soulever sa masse dans les airs. Et puis, en l'espace d'une seconde, Frith disparut.

Il s'évanouit sans laisser de trace. John se mit à courir. Le chien parvint à sortir la tête de l'épais tapis d'herbes recouvrant la surface de l'eau ; crachotant, se débattant de toutes ses forces, il tentait de regagner la berge.

« Allez, viens, Frith, cria John en se baissant. Sors de là. »

Trempé jusqu'aux os, pelage blanc et feu plaqué au corps, Frith lui lançait des regards dignes d'un être humain. Il n'arrivait à rien. On ne distinguait que ses pattes avant qui s'agitaient désespérément. Gueule ouverte tant l'effort lui coûtait, il gémit. John ne l'avait jamais entendu crier de la sorte : rien à voir avec un gémissement d'excitation ou d'impatience, cela ressemblait plutôt à un hurlement de terreur. Et puis brusquement, il coula.

John s'était assis sur le sentier. Il hésita l'espace d'un instant, puis plongea les jambes dans l'eau boueuse. Il chercha un point d'appui sous l'eau, finit par trouver un banc de gravier. Il avança, tâtonna pour essayer de retrouver le chien. Rien n'indiquait où il était passé. Les nymphéas, lambeaux caoutchouteux, vestiges de l'été décolorés par le gel flottaient à la surface parmi les feuilles pourries et obscurcissaient tout. Le froid lui coupa le souffle. Des herbes s'accrochaient à ses jambes et ses doigts. Il commençait à perdre pied ; la boue avait remplacé le gravier. Il trébucha sur quelque chose de lourd, une branche logée contre la berge. Ses bottes se remplirent d'eau.

« Frith », grommela-t-il, mains écartées pour essayer de trouver l'animal.

Soudain, le corps du chien heurta sa jambe. Il ne parvenait pas à l'attraper car dans la panique, Frith essayait de remonter à la surface. John se pencha et l'attira à lui. Le chien émergea et laboura de ses griffes les épaules de son maître. Mais quelque chose le retenait dans l'eau. John tâtonna et finit par agripper d'épaisses herbes enroulées autour de ses pattes arrière.

Plus Frith se débattait, plus l'emprise des mauvaises herbes se resserrait. John chercha le canif qu'il emportait parfois dans sa poche. Il ne l'avait pas. Il s'enfonça un peu plus dans la vase. À la vue de la terre ferme, Frith tenta de passer par-dessus l'épaule de son maître en se tortillant pour échapper à son emprise. John dut l'attraper par le col et le secouer. « Arrête, hurla-t-il. Sois sage. »

Il tâta son autre poche. Miraculeusement, elle contenait une paire de sécateurs. Retenant le chien de la main droite, il entreprit de couper les herbes folles de l'autre. Frith était affalé contre lui, la tête au creux de son cou. De l'eau clapotait dans sa poitrine.

John eut l'impression de s'échiner pendant des heures sur les herbes folles, mais en réalité, il ne lui fallut pas plus de deux ou trois minutes pour libérer son chien. Quand celui-ci put bouger les pattes, il s'élança vers le sentier, faisant perdre pied à John, qui se débattit maladroitement puis coula. Quand l'eau se referma au-dessus de sa tête, il eut le temps d'apercevoir le monde verdâtre et boueux sous la surface avant de remonter. Il perdit une botte, regagna la berge sans elle et resta étendu sur le sentier, à bout de souffle.

Il ne ressentit aucune douleur alors, ni en se relevant. Il se redressa, dégoulinant d'eau et de boue. Frith l'observait en secouant la queue lentement, comme pour s'excuser. John s'approcha de l'eau, s'empara de la touffe de nénuphars la plus proche, l'arracha et avec elle un enchevêtrement d'herbes. Il saisit d'autres nénuphars à pleine main, enfonça les talons dans le sol et tira. Il y eut un bruit de succion ; il jeta les plantes derrière lui. Il se baissa, trouva la branche sur laquelle il avait trébuché, la poussa sur le côté, parvint à la déloger en tirant dessus plusieurs fois. Frith la saisit dans sa gueule et la traîna sur le sol, ravi de cette récompense inattendue.

À quatre pattes, trempé jusqu'aux os, John sentit l'air lui brûler les poumons. Il se releva, frissonnant. Il appela Frith, rebroussa chemin et c'est alors, sous la luxuriante verdure du camélia, que la douleur le terrassa. Il était trop prudent pour tenter de regagner la maison. Il s'assit : le jardin semblait avoir rétréci, son image compressée en une ligne étroite. Il se dit qu'il se passerait des jours avant que quelqu'un ne vienne, une semaine, peut-être davantage.

Il finit par s'allonger sur le gravier tandis que la douleur cheminait en lui comme un camion fou filant à toute allure sur une autoroute. « Merde », grommela-t-il. Frith se pencha vers lui. « Tu vas devoir m'enterrer », dit-il au chien en riant à cette idée absurde.

Il attendit, se prépara au choc.

Mais il ne vint pas.

À la nuit tombée, il se releva et regagna la maison en tâtonnant dans le noir.

Les ouvriers étaient arrivés début mars et cela faisait maintenant un mois que les travaux avaient commencé. Un paysagiste s'occupait des tâches les plus physiques pendant la semaine, mais le week-end, ne restaient que John, Peter Luckham et ses deux fils. On s'était débarrassé du réseau de racines et de roseaux et l'un des saules, trop pourri pour être sauvé, avait dû être coupé. Maintenant, lorsque John se tenait en bordure de l'allée, son regard embrassait toute la vallée jusqu'à la route de Sherborne. Ils avaient mis à nu quatre petits ponts et découvert que deux des mares étaient presque circulaires. Au bout de chaque pont, on trouvait des briques disposées en éventail. Au centre, des briques plus claires dessinaient les lettres L et H, entrelacées. C'était un travail admirable.

« Qui étaient L et H ? demanda John.

— Aucune idée », répondit Peter.

Ils progressaient au fur et à mesure sur la berge. Ils jetaient les débris dans une remorque attachée au quatre-quatre de John ; elle creusait un sillon dans l'allée et sur une partie de la pelouse.

Un samedi matin ensoleillé, ils faisaient une pause pour inspecter le mécanisme d'une porte d'irrigation lorsque Peter Luckham vit une voiture s'engager dans l'allée. « Vous avez de la visite », observa-t-il.

John leva les yeux vers la petite voiture rouge qui disparaissait entre les arbres.

« Vous attendez quelqu'un ?

— Non. »

Ils reprirent le travail. Deux minutes plus tard, le portable de John sonna. Il ôta ses gants, partit à sa recherche dans les replis de son manteau, vérifia le numéro sans le reconnaître.

« Oui ?

— Monsieur Brigham ? fit une voix féminine.

— Oui.

— Catherine Sergeant de chez Pearsons. Vous nous avez demandé de vous contacter.

— C'est vous qui êtes garée devant chez moi, dans une voiture rouge ?

— Oui.

— Vous n'avez pas pris rendez-vous.

— Désolée », répondit Catherine d'une voix blanche.

Il laissa échapper un soupir d'impatience et dit :

« Ne bougez pas, j'arrive dans cinq minutes. »

Il se tourna vers Peter Luckham, l'air navré.

« Vous vendez quelque chose ? demanda celui-ci.

— Oui. » John se débarrassa de son manteau d'un coup d'épaule et laissa tomber ses gants de travail par terre.

« J'espère que vous en tirerez de quoi payer tous ces travaux. »

Elle était assise au soleil, sur l'un des bancs en bois devant l'entrée. Du bout du pied, elle suivait le dessin des dalles. Il ne pouvait pas voir son visage, ne distinguait que ses cheveux châtain clair et la finesse de ses mains, jointes sur ses genoux. Une mallette était posée à ses pieds. Elle était vêtue d'un jean et d'un pull, rien à voir avec la tenue de travail habituelle d'un expert.

« Mademoiselle Sergeant ? »

Elle leva les yeux. Il fut sidéré. *Il la reconnaissait. C'était elle.* Le choc qu'il éprouva en découvrant son visage lui coupa le souffle. L'espace d'une seconde, il lut dans ses yeux le profond chagrin qu'elle ressentait. Il en fut secoué. Elle se leva et lui tendit la main. Elle sembla réfléchir un moment elle aussi, et soutint son regard. Puis elle dit :
« C'est le même dessin.

— Pardon ? » Il détourna le regard de crainte de la gêner.

« Les dalles, expliqua-t-elle. Exactement le même dessin que dans l'entrée de chez Pearsons.

— Vraiment ? » Ils baissèrent les yeux vers les dalles vertes et jaunes. « Des feuilles d'acanthe.

— En effet », dit-elle en souriant.

Il lui lâcha la main. Il avait perçu quelque chose en elle, comme une faiblesse, une fatigue extrême. Elle avait des traits magnifiques mais, bon sang, se dit-il, il n'avait jamais vu quelqu'un d'aussi pâle.

« Je suis navrée de vous déranger. Vous devez être en train de jardiner : j'ai vu l'arbre près de l'allée. »

C'est là qu'ils avaient déposé la carcasse du saule en attendant que l'on vienne le récupérer.

« En effet, oui, fit-il en sortant les clés de sa poche. Nous nettoyons les écluses. »

Il ouvrit la porte donnant sur l'entrée plongée dans l'obscurité. Il se demandait quelle serait sa réaction. Il redoutait de la voir porter un regard froidement professionnel sur la maison. Elle semblait calme et réservée ; il espérait qu'elle le resterait.

Il l'invita à entrer. Leurs pas résonnaient un peu.

La construction de Bridle Lodge datait de 1875 ; dès qu'il avait vu la maison, il avait été touché par son style : les fenêtres de l'étage ornées de colonnes décoratives et de frontons, presque classiques. Celles du bas ainsi que les portes étaient de style gothique, cintrées ou en ogive. L'architecte avait conçu une villa simple et cossue, édifice victorien typique en brique rouge. Et puis les propriétaires devraient avoir fait fortune et rehaussé chaque centimètre carré de feuillages et de plantes grimpantes, remplacé les tuiles par des faîtières raffinées au crénelage orné d'un blason. Mais c'était à l'intérieur qu'ils s'étaient surpassés.

« La maison manque un peu d'entretien », s'était excusé l'agent immobilier en entrant. Il tâtait les boiseries. « Elles sont un peu vermoulues, autant vous le dire franchement. Pas difficile à réparer, mais quand même... »

John n'écoutait déjà plus, il examinait la cage de l'imposant escalier.

Jusqu'en haut, une marche sur deux était surmontée de panneaux de bois peints, autrefois dorés ; aujourd'hui, la peinture s'écaillait. Ici et là, on avait simplement repassé une couche de peinture noire, mais quelques marches étaient encore décorées de dessins magnifiques, bien que fanés, de William Morris et d'Edward Burne-Jones, représentant des herbes aromatiques ou des fruits : sauge panachée, damier vert pâle et blanc ; oranges et fleurs d'oranger ; abricots, raisins, pommes.

Et puis il y avait l'étonnante fenêtre.

À mi-hauteur, à l'endroit où l'escalier décrivait un coude et se scindait en deux volées de marches s'élevait un gigantesque vitrail d'une étonnante couleur : vert d'eau, couleur des vagues venant lécher le sable sur une plage tropicale. Des centaines de petits cercles dans tous les tons du bleu au jaune se combinaient pour donner l'illusion de l'eau. Une silhouette préraphaélite occupait le centre du vitrail, une jeune fille dont les cheveux tressés tombaient chastement sur les épaules, le lourd tissu de sa robe drapé sous ses doigts.

Il s'était précipité dans l'escalier pour l'examiner.

« Quels traits merveilleux ! s'était exclamé l'agent immobilier. C'est rarissime. »

John était resté sans voix. Il observait son visage. L'artiste s'était inspiré du tableau *The Awakening Conscience* de Holman Hunt, de la jeune fille aux genoux de son amant qui regarde la lumière changer sur le jardin. « Qui a réalisé ce vitrail ?

— Je n'en ai aucune idée.

— Pas un artiste local.

— Je l'ignore... »

John avait jeté un coup d'œil au descriptif de la maison qu'il avait avec lui. « Escalier à panneaux décorés et vitrail », disait-il à propos de l'entrée. Il avait caressé le vitrail : quelques disques étaient fendus, mais ailleurs, le verre était épais et plein de bulles d'air.

Catherine Sergeant ne dit pas un mot en entrant. Elle ne remarqua pas le vitrail auquel elle tournait le dos. Elle précédait John, regard baissé, et s'arrêta pour l'attendre et remarqua les cartons dans la pièce la plus proche ainsi que l'alarme sur le mur extérieur du salon.

« Je n'ai pas encore fini d'emménager, expliqua John, mais la cuisine est habitable.

— C'est là que se trouve le buffet ? » s'enquit-elle à propos du meuble qu'il souhaitait faire estimer.

« Oui », répondit-il en ouvrant la porte de la cuisine.

Elle entra la première, jeta un coup d'œil autour d'elle avant de se tourner vers lui. « Cette maison appartenait à la famille Aston, murmura-t-elle.

— C'est exact. Vous les connaissiez ?

— Oui – enfin, pas le colonel : il était déjà mort à mon arrivée chez Pearsons.

— Sa femme a vécu seule ici, je crois.

— Pendant vingt ans.

— Rien n'avait bougé. Les fils électriques étaient encore cloués au plâtre et couraient le long des cimaises. Lorsque j'ai soulevé le parquet… j'ai découvert que certains d'entre eux étaient d'origine, un stock des années vingt qui ressemblait à du câble téléphonique.

— Je lui ai rendu visite plusieurs fois à la maison de retraite, mais seulement une ou deux fois ici.

— Vous ne connaissez pas la maison alors ?

— Pas vraiment, non. Il faisait toujours très sombre ici.

— Je vous la ferai visiter un jour. C'est un véritable sanctuaire Arts and Crafts. »

Elle ne releva pas. Il était intrigué par la douceur, la docilité dont elle faisait preuve, légèrement teintées d'indifférence. Elle n'avait rien de la vendeuse qu'il s'attendait à rencontrer. « Voici le buffet. »

Elle caressa le vernis soyeux, patiné au fil des générations.

« Français, dit-elle.

— Oui.

— Un meuble de famille ?

— La famille de ma femme.

— Il est superbe. Pourquoi veut-elle s'en défaire ?

— Elle ne vit plus ici, expliqua-t-il. Et puis, comme vous pouvez le constater, il est vraiment trop imposant pour cette pièce.

— Quand bien même », dit-elle calmement en le regardant dans les yeux, « quel dommage de s'en défaire. J'ai peur qu'ici vous n'obteniez pas autant qu'il le mériterait. Vous en tireriez davantage à Londres.

— Vous ne voulez pas vous en charger ?

— Oh, bien sûr que si. J'espère simplement que nous pourrons lui faire justice. »

Il lui sourit. « Voulez-vous une tasse de thé ?

— Avec plaisir », répondit-elle en lui lançant à nouveau un regard insistant, comme lorsqu'ils s'étaient salués pour la première fois.

Il lui fit signe de s'asseoir et elle se laissa tomber sur une chaise. Il s'aperçut à ce moment-là qu'il avait laissé la miniature – sa préférée, celle qu'il avait contemplée ce matin à peine levé – sur la dernière étagère du buffet. Il s'en saisit immédiatement et l'enfouit dans sa poche, stupéfait de son étourderie, de sa négligence.

Catherine Sergeant remarqua son geste, jeta un coup d'œil en direction du buffet mais ne fit aucun commentaire. Elle regardait dans le vague, par la fenêtre.

Elle ne dit pas un mot sur le reste des meubles ni sur la large table de ferme qu'il adorait, couleur ivoire à force d'avoir été frottée, striée de coups de couteaux, tachée par le café, ni sur les chaises en bois courbé qui avaient elles aussi appartenu à la mère de Claire et l'avaient accompagné depuis l'Espagne.

Cependant, alors qu'il attrapait les tasses, elle s'approcha de la fenêtre près de laquelle étaient suspendus les prototypes Wedgwood.

« Qu'est-ce que c'est ?

— Des prototypes en jaspe de la fabrique Wedgwood », expliqua-t-il en s'approchant.

Elle examina avec intérêt les petites langues d'argile alignées dans la vitrine. « Que signifient ces chiffres ?

— Chacun d'eux correspond à un essai répertorié portant sur la couleur, la consistance.

— Je n'ai jamais rien vu de pareil. De quand datent-ils ?

— Du XVIIIe siècle. »

Il alla s'occuper du thé, le versa dans les tasses qu'il posa sur la table. En levant les yeux, il s'aperçut qu'elle l'observait avec ce qui ressemblait à de la fascination. Un sourire se dessina sur ses lèvres et elle demanda :

« Vous travaillez dans la porcelaine ?

— Pas du tout, répondit-il.

— Vous êtes collectionneur ?

— Oui.

— Et vous rénovez cette maison ?

— Je suis architecte.

— Vous travaillez sur un projet en ce moment ? Quelque chose d'autre dans le coin ?

— Non, pour tout vous dire, j'ai pris ma retraite.

— Vous n'avez pas l'âge.

— J'ai cinquante ans. »

Elle s'installa face à lui.

« J'ai vécu en Espagne jusqu'à l'année dernière, expliqua-t-il. Je travaillais là-bas et avant ça, j'étais à Londres.

— J'aurais pu voir l'une de vos réalisations à votre avis ?

— Voyons… la maison Parbold… le restaurant chez Green… »

Elle sourit, de bon cœur cette fois. « Je travaillais dans le coin.

— Ah bon ? Où ça ?

— Chez Bergen.

— En tant que…

— Spécialiste de l'art du XIXe siècle. »

Il hésita. « Le XIXe ?

— Oui…

— Et pourquoi êtes-vous partie ? Laissez-moi deviner, fit-il en levant l'index. Vous vous êtes mariée et êtes venue vivre votre idylle à la campagne. »

La conversation qui jusque-là allait bon train s'arrêta net. Elle rougit.

« Je suis désolé », dit-il.

Elle attrapa un stylo et un formulaire de chez Pearsons dans la mallette et se mit à le remplir. Il la vit noter son adresse. Tout en continuant d'écrire et sans lever les yeux vers lui, elle lui fit passer une carte de visite. « Je vous ferai parvenir notre estimation. Je réserve le buffet à la vente consacrée aux meubles, pas à la vente générale. Buffet français, début XIXe… » Elle leva les yeux. « C'est ça ?

— Oui.

— Début XIXe… Je ne m'avancerais pas trop…

— Très bien.

— Deux mille livres ? Je pense qu'il partira pour beaucoup plus, bien sûr.

— Très bien », répéta-t-il en prenant le formulaire qu'elle venait de signer. Elle rangea le stylo et se leva pour prendre congé, main tendue. « Merci mille fois de nous avoir contactés. Vous trouverez le montant de la commission au dos de votre contrat…

— Excusez-moi si j'ai dit quelque chose de déplacé.

— Je vous en prie », protesta-t-elle, mais on lisait en elle comme dans un livre. Il connaissait trop bien ce sentiment pour se tromper.

« La vente a lieu le mois prochain. Si vous voulez que quelqu'un vienne chercher le buffet… » fit-elle en sortant de la pièce. Elle traversa rapidement l'entrée. Des flots de lumière entraient depuis le porche. Des reflets verts dansaient au bas des marches.

Pourtant, elle ne remarqua rien. Elle lui serra de nouveau la main sur le seuil.

Il la regarda regagner la voiture, tête baissée, visage dérobé aux regards.

Il entra, verrouilla la porte derrière lui et s'immobilisa devant le salon. Il éteignit l'alarme et pénétra dans la pièce, poussant la porte en chêne massif. Une fois dedans, il referma à clé.

Cette pièce-là n'était pas inondée de lumière. Il gardait les volets fermés en permanence. C'était parmi les premiers travaux qu'il avait fait réaliser avant l'arrivée de ses biens.

Il avança jusqu'au centre de la pièce et ferma les yeux, tira la miniature de sa poche, la tint délicatement dans sa paume et l'abrita de sa main libre. Le peintre se mit à chuchoter depuis le disque d'émail.

Il n'en revenait pas de l'avoir laissée sous le nez de Catherine Sergeant. Il n'en revenait pas de l'avoir oubliée. Elle était restée sur le buffet pendant qu'il travaillait à l'écluse avec Peter Luckham.

Il se fraya un passage jusqu'à la vitrine, ouvrit un tiroir et rangea la miniature à sa place, avec ses dizaines de semblables.

6.

Mark Pearson était dans le jardin lorsque sa femme rentra à la maison ; il bêchait les larges bordures d'herbacées. Amanda remonta l'allée en voiture mais n'en sortit pas tout de suite, lui faisant signe qu'elle téléphonait à travers la vitre. Au bout d'un moment, elle sortit après avoir éteint son portable. « Catherine est au bureau ? demanda-t-elle. J'essaie de la joindre.

— Un samedi ?

— OK, j'essaie son portable. » Elle considéra résolument le jardin. « Où vas-tu mettre cet arbre ? » s'enquit-elle en désignant du menton l'érable qu'il venait d'acheter le matin même.

« Près de la haie, répondit-il en enfonçant la fourche dans la terre et en s'essuyant les mains. Tu savais qu'il y avait de la pesse d'eau ici ?

— Non. Depuis combien de temps Robert est-il parti ?

— On ne s'en débarrassera jamais. Tu savais qu'on a trouvé de cette saleté au fond de mines de charbon ? C'est dire comme les racines sont profondes.

— Mark, j'ai vu Robert à l'aéroport.

— Le mari de Catherine ?

— Oui. À l'aéroport », répéta-t-elle en articulant exagérément, à moitié sérieuse cependant.

« Et alors ?

— Elle a dit où il allait ?

— Non. »

Elle pencha la tête.

« Il était à Rome. Pour affaires.

— C'est interdit ? » demanda Mark en souriant.

Amanda lui adressa un regard méprisant avant d'ajouter :

« Je suis simplement surprise qu'elle n'en ait pas dit davantage sur son voyage.

— J'aurais bien besoin d'une tasse de thé, fit Mark avec un soupir. Je meurs de soif.

— Il avait l'air bizarre, fit Amanda sans bouger d'un pouce. Je n'ai pas arrêté de penser à lui pendant tout le trajet.

— Comment ça bizarre ? Passe-moi les sécateurs, chérie. »

Amanda s'exécuta, l'air absent. « Je ne sais pas. Est-ce que Catherine t'a dit quelque chose ?

— À quel sujet ?

— Oh, bon sang Mark, à propos de Robert ! De leur couple.

— Pourquoi le ferait-elle ?

— Eh bien, vous travaillez ensemble toute la journée, non ?

— Toi aussi, tu travailles avec elle.

— Je suis coincée au bureau. C'est vous qui organisez les ventes, qui rencontrez les clients ensemble.

— Quelque chose ne va pas ? » demanda-t-il, troublé.

Elle s'éloigna en secouant la tête. « Ah, les hommes… », murmura-t-elle. « … Complètement nuls. »

*

* *

Amanda avait fait la connaissance de Catherine lorsque son mari l'avait recrutée comme associée. Charles Wellesley, son prédécesseur, venait de prendre sa retraite. Catherine arrivait de Londres.

Elle se souvenait parfaitement de leur rencontre : au moment où Catherine était entrée dans le jardin, suivie de Robert, Amanda s'était tout de suite dit qu'elle ne ressemblait pas à ce qu'elle s'était imaginée. Dans son esprit, quelqu'un de chez Bergens serait beaucoup plus direct. Moins discret, en d'autres termes. Plein d'assurance, à la limite de la brusquerie, voire dominateur. Mais, pendant l'apéritif – ils avaient déjeuné dans le jardin, tellement plus agréable en été –, Amanda avait apprécié la conversation de Catherine. Elle aimait sa discrétion. De toute évidence, cette femme était loin d'être idiote : on devinait sa perspicacité, surtout lorsqu'elle écoutait les autres parler. Amanda éprouvait un grand soulagement, puisque Mark s'apprêtait à l'embaucher.

Elles avaient fait le tour du verger.

« Cela fait des années que Mark essaie de faire fructifier ces pommiers », avait dit Amanda, alors qu'elles s'arrêtaient à l'ombre d'un arbre et examinaient les branches d'où pendaient de rares fruits. « Il commence à prendre leur refus de donner comme une insulte personnelle.

— Mes parents habitaient le Sussex et possédaient un jardin comme le vôtre, avait expliqué Catherine. Ils avaient des arbres fruitiers eux aussi…

— Ils devaient y consacrer tout leur temps.

— Pas du tout, en fait. Ils travaillaient à l'étranger. Quelqu'un s'en chargeait pour eux. Ils disaient toujours qu'ils s'y mettraient à la retraite.

— L'ont-ils fait ?

— Non, ils sont morts avant d'en avoir la possibilité.

— Oh, je suis navrée.

— Eh bien… c'était subit. » Catherine avait eu un haussement d'épaules.

« Ils sont morts en même temps ?

— Dans un accident de la route.

— Mon Dieu.

— Au Nigeria. Ils travaillaient là-bas.

— Ils devaient être assez jeunes ?

— Cinquante et quarante-deux ans.

— Et vous étiez…

— Encore lycéenne. » Catherine avait repris sa promenade.

Il faisait chaud. Robert était venu les rejoindre un moment. Mark cuisinait. Si Amanda avait tout de suite apprécié Catherine, elle ne pouvait en dire autant de son mari. De prime abord, elle l'avait trouvé beaucoup trop guindé avant de se rendre compte qu'il s'agissait surtout de froideur. Robert était paralysé par la politesse, se contentait des questions d'usage sur Amanda et Mark, sur leur maison ; la conversation de Catherine, pourtant plus réservée au départ, était plus intéressante. Elle donnait un peu d'elle-même, se laissait aller. Amanda se rendit compte qu'elle-même avait presque tout raconté de sa vie avant que Catherine ne se livre un peu.

Assis dans le jardin après le déjeuner, ils admiraient les arbres et le point de vue sur la vallée.

« Mark m'a dit que vous aviez écrit un livre, dit Amanda.

— C'est exact, répondit Catherine.

— Sur les peintres victoriens, je crois…

— Oui.

— Et un en particulier ?

— Richard Dadd. »

À la demande de Mark, Catherine en avait apporté un exemplaire, mais il fallut insister pour qu'elle le sorte de son sac et le pose sur la table. Amanda le soupesa. C'était un volume mince mais assez joliment fait, et chaque tête de chapitre comportait la reproduction d'une œuvre d'art : des herbes folles et de minuscules personnages.

« Très joli, s'exclama Amanda.

— C'est le catalogue d'une exposition à la Royal Academy.

— Je doute que Pearsons puisse rivaliser avec le glamour de la Royal Academy, fit Mark avec un sourire. Vous devrez vous contenter de reproductions et de pots de chambre.

— Charmant », commenta Amanda en lui lançant une serviette de table chiffonnée. « Voilà un détail que nous mourions tous d'envie de connaître !

— Ça me fera du bien de me colleter à la réalité, dit Catherine, amusée. Ça me changera. »

Ce soir-là, alors qu'ils se préparaient à aller se coucher, Mark avait fait allusion à cette conversation. À demi nue au pied du lit, Amanda lui avait demandé à quoi il pensait.

« À Catherine. Je me demande si elle va rester.

— Elle semble très simple.

— Elle l'est. On ne la mérite tout simplement pas ! » Il avait ôté sa chemise avant de la jeter dans le panier à linge. « Elle est assez célèbre. Experte en son domaine. Et la seule raison de sa venue ici, c'est Robert.

— Vraiment ?

— Il voulait se rapprocher de sa grand-mère, apparemment.

— Ils doivent être très proches, fit Amanda, étonnée.

— C'est un peu humiliant après avoir travaillé chez Bergens. Ça m'inquiète. C'est un peu trop paumé ici. »

Amanda s'approcha de lui et posa les mains sur ses épaules. « Écoute, elle est venue ici pour soutenir son mari. Elle a besoin d'un emploi. Et si elle est vraiment experte, encore une bonne raison de ne pas la laisser filer. On pourrait développer la branche peinture de l'entreprise. Organiser davantage de ventes consacrées aux Beaux Arts.

— Elle te plaît, répondit-il en souriant.

— Je l'avoue, oui. »

En revanche, elle n'aimait pas Robert.

Les réserves d'Amanda à son sujet étaient devenues plus nombreuses au fil des mois. Robert ne participait pas à leurs conversations, il n'essayait même pas. C'était l'homme le moins sociable qu'elle eût jamais rencontré.

« Je ne comprendrai jamais ce que Catherine lui trouve », dit-elle à Mark un jour, après que Robert fut passé au bureau à l'heure du déjeuner.

« Qu'est-ce qui ne te plaît pas ? C'est un type très bien.

— Oui », murmura-t-elle à voix basse, en rajoutant du papier dans l'imprimante et en regardant Robert regagner sa voiture. « À condition d'aimer les glaçons. »

Et puis, cette rencontre à l'aéroport aujourd'hui.

Amanda regarda Mark planter l'érable, l'esprit ailleurs. Elle avait surpris quelque chose dans le regard de Robert : une espèce d'entêtement, si profondément enraciné qu'il en était presque agressif, quelque chose dans la fixité de sa bouche, la raideur de ses gestes. Elle l'avait trouvé sur la défensive, comme prêt à inventer une excuse. Assaillie par une soudaine bouffée d'inquiétude, Amanda se demanda à quelle question s'attendait Robert.

7.

John Brigham avait fait la connaissance de sa femme alors qu'elle travaillait dans le West End.

Elle n'était rentrée à Londres que depuis quinze jours, après un an de tournée dans tout le pays. Elle s'occupait des décors pour une compagnie de théâtre. Elle disait toujours en plaisantant que John l'avait cueillie à sa descente du train. Elle avait une voix magnifique, gutturale, l'accent du Dumfriesshire.

Au début de leur relation, John la rejoignait à l'heure où les spectateurs quittaient les théâtres, dans la cohue, à l'angle de Wardour Street. Ils ne se retrouvaient que tard dans la soirée pour dîner dans un restaurant de Chinatown. Après leur premier rendez-vous, il était rentré à une ou deux heures du matin et, trop énervé pour dormir, avait passé l'heure suivante devant la fenêtre, à observer le pignon crénelé de la maison d'en face, à mémoriser les moindres détails du motif blanc sur fond gris, jusqu'à ce que la texture même de la brique lui rappelle Claire, à observer la lumière venant de la rue, la façon dont elle n'illuminait qu'un seul côté de la maison, l'autre restant plongé dans la pénombre.

Et puis, un soir, elle l'avait suivi chez lui.

Le lendemain, il n'était pas allé travailler. Il était resté près d'elle pour contempler son visage, son sourire si chaleureux, ses mains nettes aux ongles courts serrées autour d'une tasse de café, et écouter glisser sa robe contre les marches de l'escalier qu'elle avait dévalé quatre à quatre en partant pour le théâtre.

Un soir, il s'était rendu à l'Apollo pour assister à la pièce sur laquelle elle travaillait.

Il était assis en bout de rangée. Derrière lui, deux spectatrices d'une cinquantaine d'années débattaient du costume de l'actrice et du nombre d'interventions de chirurgie esthétique qu'elle était censée avoir subi. Il avait du mal à se concentrer sur le monologue, d'un ennui mortel, et fixait son attention sur l'ornementation des loges, les chambranles des portes, le plafond. Il s'imaginait Claire en coulisse, à peine à une quinzaine de mètres de son siège et il avait été pris d'une irrésistible envie de grimper sur scène pour aller la rejoindre.

En rentrant ce soir-là, elle lui avait annoncé qu'elle partait. « Elle part jouer la pièce à Broadway.

— Qui ça ? »

Elle avait cité le nom de l'actrice.

« Et tu l'accompagnes ?

— Elle me l'a demandé. »

Il avait essayé de se faire à cette idée, de comprendre ce que cela impliquait pour lui. « Quand ?

— Cet été. C'est important. » Elle fuyait son regard.

Il avait l'impression que le sang se glaçait dans ses veines. Il la connaissait depuis trois semaines exactement.

« Il faut que j'y aille. C'est une occasion de rêve.

— Tu ne peux pas travailler avec quelqu'un d'autre ici ? » Elle ne répondait pas, baissait les yeux. Il se demandait s'il avait le droit de briser son rêve. « Tu as envie d'y aller ?

— J'aimerais connaître les États-Unis. »

Il ne disait rien. Il avait vécu en célibataire jusque-là, s'était vanté à qui voulait l'entendre de ne pas être fait pour le mariage ; il n'aurait jamais cru être capable de s'engager avec quelqu'un pour la vie. « Je t'y emmènerai », avait-il proposé.

Elle lui avait adressé un sourire moqueur. « Ah, oui ? Et quand ça au juste ?

— Cet été, pour notre voyage de noces. »

Ils achetèrent une maison à Rotherhithe, près du métro, sur une route qui résonnait à longueur de journée du fracas des camions de marchandise en chemin vers les nouveaux entrepôts, à cinq cents mètres de là. Leur maison, elle, n'avait rien de neuf. Elle n'était pas belle non plus, en tout cas, avant qu'ils n'en entreprennent la rénovation. C'était un ancien pub, inoccupé depuis plus d'un an. Le chambranle des fenêtres et le toit étaient pourris. Il dessina un plan qui permettait de conserver la façade anonyme sur rue et ouvrait le bâtiment sur l'ancienne cour de livraisons protégée des regards par un mur de trois mètres.

En arrachant les fenêtres, ils découvrirent des *farthings* datant de 1840, à l'effigie de la jeune reine Victoria. Dans l'étroite cheminée, au milieu de la suie qui s'était accumulée là pendant deux siècles, ils trouvèrent des boutons d'étain, une vieille chaussure, la porte en fer d'une cage à oiseaux. Sous le parquet se cachaient d'autres offrandes faites à la maison : des fers à cheval, des brindilles tressées, un peigne, une tasse et une soucoupe enveloppées dans du coton et, petit miracle, un verre à vin en parfait état.

Il vendit son appartement, et s'installa avec Claire à Rotherhithe, au milieu des briques et des tuyaux. Ils passèrent la première nuit sur un matelas posé à même le sol. John n'avait jamais aussi bien dormi ; il fut réveillé par la pluie qui battait sur le toit tout neuf et pénétrait en rafales par les fenêtres restées ouvertes pour profiter de la chaleur du soir. Claire se dirigea vers la salle de bain, se moquant d'elle-même, secouant ses mains trempées. L'empreinte aérienne de ses pas sur les lattes poussiéreuses resta gravée dans la mémoire de John. Elle lui était apparue en Espagne, ici, dans sa maison du Dorset. À chaque fois, il fermait les yeux en attendant que l'image disparaisse.

L'année qui suivit leur mariage, Claire obtint un poste au département des costumes du Victoria and Albert Museum, ce dont elle avait envie depuis longtemps. Elle se sentait libérée de ne plus être à la merci d'une production, bonne ou mauvaise. Il savait qu'elle était heureuse car elle quittait la maison le matin d'un pas plus enjoué que d'habitude. À l'occasion, elle acceptait qu'il la conduise en voiture, bien que nerveuse à l'idée qu'il se laisse distraire par un projet à réaliser à la maison dans la journée.

Son amour pour elle ne s'était jamais démenti ; leur relation semblait intacte, aussi intense qu'à leur rencontre, passionnante. On aurait dit qu'il la redécouvrait jour après jour et qu'elle le surprenait toujours.

Ce matin-là, matin inoubliable, il faisait froid. C'était un jour de mars comme un autre. Ni ensoleillé, ni particulièrement glacial : une journée morne. Il la vit parler aux ouvriers tandis qu'il faisait demi-tour dans la cour. Elle portait un long manteau rouge. Une de leurs remarques la fit rire. Elle désigna John de la tête et ajouta quelque chose. Comme elle s'éloignait, il vit que les trois hommes l'observaient avec un mélange d'envie, d'affection et de surprise.

Il y avait beaucoup de circulation. Ils quittèrent Rotherhithe après avoir avancé au pas jusqu'au tunnel, le long de Salter Road. Claire se servait du miroir de courtoisie pour se maquiller. Ils se disputèrent à propos de l'itinéraire à emprunter. Elle avait un cours à préparer, un rendez-vous à neuf heures. Elle voulait arriver à l'avance. « Je descends à Bermondsey pour prendre le métro », dit-elle, main sur la poignée de la portière. « Je changerai à Westminster et je serai à Kensington avant que tu sois arrivé au prochain feu. »

Elle n'avait aucune patience. Inutile d'essayer de la dissuader. Il l'embrassa en gardant un œil sur la route.

Elle gardait la main sur la poignée, mais une expression bizarre, indéfinissable, se peignit soudain sur son visage.

« Qu'est-ce que tu as ?

— Il s'est passé quelque chose », répondit-elle.

Avec le recul, il s'étonnait qu'elle ait eu le temps de prononcer ces mots. Ses lèvres restèrent légèrement entrouvertes et elle se pencha sur le côté. Elle ne s'affaissa pas ; elle semblait faire un mouvement conscient, comme pour éviter quelque chose qui se dirigeait vers elle.

« Claire ? Claire ? » s'écria-t-il.

Il se gara à un arrêt de bus. Les gens qui attendaient le dévisagèrent quand il sauta de son siège. Il ouvrit la portière côté passager. Le temps qu'il fasse le tour de la voiture, Claire avait fermé les yeux. Elle était toute molle, comme une poupée de son. Il essaya de lui relever la tête. Un bus arriva. Le chauffeur klaxonna pour qu'il bouge la voiture.

Une femme s'approcha et lui toucha le bras. « Ça ne va pas ? Je suis infirmière à l'hôpital St Thomas. »

Ils se penchèrent vers Claire. Elle avait un filet de bave au coin de la bouche.

« Vous avez un téléphone ? demanda l'infirmière.

— Quoi ?

— Un portable. »

Il cherchait quelque chose pour essuyer les lèvres de sa femme. « Réveille-toi », ordonna-t-il, exaspéré, en lui secouant le bras.

L'infirmière attrapa le portable de John sur le tableau de bord et le lui mit dans la main. « Appelez les secours. »

Il suivit l'ambulance, regard fixé sur les portières arrière. Il ne voyait rien d'autre. Il aurait été incapable de dire combien de feux rouges il avait passé, ou quoi que ce soit d'autre sur le trajet. En revanche, il se souvenait des portières.

On emmena tout de suite Claire dans une salle et on demanda à John d'attendre à l'accueil. Debout près d'une vitre à la taille ridicule, il dut donner des renseignements sur sa femme. Il n'entendait rien à ce que la réceptionniste disait.

Puis il se posta au milieu du couloir et attendit.

Une infirmière vint le voir au bout d'un moment. « Voulez-vous vous asseoir ?

— Non.

— Voulez-vous un thé ?

— Non. »

Il les vit emmener Claire, descendre le couloir puissamment éclairé. Il les vit entrer dans l'ascenseur dont les portes se refermèrent.

« Où va-t-elle ? » s'enquit-il, effrayé par l'urgence avec laquelle on l'avait prise en charge.

« On va lui faire un scanner, répondit l'infirmière. Asseyez-vous », dit-elle en le guidant vers une chaise.

Cela prit quarante minutes. On fit entrer un petit garçon dans la salle d'en face. Sa mère raconta qu'il était tombé pendant un match de football. Le médecin expliqua qu'il fallait recoudre la plaie. « Ça va aller », répétait la mère. Et plus tard, lorsque l'enfant eut séché ses larmes : « Allons manger une glace. Tu pourras dire à papa que tu as mangé une glace entière, le grand modèle. »

John se mit à passer en revue tout ce que Claire et lui feraient quand tout ça serait fini, quand ils sortiraient d'ici. Il l'emmènerait en vacances. Ils iraient là où ils avaient prévu d'aller. Finies, les économies. Ils partiraient, un point c'est tout. Ils avaient prévu d'aller à l'île Maurice dans un an. Ils avaient lu la brochure. Il irait réserver les billets directement en sortant de l'hôpital, se dit-il. Ils descendraient dans l'hôtel qu'elle aimait, celui où les petits bungalows donnaient sur la mer.

Ils se répétait les paroles entendues plus tôt. *Ça va aller. Ça va aller.*

Il serrait et desserrait les poings. Il se voyait déjà feuilleter la brochure dans l'agence de voyage, tendre sa carte de crédit. Il répétait la scène dans ses moindres détails en consultant la pendule au-dessus de sa tête.

L'enfant et sa mère passèrent devant lui.

Un autre patient arriva, un vieil homme sur une civière. On l'installa dans la même salle, puis les pompiers, deux grands gaillards portant une veste jaune fluorescent, allèrent parler à l'infirmière de garde. John tenta de comprendre ce qu'ils disaient. Il était question d'une attaque, de ce qu'ils feraient après le travail. Il essaya de relier les informations concernant le patient et leurs projets pour la soirée.

L'ascenseur s'ouvrit. Le médecin qui s'occupait de Claire en sortit et se dirigea vers lui.

Il comprit avant que l'homme ne dise un mot.

Il marcha longtemps, traversa la rivière. Il était déjà l'heure du déjeuner.

En sortant de l'hôpital, il tourna à droite et se retrouva dans l'étrange labyrinthe destiné aux voitures menant à la gare de Waterloo. Désorienté, il s'efforçait de se rappeler où il allait ; il finit par faire demi-tour pour traverser le pont de Westminster.

À son arrivée à Londres, son diplôme en poche, ce point de vue l'avait enthousiasmé. Comme tout le quartier d'ailleurs : le Parlement, le Cénotaphe, le parc de St James, la relève de la garde. Il y était venu une bonne centaine de fois dans le simple but de l'arpenter dans tous les sens. L'abbaye de Westminster et le plus ancien jardin d'Angleterre ; la Tate Gallery à Millbank, où la terrible prison s'élevait autrefois, dans ce lieu rempli d'ateliers industriels et d'étables. Il avait marché sur les traces des architectes du XVIIIe siècle, les Cubitt, Johnson, Gibbs et Flew. Il avait traversé Kensington où les Rutland et Chamberlain occupaient autrefois les villas à l'italienne flambant neuves, et poussé jusqu'à Hammersmith où les spéculateurs avaient recouvert les jardins maraîchers par des immeubles de cinq étages. Il était remonté vers Holland Park, avait traversé le quartier où s'élevaient autrefois porcheries et faïenceries. Fulham et Hammersmith, autrefois célèbres pour leurs champs d'épinards et de fraises, sacrifiés par les constructeurs du chemin de fer. Ealing et ses deux cents jardins maraîchers recouverts par les lignes de tramway et par l'asphalte.

Il adorait cette ville qu'il connaissait bien. Il la sentait pousser sous ses pieds. Pourtant, ce jour-là, en traversant Westminster, il se serait cru en territoire étranger. Rien ne lui semblait familier ; même les noms des rues ne signifiaient rien pour lui. Il faillit se faire écraser par un bus à l'angle de Parliament Square. En levant les yeux vers l'abbaye, il n'éprouva rien hormis peut-être la sensation d'être ballotté par la houle.

Il marcha jusqu'à l'épuisement et se retrouva dans un square au centre duquel poussait un bouquet d'arbres. Il aurait pu être dans n'importe quel quartier de Londres. En jetant un coup d'œil sur sa gauche, il aperçut les marches d'une maison et un écriteau sur la porte d'entrée. L'endroit lui disait quelque chose : il y était déjà venu et il avait une signification particulière pour lui. Il avait l'étrange conviction qu'en entrant, il pourrait revenir en arrière, recommencer la journée. Il serait en sécurité. Il déchiffra l'écriteau blanc et noir sans rien y comprendre. Il aurait tout aussi bien pu être écrit dans une autre langue. Il frappa à la porte peinte en vert et une femme lui ouvrit. « Nous fermons dans un quart d'heure, l'avertit-elle.

— Ça ne fait rien, répondit-il en entrant.

— Ce n'est vraiment pas suffisant pour tout voir », le prévint-elle quand il acheta son billet dans le couloir sombre.

Il entra. Chaque centimètre carré de mur était couvert d'objets ; il pénétra dans une salle à manger aux murs cramoisis, regorgeant de miroirs. Au-dessus de la cheminée trônait le portrait d'un homme. Il continua vers une pièce étroite lambrissée de panneaux vert pâle, meublée d'un secrétaire ancien et donnant sur une cour. Il se passa une main sur le visage. Il avait des sueurs froides, se sentait hébété. Il était entouré de fragments architecturaux, moulages de corniches et de chapiteaux, statues, plaques, tuiles, médaillons. Des fragments de vie. Fragments de sa vie. Les objets occupaient toute la hauteur des murs, débordaient sur le plafond. Il y en avait des centaines, peut-être des milliers.

Il apercevait une enfilade d'autres pièces, toutes baignées par la lumière tombant d'un plafonnier haut perché. Il passa dans une chambre très haute de plafond regorgeant elle aussi de pierres, de statues, de tableaux. Sous ses pieds, un sarcophage de marbre. Des tableaux collés les uns aux autres. En levant la tête, il aperçut des visages implacables, des feuillages taillés dans la pierre, des têtes d'animaux. Des urnes funéraires.

« C'est le sarcophage de Seti Premier », dit quelqu'un derrière lui.

Il se retourna, surpris. Un gardien se tenait là, vêtu de son uniforme vert. « Mille trois cents ans avant Jésus-Christ, continua l'homme. Taillé dans un seul morceau d'albâtre. Quand Soane l'a amené ici, il a convié mille personnes à venir l'admirer à la lumière de trois cents lampes à huile. »

John le dévisagea longuement avant de comprendre où il se trouvait. « C'est la résidence de Soane. Soane, l'architecte. »

Le gardien le dévisagea à son tour, sourcils froncés.

« C'est la résidence de Soane, John s'entendit-il répéter.

— Oui.

— Je connais ses esquisses. J'y ai consacré un article il y a six ans. Non, sept.

— Vous vous sentez bien ? » demanda l'homme en touchant l'épaule de John.

À bout de souffle, il étouffait. Il avait envie de fuir, mais n'arrivait pas à trouver la sortie. Il essaya de retourner dans la pièce aux murs cramoisis, mais se retrouva dans une autre galerie où les tableaux étaient accrochés sur des présentoirs, en plus des murs. C'était une impasse.

Un autre gardien lui lança un coup d'œil.

« Où est la sortie ? » demanda John.

Il partit dans la direction indiquée par l'homme, frôlant la maquette d'un mausolée. *Réalisé à la mort de son épouse*, pouvait-on lire sur l'étiquette.

Dans la pénombre, il eut le souffle coupé.

Réalisé à la mort de son épouse. St Pancras Gardens. 1815.

Il parvint enfin à sortir, accueilli par la lumière du crépuscule sur Lincoln's Inn Fields. Il se laissa tomber lourdement sur un banc, essayant d'empêcher le sol de se dérober sous ses pieds, de se concentrer sur la pierre partout présente autour de lui, sans que sa tête ne tourne comme s'il était ivre.

Il prit son téléphone et composa le numéro de sa sœur en espérant qu'il n'avait pas changé. Il ne lui avait pas parlé depuis longtemps. Il avait besoin de voir quelqu'un qui ne connaissait pas Claire, voilà tout. Même si c'était Helen.

« Allô ?

— C'est moi, murmura-t-il. Helen, j'ai besoin d'aide. »

Columbine, 1854.

Il n'y avait pas de femme à Bedlam, autant que Richard Dadd puisse en juger du moins.

Parfois, la nuit, il croyait entendre leurs voix, des hurlements si effrayants qu'il se recroquevillait dans un coin de sa cellule.

En 1840, quand il était jeune, il avait peint le portrait d'une jeune fille vêtue d'une robe blanche, une rose à la main. C'était la fin du printemps. Les magnolias ne fleuriraient plus, les roses commençaient à s'épanouir. Il avait vingt-trois ans. Repenser à cette période de sa vie équivalait à regarder les années à travers un télescope et voir à quel point elles étaient devenues minuscules et insignifiantes. On l'admirait alors ; il faisait pleinement partie du monde, on l'adorait, on se l'arrachait. Admis à l'école de la Royal Academy à l'âge de quinze ans, il passait pour un génie. Il peignait sur commande, vendait bien. On disait qu'il ne subirait jamais l'échec, qu'il ne mourrait pas de faim dans une chambre de bonne. Il connaîtrait la gloire, deviendrait célèbre. On le courtiserait. On l'aimerait.

Il avait des amis à l'époque, artistes eux aussi, qui n'avaient pas honte de sa réputation ou d'être vus en sa compagnie, des hommes qui le comprenaient et venaient lui rendre visite. Ils formaient un groupe auquel on brûlait d'appartenir. Ils se faisaient appeler la Clique. Frith en faisait partie ; Egg, Philip et Ward aussi. Il n'y avait aucune animosité entre eux, aucune jalousie. Ils avaient créé un comité pour défaire les vieux académiciens, révéler au grand jour l'éclat des nouveaux peintres que la vieillesse ne devait plus éclipser.

Quelqu'un lui avait dit alors qu'il était le plus doué d'entre eux. Il avait gardé la lettre et se demandait où elle avait bien pu passer. « Humour folâtre, gaieté innocente... l'un des plus aimables, le meilleur, ainsi que le plus doué... »

C'est ce qu'elle lui avait écrit, la jeune fille à la robe blanche, Catherine, la femme de son frère aîné. Il avait réussi à la convaincre de poser pour lui, un après-midi que les roses commençaient à éclore. Il avait cueilli un bouton, une rose jaune. Son nom lui échappait maintenant, mais pas le souvenir de Catherine. Assise sur le banc devant la maison, elle tenait la rose qu'il lui avait donnée, gênée, une cascade de cheveux bruns lui tombant sur les épaules. Catherine et Robert s'étaient mariés un an avant son emprisonnement, un an avant que les démons ne s'emparent de lui, un an avant les voix. Il se demandait si elle était réellement venue le voir une fois, au bras de son frère, ou s'il avait simplement imaginé sa présence.

Cela faisait dix ans maintenant, un peu plus, même.

Ces derniers temps, il dessinait beaucoup. En janvier, il avait peint The Packet Delayed, *des enfants qui jouaient sur la berge d'une rivière. Il l'avait fait en pensant à Robert. Deux garçons tentent de récupérer un petit bateau emporté par le courant. Il avait rendu le gréement du bateau avec tant de précision que le résultat tenait plutôt de la gravure que de la peinture.*

Comme le printemps approchait, il avait peint David épargnant Saül et exécuté les esquisses représentant les passions : la brutalité, l'orgueil, l'ambition, la douleur, la folie. L'ivrognerie, l'avarice, la mélancolie. En l'espace d'une semaine, il avait représenté deux groupes, exclusivement composés d'hommes en pleine conversation. L'un d'eux inspectait un tableau à la loupe. Tableau dans le tableau. Détail dans le détail. Il exécutait des esquisses de mains et de bouches : mains tendues, désignant ou tenant des objets, bouches entrouvertes pour s'exprimer. Visages tournés vers d'autres visages, concentration intense.

Lorsqu'il acheva A Curiosity Shop, *peint avec une telle urgence, entre dix heures du matin et trois heures de l'après-midi, qu'il en avait manqué le déjeuner, ignorant les ordres de passer à table, il fut envahi par la tristesse.*

Il était privé de la compagnie de ses égaux. Privé de conversation. Quand les gens le regardaient, il ne lisait aucun enthousiasme dans leurs yeux, ni aucun signe qu'ils appréciaient son intelligence. Il avait perdu cela à un moment donné, à cause d'un geste incompréhensible. Ses tableaux étaient peuplés d'amis, mais lui n'en avait pas. Il était seul depuis plus de dix ans et ne touchait jamais plus la main de personne en témoignage d'admiration.

Il reprit le pinceau et peignit Colombine qui le regardait par-dessus son épaule droite en esquissant un sourire. Il l'acheva en l'espace de quelques minutes ; ce n'était pas difficile. Elle l'habitait.

Une fois le tableau achevé, il resta assis près du chevalet dans la lumière déclinante de l'après-midi et pleura de solitude. Il mourait ici, seul, oublié, vivant seulement par la peinture, par ses fantasmes. Et les tableaux étaient fragiles. Ils n'étaient pas éternels. Il pourrait détruire Colombine en un clin d'œil, s'il le désirait. Même si elle survivait, on pouvait la perdre, la déchirer, la remiser dans le noir. Elle n'était pas réelle. Un simple souvenir. Il eut un éclair de lucidité et souhaita de toutes ses forces avoir quelqu'un à qui parler. Un être vivant, fait de chair et de sang à aimer.

Frith, Edward Ward et John Phillip. Son propre frère.

Et la jeune femme en robe blanche, avec sa rose à la main.

8.

Deux jours après sa rencontre avec Catherine à Bridle Lodge, John sortit de l'hôpital à onze heures et se dirigea à pied vers le centre-ville. Il était situé tout près de là et puis, la journée était magnifique. Comme il descendait la colline d'East Walks, avec pour point de vue les noues, les bois et les champs au loin, il remarqua qu'il y avait de la couleur dans le feuillage des marronniers. Dans quelques semaines, ces arbres ressembleraient à des tours vertes parsemées de chandelles blanches, se dit-il. Subitement – mais peut-être aurait-il dû s'y attendre aujourd'hui –, sa gorge se serra. Il eut soudain la conviction qu'il ne les verrait pas fleurir ; il s'efforça de chasser cette pensée de son esprit en regardant fixement devant lui. *Ne sois pas ridicule,* se répéta-t-il en marchant, comme un mantra récité au rythme de ses pas.

Presque à l'instant où il rejoignait la rue principale débouchant près de l'église, il aperçut Catherine Sergeant.

« Bonjour », dit-il en la rejoignant.

Elle marchait lentement le long des petites boutiques et sursauta. Ses joues s'empourprèrent. « Ah, bonjour.

— Vous faites du lèche-vitrine ?

— Oui », répondit-elle en croisant brièvement son regard.

« Il n'y a pas spécialement d'animation aujourd'hui en ville.

— Il n'y a personne. »

Elle sembla affectée par sa propre remarque. Elle fronça les sourcils et porta une main à son visage.

« Est-ce que ça va ? » demanda John.

Elle prit une profonde inspiration, suffoqua. Il se revit sur le banc à Lincolns Inn et entendit de nouveau la voix d'Helen à l'autre bout du fil répéter son nom, tandis qu'il s'efforçait de reprendre son souffle.

« Venez », ordonna-t-il en prenant Catherine par le bras.

« Ça va.

— Ça n'a pas l'air. Venez vous asseoir un moment. »

Il la guida. Elle se laissa faire. Ils prirent Colne Lane, ruelle pavée qui reliait les deux rues de la petite ville, passèrent devant les boutiques de vêtements – images colorées encadrées par des baies vitrées –, devant la parfumerie d'où filtraient les effluves familiers de fruit et d'encens. Elle s'arrêta devant la vitrine d'un fleuriste. Il finit par la prendre par le bras pour l'emmener vers le café, au coin de la rue. Il poussa la porte, elle entra et s'installa à une table. Il s'assit en face d'elle et fut touché par la confusion que trahissait son regard.

John passa commande auprès de la serveuse. Lorsqu'il se tourna vers Catherine, elle avait calé sa tête dans sa main, coude sur la table.

« Vous avez l'air fatigué », dit-il.

Elle resta silencieuse un moment, l'air déconcerté. Puis à brûle-pourpoint, elle demanda : « Où est votre femme ? »

Il pensait tellement à Claire ces temps-ci… Il la revoyait dans la voiture, venir vers lui après avoir parlé aux ouvriers, se souvenait de leur expression tandis qu'ils la suivaient des yeux, se souvenait de l'empreinte humide de ses pas sur le plancher. La question le décontenança. C'était comme si Catherine avait lu en lui et lui avait demandé ce que lui-même se demandait sans cesse.

« Elle est morte d'une hémorragie cérébrale il y a presque douze ans.

— Oh, mon Dieu, fit Catherine en se redressant. Je l'ignorais.

— Ce n'est pas grave.

— Si, ça l'est. Je ne sais pas pourquoi j'ai pensé à ça. Je n'aurais pas dû poser la question, veuillez m'excuser. »

Leur commande arriva. Elle posa les yeux sur sa tasse quand la serveuse se fut éloignée. Il l'observait sans toucher à son café ; il attendait.

« Je pensais que vous étiez peut-être séparés. Vous aviez l'air plutôt serein. Je me disais que vous l'aviez peut-être quittée.

— Quitté Claire ? Non.

— Bien sûr que non. » Soudain elle eut l'air meurtri. « Mon mari m'a quittée il y a quinze jours, expliqua-t-elle en le regardant.

— Je vois. À mon tour de vous dire que je suis navré.

— J'aimerais simplement savoir où il est, avoir une explication, c'est tout.

— Il ne vous a pas dit où il allait ?

— J'ai trouvé un mot.

— C'est tout ?

— Oui.

— Il n'y a pas eu de discussion au préalable ?

— Non.

— Et la lettre ne donnait ni explication, ni raison ?

— Aucune, dit Catherine. Il disait simplement qu'il partait. Qu'il était déjà parti. »

Ils ne bougeaient pas. Quelqu'un d'autre entra. Il y eut un tintement de cloche, un couple fit du bruit en s'installant.

« Ce qu'il y a d'idiot, là-dedans… c'est tellement insignifiant, enfin, je suppose que cela n'a pas vraiment de signification particulière… hésita-t-elle. J'ai trouvé un catalogue avec la photo d'un bijou, un collier…

— Un catalogue de vente ?

— Celui d'une vente aux enchères.

— Il a enchéri sur le bijou ?

— Je ne sais pas, dit-elle avec un pauvre sourire. Comme je vous l'ai dit, c'est idiot. Ça n'a aucun sens.

— Ce n'est pas idiot si cela vous bouleverse.

— Je me demande s'il a une liaison. Ça l'a peut-être poussé à partir.

— C'est possible ?

— Tout est possible.

— Vous avez des raisons de le croire ?

— Non. Enfin, peut-être… Difficile à dire avec Robert. » Elle remarqua qu'il avait l'air décontenancé. « Il est calme, dit-elle platement. Très calme. Muet en fait, dit-elle avec un soupir et l'ombre d'un sourire.

— Où a-t-il pu aller ? demanda John au bout d'un moment. Avez-vous une idée ? »

Elle le regarda à nouveau et lui fit encore une réponse indirecte. « Je suis si furieuse que je n'arrive pas à dormir.

— C'est normal, il me semble.

— Je ne pleure pas. J'enrage. Un tel gâchis me rend furieuse. Tout ce temps perdu.

— Vous pensez avoir perdu votre temps ? »

Elle souleva sa tasse de café avant de la reposer sur la soucoupe sans avoir bu. « Vous ne penseriez pas la même chose à ma place ? Il s'est enfui quelque part, peut-être avec quelqu'un, pour ce que j'en sais. Je me sens ridicule. Comme si je n'avais pas compris la chute d'une blague cruelle, comme si j'étais trop bête pour comprendre. Je ne sais pas si vous me suivez.

— Si.

— Je suis tellement furieuse. »

Elle semblait figée sur place. « Catherine ? »

Elle ferma les yeux un bref instant. « Je l'ai suivi ici il y a cinq ans, là où il voulait être. Sa grand-mère vivait à Milborne Port, à une vingtaine de kilomètres d'ici. Elle était malade, il avait décidé d'être près d'elle, expliqua-t-elle avec un soupir. Sa mère ne s'en souciait pas beaucoup. Elle a tendance à être indifférente, en général. À tout. Surtout à sa famille.

— Et vous êtes venue vivre ici avec lui ? Vous l'avez épaulé. Vous avez bien fait. »

Elle ne parut pas l'entendre. « Sa grand-mère est morte dans l'année qui a suivi. »

Elle était loin, à l'entrée d'un hôpital, auprès de son mari, extrêmement affecté par son deuil ; c'était la première et unique fois qu'elle l'avait vu à ce point désespéré. Elle avait tenté de l'attirer à elle, mais Robert s'était défendu. Il l'avait griffée au poignet, lui laissant une marque rouge. Elle ne l'avait remarquée que plus tard. Tout ce qu'elle voulait, c'était le faire entrer dans la voiture, le protéger du regard des passants.

« Il a fallu vider la maison, dit-elle doucement. Elle avait des tas d'objets… Des figurines Doulton… et du Carlton rouge. Rouge Royale. »

Ils s'étaient occupés ensemble de la maison, avaient accompli la tâche ingrate consistant à trier toutes les affaires de sa grand-mère. Vider les tiroirs et les placards. Trier les vêtements. Le bazar émouvant accumulé par les personnes âgées : les cachets alignés près de la bouilloire, chaque flacon marqué d'un point de couleur différente par une main tremblante. La bouteille de brandy à moitié entamée dans le placard. Le plateau de bois rempli d'écharpes en soies soigneusement repassées. Les serviettes de toilette monogrammées qui n'avaient pas servi depuis des lustres. L'odeur de camphre de l'anti-mite entre deux fourrures suspendues dans la penderie en bois de citronnier. Le petit réveil de voyage dans son étui de cuir sur la table de chevet, le magazine paroissial et la petite Bible aux caractères minuscules, à la tranche dorée et à l'étonnant parfum de lavande, comme si elle en avait été arrosée.

Le Rouge Royale était exposé dans une vitrine au salon. La collection comprenait une douzaine de pièces, quelques petits bibelots, des cruches et des petites assiettes ainsi que plusieurs grands saladiers. On cataloguait ces pièces selon leur couleur ; celles-là étaient d'un écarlate profond et recouvertes d'un magnifique vernis teinté de bleu opalescent aux reflets moirés.

Ils les avaient emmenées chez Pearsons. C'était la décision de Robert.

Catherine avait elle-même exposé les bibelots sur une commode en chêne, à bonne distance de l'entrée, près du bureau du commissaire-priseur.

Ce matin-là, Robert s'était déplacé – beaucoup d'objets ayant appartenu à sa grand-mère faisaient partie de la vente ; choisis après des heures angoissantes passées à se demander ce qu'il souhaitait garder ou vendre –, et en remontant l'allée, il avait soudain remarqué les Carlton sur la commode, resplendissants à la lumière du jour.

Elle aussi avait eu un moment d'angoisse en les déballant. C'était une collection tellement précieuse et personnelle, fruit d'années de patience. Elle semblait bien triste en public ; c'était comme si on avait exposé la grand-mère de Robert à tous les regards. Catherine avait elle aussi trouvé cela déchirant, et l'expression sur le visage de Robert ne l'avait pas étonnée. Elle s'attendait à ce qu'il se montre inconsolable. Mais pas à ce qui se produisait.

« Tu te débarrasses d'elle, avait-il explosé.

— Quoi ? » Elle essayait de lui prendre la main.

« Tu te débarrasses d'elle en empochant un profit au passage. »

Catherine leva les yeux vers John. Il attendait, mains jointes sur les genoux.

« On a eu tellement de problèmes après ça, dit-elle à John. Et au fil du temps… »

Le temps. John se demandait si elle le ressentait avec la même acuité que lui ; si elle était consciente qu'il lui glissait entre les doigts, qu'il était impossible de le saisir au passage ou de l'arrêter.

Si seulement il pouvait arrêter le temps. Pour une semaine. Ou un mois.

Elle posa brusquement ses mains sur la table. « Qu'est-ce que je suis en train de faire ? Pourquoi vous faire perdre votre temps comme ça ?

— Vous ne me faites pas perdre mon temps, répondit-il en souriant.

— Mais si », dit-elle en jetant un regard circulaire dans la pièce. « Je n'arrive pas à croire que vous soyez resté assis là à cause de moi…

— Nous ne sommes pas là depuis longtemps. »

Elle le dévisagea.

« Cela passera, dit-il. C'est difficile à croire, je sais. »

Elle secoua la tête.

« Que vous obteniez ou non une explication, cela passera. »

Elle s'adossa soudain à son siège et le regarda comme si elle le voyait clairement pour la première fois. « Vous êtes très patient. »

Il faillit pouffer. « À vrai dire, s'il y a une qualité qui me fait défaut, c'est bien la patience. Surtout en ce moment.

— En ce moment ? »

Il ne souhaitait pas s'étendre sur des détails auxquels lui-même avait du mal à faire face. Il croisa son regard ; ils échangèrent un sourire.

« Accepterez-vous de dîner avec moi ? » demanda-t-il. Il avait posé la question sans réfléchir. Cela le surprit : elle lui était venue en regardant Catherine, en repensant au frémissement qu'il avait senti chez elle en lui serrant la main l'autre jour et à son profil quand elle admirait les prototypes Wedgwood – à un de ces détails, peut-être à autre chose, ou peut-être à tout ça –, et maintenant qu'il avait posé la question il se sentait idiot, insensible à sa situation.

Elle ne répondait pas.

« Je suis sincèrement désolé. Je ne pensais qu'à un dîner. » Il se surprit à rire, exaspéré. « Bon Dieu, je passe pour un être grossier. Je voulais juste... » Et il fit mine de balayer le sujet d'un revers de la main.

Elle sourit et, à sa grande surprise, rougit. Elle ne répondit pas à sa question, mais, au lieu de cela, croisa les bras sur sa poitrine, presque sur la défensive. « Le temps », murmura-t-elle, en revenant au sujet précédent. « Il semble étrange. Anormal, inhabituel. Il est élastique, déformé. Heures après heures. »

Il prit une inspiration en essayant de suivre le cours de ses pensées. Ce n'était pas difficile. Il connaissait bien cette absence de repères, étrange et déstabilisante, cette impression d'être abandonné. « Les heures se succèdent et se ressemblent, rien ne progresse ; et puis on revient au point de départ.

— C'est ça

— Tout est relatif.

— Vraiment ? »

Il voyait bien qu'elle en doutait. « Bien sûr. Le temps est relatif. Pensez à ces journées interminables en classe, ou coincée derrière un bureau à faire un boulot que vous détestiez. À ces après-midi où vous jouiez, enfant, et où le soleil s'arrêtait dans le ciel et pas une feuille ne bougeait dans les arbres, dit-il en lui souriant. Vous voyez ? Le temps est relatif. »

Elle le regarda intensément.

Il jeta un coup d'œil à la circulation par la fenêtre. « Si on y pense, le temps n'existe pas. »

Elle rassemblait ses affaires. « Eh bien, qu'il existe ou non, j'ai abusé du vôtre. »

Il se leva à son tour.

Elle enfila l'anse de son sac sur son épaule, tira sur ses gants. Il quitta la table et lui ouvrit la porte, prêt à retourner payer l'addition pour la laisser partir seule.

Elle s'arrêta sur le palier. « Jeudi. Pourquoi pas jeudi ? »

Elle se retourna une fois, une seule fois, en descendant la rue.

9.

En arrivant chez elle et en se garant le long du trottoir, Catherine vit un homme attendre devant sa porte. Il venait de frapper. « Madame Sergeant ? » fit-il comme elle descendait de voiture.

« Oui. » Elle ne l'avait jamais vu.

Il lui tendit la main. Elle remarqua son attaché-case.

« Si vous vendez quelque chose, j'ai bien peur de devoir vous dire non.

— Je n'ai rien à vendre, répondit-il avec un sourire. On m'a demandé de passer vous voir. Je m'appelle Styles. »

Elle l'étudia : une cinquantaine d'années, cheveux bruns, joues rubicondes, il portait un costume au moins une taille trop petite pour lui. Il avait l'air d'avoir chaud malgré la température extérieure. Il lui tendit sa carte. *Wade et Charleton*, lut-elle. *Avocats.*

« Nous connaissons-nous ? s'enquit Catherine.

— Je travaille pour votre mari. »

*

* *

Michael Styles avait l'air encore plus gros assis à la table de la cuisine. Catherine prépara le thé ; elle retenait presque son souffle, se doutant qu'il n'était pas venu lui annoncer une bonne nouvelle. Elle ouvrit la fenêtre donnant sur le jardinet qu'elle avait conçu avec tant de soin l'année passée. Les magnolias étoilés commençaient juste à s'épanouir, fleurs blanches sur des branches nues. Ce n'étaient encore que des buissons. Elle venait de dire à Robert récemment – récemment ? En octobre ou novembre ? Cela paraissait loin – qu'elle devrait les transplanter lorsqu'il serait un peu plus grands. Accoudés à la fenêtre, ils avaient discuté d'un projet à réaliser dans quatre ou cinq ans.

L'eau bouillait. Elle posa les tasses sur un plateau en s'efforçant de chasser une autre image : Robert, il y a longtemps, dans un autre minuscule jardin, à Londres, avant qu'ils eussent déménagé ici. Debout derrière elle, il la prenait dans ses bras.

Elle refoula le souvenir et posa le plateau sur la table.

« C'est gentil, fit Styles.

— Pardon ?

— Un bon thé. Les gens ne se donnent plus la peine, vous ne trouvez pas ? C'est agréable de boire un bon thé. » Il rougit tandis qu'elle versait du sucre dans sa tasse.

Elle s'assit en face de lui ; il était manifestement mal à l'aise et lui faisait pitié. « Où est-il ? s'enquit Catherine.

— Je crains de ne pouvoir vous le dire. »

Elle posa les mains sur ses genoux, les cacha sous la table pour qu'il ne la voie pas serrer les poings. « Que croit-il que je vais faire ? Le poursuivre avec une hache ? »

Styles la dévisagea.

« Je plaisantais », le rassura-t-elle.

Il ouvrit sa mallette. « On m'a chargé de vous apporter ceci. » Il fit glisser trois ou quatre feuilles de papier dans sa direction.

Elle essaya de les lire à l'envers. « Au tribunal du Comté. » Elle remarqua un tampon rouge et circulaire en haut de la page, reconnut l'écriture de Robert. Elle retourna les papiers. Il y avait une date, celle de leur mariage. L'endroit où il avait eu lieu. « Le demandeur et la défenderesse vivaient maritalement jusqu'à… » Puis leur adresse, celle-ci. Celle de la maison qu'ils partageaient.

Elle leva les yeux vers Michael Styles. « C'est Robert qui a complété ces papiers ?

— Oui.

— Et il vous les a laissés… Quand ?

— Il y a un mois. »

Elle essayait de rassembler les morceaux. « Il a rempli ces papiers, vous les a laissés et vous a demandé… quoi exactement ? De me les apporter ?

— C'est ça.

— Aujourd'hui ? À cette date précise ? »

Styles leva la main, faisant mine de s'excuser. Ou de lui montrer sa gêne. « La date à laquelle nous devions vous les apporter devait être communiquée ultérieurement.

— Et il vient de vous la communiquer.

— C'est exact.

— Vous voulez dire qu'il a pris contact avec vous.

— En effet.

— Par téléphone, par courrier… cette semaine ? »

Styles ne répondit pas.

Elle baissa les yeux sur le document placé devant elle. « Aucun enfant du couple ne vit… la défenderesse n'a donné naissance à aucun enfant pendant les années de vie commune… » Robert avait rayé ces deux articles. Elle tourna la page. « La relation a subi des dommages irréparables… »

Elle lut deux fois les raisons invoquées par Robert pour demander le divorce et se sentit submergée par une sensation qu'elle avait du mal à identifier : ce n'était pas tellement de la colère, ni aucune émotion particulière, mais plutôt une réaction physique, une espèce de bouillonnement, comme si son corps avait passé la surmultipliée. Elle eut un coup au cœur en se penchant sur le document. « Vous avez lu le document ? Vous avez pris connaissance des motifs ?

— Oui.

— Vous êtes d'accord avec ça ?

— Il ne m'appartient pas d'en juger », répondit Styles en croisant son regard.

« Vous vous contentez d'être le messager. Est-ce que tout ça est vrai ? », fit Catherine en tapotant les pages du bout du doigt, les faisant glisser sur la table cirée.

« Je ne pourrais vous le dire.

— Vous refusez de le dire, plutôt.

— Je ne connais pas les faits, mais je crois mon client sur parole. » Il fallait bien admettre que ses propos étaient mesurés. Mais il n'était pas difficile pour lui de garder son sang-froid.

Catherine recula sa chaise pour se lever. « Vous faites souvent ce genre de choses ? demanda-t-elle. Aller chez les gens avec ce genre de document ?

— Non, ce n'est pas courant. »

Elle lui lança un regard furieux. Il n'y était pour rien, elle en était pleinement consciente, mais elle aurait pu le frapper, lui faire du mal pour s'être assis là, avoir ouvert sa mallette et déposé sur la table ce document scandaleux.

« J'imagine qu'il ne vous a pas dit ce qu'il faisait ?

— À propos du divorce ? s'enquit Styles, perplexe.

— Je ne vous parle pas de ce putain de divorce. Vous a-t-il expliqué qu'il me quittait sans me l'annoncer ? Qu'il allait partir avant que le soleil ne se lève un matin, avant que je ne sois réveillée, sans prendre la peine d'en discuter avec moi ? »

Styles se taisait, de plus en plus mal à l'aise.

« Après tout… », s'écria Catherine, consciente à présent qu'elle levait la voix, qu'elle devenait hystérique sans pouvoir se contrôler. Ça ne lui ressemblait pas d'avoir l'air d'une bonne femme hystérique, et Styles devait se dire, *C'est donc à ça qu'il essaie d'échapper…* Mais elle ne pouvait s'en empêcher. « Après tout, est-ce que c'est raisonnable ? Est-ce qu'une personne raisonnable se comporterait comme ça ? Qu'est-ce que j'ai bien pu faire pour qu'il ne daigne pas me parler ? Il ne m'a pas dit un traître mot… »

On sonna à la porte.

Styles se leva.

« Je n'ai pas terminé ! », s'exclama Catherine.

Il se tourna vers la porte.

« Je n'en ai pas fini avec vous. »

On sonna de nouveau.

« Et merde ! » maugréa-t-elle. Elle quitta la pièce, prit le couloir et ouvrit violemment la porte d'entrée.

Amanda attendait sur le perron. « Qu'est-ce qui se passe ? fit-elle. Qu'est-ce que tu as ?

— Autant entrer et te joindre à la petite fête, fit Catherine en tenant la porte grand ouverte. Plus on est de fous, plus on rit. »

Styles était sorti de la cuisine et attendait, dans le couloir, hésitant, mallette en main.

« Voici M. Styles, expliqua Catherine. C'est Robert qui l'envoie.

— Robert ? répéta Amanda.

— M. Styles est avocat. Tu savais qu'ils faisaient les visites à domicile ?

— Non », répondit Amanda en lançant à l'homme un regard compatissant.

« Moi non plus je n'en savais rien. C'est extrêmement gentil de sa part, non ? Robert lui a apparemment demandé de passer pour me mettre les points sur les i, tu vois… comme s'il y avait pensé à la dernière minute, bredouilla-t-elle. Tu sais, c'est comme quand tu t'apprêtes à partir en vacances et que, sur le pas de la porte, tu t'aperçois que tu as oublié de suspendre ton abonnement au journal. Alors, tu attrapes un bout de papier, une vieille enveloppe, tu y notes tes instructions et tu charges un ami d'aller l'apporter de ta part. Va donc apporter ce putain de mot pour expliquer que tu pars et que, ah oui, au fait, tu ne reviendras pas. »

Amanda et Styles étaient cloués sur place.

Amanda prit le bras de son amie. « Où est-il ? demanda-t-elle. Qu'est-ce qu'il a fait ? »

L'air mécontent, Catherine désigna Styles d'un hochement de tête. Celui-ci avança. « J'ai laissé les papiers sur la table », annonça-t-il à mi-voix, à l'intention de Catherine et d'Amanda qui entourait maintenant l'épaule de son amie d'un bras protecteur. Il se faufila jusqu'à la porte et ajouta : « Merci beaucoup pour le thé », avant de sortir.

« Merde... », marmonna Catherine.

Amanda attendait. « Tu m'expliques depuis le début ? »

Catherine soupira profondément. Les deux amies se dirigèrent ensemble vers la cuisine. Catherine se laissa tomber sur la chaise la plus proche. Amanda prit les papiers qu'elle lut lentement, attentivement. Elle les reposa sur la table, alla chercher une tasse dans le placard, versa de l'eau chaude dans la théière et s'assit en face de Catherine.

« Je le savais, dit Amanda.

— Quoi ? fit Catherine en redressant la tête.

— J'ai croisé Robert à l'aéroport samedi.

— Tu savais ? Tu étais au courant depuis le début ? » fit-elle en désignant les papiers du divorce.

« Non, non, la rassura Amanda. Je n'étais au courant de rien. Mais je l'ai vu et je lui ai parlé ; il avait l'air bizarre...

— Tu lui as parlé ?

— Oui.

— Qu'est-ce qu'il t'a dit ?

— Rien. Rien d'important en tout cas. Il a dit qu'il était allé à Rome pour affaires.

— À Rome ? »

Amanda lança à Catherine un regard perçant. « J'en déduis qu'il mentait...

— Je ne sais plus que croire, répondit Catherine qui respirait péniblement. Rome...

— Tu as téléphoné à son bureau ?

— Ils m'ont dit qu'il était en congé.

— Depuis quand est-il parti ?

— Quinze jours... presque trois semaines. »

Le teint d'Amanda s'anima. « Il t'a quittée il y a trois semaines et tu es restée seule ici sans rien nous dire ? »

Catherine se pencha sur la table et se prit la tête entre les mains.

« Je n'arrive pas à croire que tu ne nous en aies pas parlé.

— C'était tellement surréaliste, murmura Catherine. Je n'arrêtais pas de me dire qu'il allait revenir. » Elle posa le doigt sur les papiers du divorce. « Et maintenant je reçois ça. Comment a-t-il pu ? Pourquoi ? »

Amanda ramassa le document pour le relire. Lorsqu'elle en vint aux motifs du divorce, elle porta la main à ses lèvres. « Est-ce vrai ? Il y a quelqu'un d'autre ?

— Je l'ignore.

— Il ne t'en a pas parlé ?

— Il ne m'a parlé de rien. Il ne m'a même pas dit qu'il partait. Il a disparu un matin en me laissant un mot.

— Bonté divine !

— Le mot ne faisait pas allusion à une autre femme. »

Il fallut un moment à Amanda pour digérer la nouvelle.

Catherine laissa échapper un éclat de rire. « Tu as vu ce qu'il a fait ? Il a rempli les papiers de sorte que je n'aie plus qu'à signer. Demande de divorce pour cause d'adultère de sa part. C'est gentil, non ? »

Les deux femmes échangèrent un regard dénué d'émotion. Amanda sirota son thé, posa sa tasse et dit : « Écoute, je ne suis pas en train de le défendre. Dieu sait qu'il est impossible de défendre quelqu'un qui agit de la sorte. Mais ça ne lui ressemble vraiment pas. Quelqu'un comme Robert ne se comporte pas de cette façon. Est-ce qu'il va bien ?

— Qu'est-ce que tu veux dire ?

— Est-ce que quelque chose le préoccupait ?

— Tu penses qu'il fait une dépression ?

— Je ne sais que penser, Cathy. Tout ça paraît tellement incroyable. »

Il y eut un long silence que Catherine finit par rompre. « Il s'est passé quelque chose juste avant Noël. »

Cela faisait trois mois. Une semaine avant les vacances. Elle s'efforçait de se rappeler précisément. En temps normal, elle n'y aurait peut-être pas prêté attention mais à l'époque, cela l'avait chiffonnée. Pas assez pour en parler. Ni se disputer non plus. Pourtant, ça l'avait déconcertée. Un soir, Robert était rentré tard mais pas fatigué, bizarrement tendu, comme sous l'emprise de la drogue. S'il s'était agi d'un autre homme, elle aurait pu croire qu'il était ivre, mais pas Robert. Comme s'il venait de remporter une victoire secrète, d'avoir une révélation. Elle s'était demandé s'il allait être malade. Il était parti se coucher et quand elle était montée, il dormait à poings fermés, imperturbable, du sommeil du juste ou d'un mort.

Ou de l'infidèle, se disait-elle à présent, en repensant à l'air qu'avait Robert en dormant, celui d'un enfant épuisé. Elle repensait aussi aux couleurs de Noël, à la vente qui s'était tenue chez Pearsons cette semaine-là, aux tableaux et aux bijoux qui en faisaient l'objet, à l'inhabituelle bonne humeur des antiquaires, aux arbres de Noël suspendus au-dessus des boutiques en ville et aux guirlandes lumineuses entrelacées dans les rues. Elle repensait à Robert et les souvenirs se télescopaient, kaléidoscope d'images et de voix.

« Le collier, s'écria-t-elle.

— Quel collier ? » fit Amanda, perplexe.

Catherine alla chercher le catalogue à l'étage, le lança sur la table. « Lot 543. Il était dans un tiroir, ouvert à cette page », expliqua-t-elle en jetant un nouveau coup d'œil à la photo.

« Très joli, commenta Amanda.

— Un seul client a enchéri par téléphone, dit Catherine en se rasseyant.

— Et tu crois que ça a quelque chose à voir avec Robert ?

— Pourquoi aurait-il conservé ce catalogue si ce n'était pas le cas ? » Elle voyait bien qu'Amanda doutait et s'empara du catalogue. « Ça n'a pas d'importance.

— Pas dans l'absolu, non. »

Catherine fixait la table. « Qui est-ce ? murmura-t-elle. Il était seul à l'aéroport ?

— Je n'ai vu personne.

— Tu en es certaine ?

— Je ne peux pas l'affirmer. Ce qui est sûr, c'est qu'il n'y avait personne avec lui ou à proximité. » Il y eut un silence. « Mais…

— Quoi ?

— J'ai dit à Mark en rentrant que Robert avait l'air bizarre. Je n'arrivais pas à déchiffrer son expression. C'était peut-être de l'inquiétude – parce que je l'avais vu.

— De la culpabilité ? »

Amanda réfléchit. « Non. Il semblait sur ses gardes.

— C'était samedi dernier.

— Oui, c'est ça », fit Amanda en posant ses coudes sur la table. « Tu ne pouvais pas le dire ? Tu n'as pas confiance en nous ?

— Ce n'est pas une question de confiance en l'occurrence. J'espérais simplement… que la situation allait s'arranger toute seule.

— Et qu'il reviendrait ?

— Je suppose, oui.

— C'est ce que tu aurais aimé ? C'est ce que tu veux ?

— Non, plus maintenant », s'exclama Catherine. Ses joues s'empourprèrent. « Tu plaisantes ? » Elle recula sa chaise mais resta assise. Les deux amies restaient face à face, les papiers du divorce toujours au beau milieu de la table. Le visage de Catherine ne trahissait aucune émotion. Elle ne ressentait rien. Elle se sentait vide. Fermant les yeux, elle se remémora l'après-midi qu'elle venait de vivre. Elle avait rendu visite à M. Williams, l'homme à qui avait appartenu le portrait de la jeune fille à la rose et qui avait tant aimé ce tableau car le modèle ressemblait à sa femme. Il vivait seul, deux villages plus loin, dans une grande bâtisse au bout d'une allée envahie par les lauriers qui la bordaient. La maison se trouvait près de l'église sur la colline et tombait lentement en ruines ; derrière des murs gigantesques, les mauvaises herbes envahissaient les allées de gravier et le vieux court de tennis. « Je suis allée rendre visite à un homme aujourd'hui, observa-t-elle.

— À propos de Robert ?

— Non. Au sujet d'un tableau qu'il a vendu. Je suis allée lui demander pourquoi il s'en est défait alors que pendant des mois il s'y est refusé, et a préféré se séparer d'autres objets à la place. Ce tableau était accroché sur le palier de sorte qu'on pouvait le voir en entrant ou en montant l'escalier. Mais il a fini par le vendre.

— Il avait peut-être besoin d'argent.

— En effet, oui. C'est le propriétaire de Sandalwood.

— Ce monstre ?

— Oui. »

Amanda l'observait. « Qu'est-ce qui t'a fait penser à lui ? » s'enquit-elle.

La première fois que Catherine avait rendu visite à M. Williams, il lui avait raconté que sa femme et lui avaient fait le tour du monde. Il avait été en poste en Birmanie, avant la guerre, quand le pays portait encore ce nom, et avait voyagé en Malaisie. Lorsque la guerre avait éclaté, il s'était engagé dans la Marine et avait fait partie des convois maritimes vers l'Arctique. Il lui avait décrit Riga, tache noire dans un univers blanc. Là, il avait échangé des dollars américains contre la porcelaine des tzars, des cigarettes contre des œufs Fabergé. Après la guerre, il s'était installé en France avec sa femme.

Il avait mis sa vie aux enchères pour payer les réparations de la maison : la porcelaine, les dessins surréalistes de Delvaux, les figurines balinaises, les bracelets de danseuses ornés de dollars sri lankais en argent, la soie de Paris et deux bronzes rapportés de Berlin.

Catherine le connaissait depuis son arrivée dans la région, cinq ans plus tôt. Un vieillard solitaire occupant une maison autrefois remplie de vestiges du passé et qu'il avait progressivement dépouillée de ses souvenirs. « Pourquoi avoir vendu votre tableau ? » lui avait-elle demandé cet après-midi-là, en buvant le thé qu'il lui avait préparé. C'était un aimable vieillard qui se déplaçait lentement dans sa cuisine, préparait le thé, posait le plateau sur la table avec précaution. Il ne se départait jamais d'un sourire doux et poli et faisait preuve d'une courtoisie surannée.

« Ce n'était qu'un tableau », lui avait-il dit sur le pas de la porte en fermant les yeux. « Je n'ai que faire des objets à présent.

Elle crut qu'il pleurait, mais elle se trompait. Il avait rouvert les yeux et lui avait serré la main quand elle lui avait donné le chèque en règlement du portrait. Une poignée de main sèche, professionnelle ; le contact des doigts osseux et de la peau où affleuraient les veines l'avait perturbée. L'habituel sourire doux et triste quand il lui avait fait au revoir de la main alors qu'elle s'éloignait.

Et puis, elle repensa à la main de John Brigham. À sa grande surprise, son cœur bondit sous l'impulsion du désir.

Elle écouta presque avec objectivité le battement qui s'amplifiait. Une main énergique, sensible, aux doigts longs. La chaleur de sa paume. Il l'avait regardée aujourd'hui avec une franchise candide et avec humour ; pourtant, elle avait la conviction qu'à la différence d'Alec Williams, il avait fait plus que se défaire d'un objet qu'il aimait : il se préparait à lâcher prise. Il y avait quelque chose d'intensément familier dans son univers, chez lui. Quelque chose qui la travaillait depuis quelques jours.

Il s'était retourné pour prendre un objet sur le buffet.

C'était ça. Voilà ce qui la travaillait.

Il avait pris... Elle essayait de se rappeler ce dont il s'agissait. Elle avait remarqué son geste. Cette main qui aujourd'hui s'était attardée sur son bras, s'était emparée d'un objet sur le buffet. Un objet suffisamment petit pour que John Brigham puisse le mettre dans sa poche. Agacée, elle fronça les sourcils en essayant de se souvenir. Elle n'était pas concentrée l'autre jour ; elle avait sombré dans l'apathie. Elle avait vu l'objet posé là, pourtant son regard avait glissé dessus.

Elle s'efforça de retracer son parcours dans la maison, suivit de nouveau John dans le couloir. Des panneaux de William Morris dans l'escalier...

Le buffet et les prototypes dans la vitrine...

Elle se souvint enfin.

Son regard se perdit au loin alors qu'elle revoyait le disque émaillé que John s'était hâté de ranger dans sa poche.

Le portrait minuscule, infiniment délicat d'un enfant. Un échiquier parfaitement rendu était posé sur une table devant lui ainsi qu'une coquille de noix ouverte et transformée en bateau près de sa main. L'enfant avait une expression inoubliable.

Elle restait gravée à jamais dans la mémoire de celui qui la voyait.

Elle se redressa sur sa chaise.

« Qu'y a-t-il ? » s'enquit Amanda.

Mais Catherine était incapable de lui expliquer. Robert avait momentanément disparu de son esprit. Elle était obsédée par cette chose fantastique, impossible. L'enfant dans le médaillon.

Et le peintre, le graveur dont l'univers avait été réduit à ces quelques lignes sur le papier. Pareilles aux lignes sur le document posé devant elle. Quelques lignes seulement. Mais d'une telle importance !

« Oh mon Dieu », murmura-t-elle, ébahie. « Richard Dadd. »

10.

Robert prit la clé dans sa poche. Il réprima l'envie puérile de grimper les marches quatre à quatre, et seuls l'étroitesse de l'escalier et le mauvais éclairage l'en empêchèrent.

Il ouvrit la porte de son appartement.

Un studio, avec salon/chambre, salle de bain, coin cuisine. Il traversa la pièce principale et s'appuya à la fenêtre pour admirer le point de vue sur Londres.

Il n'y avait pas grand-chose à voir : un bout de mur, les fenêtres tendues de lourds rideaux d'un bureau, l'arrière d'un immeuble plus haut qui jouxtait le sien. Lors de sa première visite, il commençait à faire nuit et il avait aperçu des gens s'agiter en face : une femme aux cheveux gris, un homme assis à son bureau dans la lumière fluorescente des néons et, derrière eux, un mur d'écrans d'ordinateurs. En passant devant l'entrée, il avait remarqué qu'une agence de courtage en bourse occupait l'immeuble. Anonyme, comme lui.

Il savourait cet anonymat. C'est ce dont il avait envie : pouvoir rester seul, renoncer à son identité, même pour la période relativement brève entre le retour du bureau et l'heure du coucher. L'appartement appartenait à la compagnie pour laquelle il travaillait à présent ; il commençait dans une semaine. On lui prêtait ce logement de fonction jusqu'à ce qu'il trouve une maison ou un appartement. Il ne serait pas vraiment en position d'acheter quoi que ce soit jusqu'à ce que le divorce soit prononcé, cela dit.

Il se rembrunit en pensant à Catherine. Les papiers lui étaient parvenus aujourd'hui. Voilà, c'était fait. Elle devait avoir compris ses intentions. Peut-être serait-elle suffisamment en colère pour ne pas s'y opposer. Voilà ce qu'il voulait. Qu'on le laisse faire, qu'on ne s'oppose pas à lui. Qu'on ne lui pose pas de question. Être libéré.

Ses deux valises étaient toujours par terre dans le salon. Il n'avait eu le temps d'en tirer que quelques vêtements. Il se mit à les défaire. Ce n'est que lorsqu'il les eut vidées, une dizaine de minutes plus tard, qu'il pensa sérieusement à Catherine et pas de façon caricaturale, comme à une simple harpie.

Bizarrement, il avait emporté un exemplaire de son livre.

Pourquoi avoir voulu conserver ce souvenir-là ? Il l'ignorait. C'était ce livre, symbole de sa réussite, qui l'agaçait par-dessus tout. Il contempla la couverture un moment ; c'était la reproduction sur papier glacé du tableau de Richard Dadd représentant la rencontre entre Oberon et Titania.

Rien ne lui plaisait dans cette image ; il ne l'avait jamais aimée et n'avait jamais compris l'obsession de Catherine pour ce peintre. Il avait sous les yeux l'une des figures féminines les moins attirantes qui soient, avec son profil de matrone, son air indifférent, terne.

Il alla s'asseoir sur l'unique chaise de l'appartement et posa le livre sur ses genoux. Ce qu'il y avait d'étonnant, c'est qu'elle ressemblait à la femme qu'il avait rencontrée avant Noël, lors d'une conférence. Il n'était pas directement concerné et n'assistait à la réunion que parce qu'un client le lui avait demandé. En tant qu'auditeur, il avait entendu parler des préparatifs d'une fête et y avait été convié. Elle avait eu lieu à la fin de la conférence, dans un hôtel d'aspect minable à Bloomsbury, dont l'intérieur n'était guère plus reluisant.

La soirée était déjà bien avancée ; il avait sans doute bu un verre de trop et s'était retrouvé à côté d'elle à une table du restaurant de l'hôtel. Il ne savait rien d'elle, ne l'avait jamais vue avant. Elle portait une robe grise qui faisait un peu sac et dévoilait ses épaules brunes. S'il l'avait croisée dans la rue, il ne l'aurait pas remarquée. Elle faisait plus vieille que les autres secrétaires, il lui donnait entre trente-cinq et quarante ans. Elle était peut-être plus âgée que lui.

« Vous êtes bronzée.

— Je reviens du Maroc. »

Ils avaient parlé de ça un moment et, s'il se souvenait bien, de l'Italie et du fait qu'elle apprenait l'italien.

« Ça pourra vous être utile un jour. »

Elle commençait à bafouiller. « Vous prévoyez de vous évanouir dans la nature ? avait-il demandé.

— Peut-être. »

Plus tard, beaucoup plus tard, il ne restait plus qu'eux à la table.

« Robert, qu'attendez-vous de la vie ? »

Il essayait de fuir son regard ; il avait cru entendre quelqu'un appeler un taxi. Il avait envie de rentrer, espérant vaguement pouvoir attraper le dernier train. « Des choses banales », avait-il répondu, un peu ailleurs. « Que veulent les gens ? La sécurité, la santé…

— La sécurité, avait-elle répété en riant. Rien d'autre ?

— Est-ce mal ? »

Elle lui avait mis la main sur la cuisse. Dehors, sur le trottoir, Robert avait hélé un taxi avec l'intention de la planter là. Pourtant, elle s'y était engouffrée et il s'était retrouvé en train de donner le nom de son hôtel.

Ç'avait sans doute été l'un des pires événements de sa vie. Pourtant, il avait été lourd de conséquences.

Il savait avant d'arriver à l'hôtel qu'il n'avait pas envie d'elle. Il ne souhaitait surtout pas la voir rester dans sa chambre toute la nuit. Alors, tandis que le taxi s'éloignait, il l'avait entraînée vers une ruelle qui longeait l'hôtel, une allée menant à un jardinet laissé à l'abandon. Le bar à vin était fermé. Ils étaient restés un moment dans la pénombre.

« Je suis vraiment navré », lui avait-il dit.

Elle s'était alors adossée à la porte verrouillée et lui avait expliqué exactement ce qu'ils allaient faire. Le contact de sa peau le rendait fou de désir et le paralysait. « Pas ici, pas dans la rue. »

Mais ils n'avaient pas bougé. L'idée même, le côté fugitif de l'étreinte, l'excitait au plus haut point. Elle n'était même pas jolie, pourtant, il éprouvait un désir impérieux, le désir d'être délivré de lui-même, de disparaître dans le noir, aux sons de la pluie battante et des grincements de la porte.

C'était insensé.

Et puis, au dernier moment, il avait été incapable de faire ce qu'elle voulait. Elle l'avait repoussé, frustrée et surprise. Son silence l'avait davantage humilié que si elle s'était moquée de lui.

Dieu merci, il ne l'avait jamais revue. Personne n'avait remarqué qu'ils partaient ensemble, personne n'était au courant.

Il se mit à penser à elle, à ce qu'elle lui avait dit au restaurant. « Vous n'attendez rien d'autre de la vie ? »

Il comprit que c'était exactement ce qu'il voulait : la sécurité de la solitude. Il voulait être libéré de la claustrophobie du besoin, le sien et celui de Catherine. En fait, il aurait préféré ne pas avoir de besoin du tout.

Il secoua la tête, balayant ces souvenirs, revint au présent, dans cette pièce. Il avait rendu visite à sa mère cet après-midi même. Encore une obligation, un devoir de plus. Il ignorait pourquoi il s'en était donné la peine.

Elle vivait dans une vieille maison de Bedford Square, la seule à ne pas encore avoir été restaurée, une espèce de grand labyrinthe béant. Elle l'avait presque complètement abandonnée et préférait passer le plus clair de son temps dans la cuisine aménagée au sous-sol. Il avait sonné et elle avait fini par lui ouvrir, sans lâcher sa cigarette. « Tiens, s'était-elle exclamée avec un sourire, un revenant ! »

Il avait embrassé la joue qu'elle lui tendait, l'avait suivie jusqu'au salon où, étendue sur une grande bergère, elle regardait la télévision.

« J'emménage à Londres.

— Avec Catherine ?

— Non.

— Je m'en doutais. Elle m'a téléphoné.

— Ah bon ?

— Elle voulait savoir où tu étais. »

Toujours debout, il jeta un regard circulaire aux canapés recouverts de housses en plastique, aux objets orientaux ternis par la poussière.

Ses parents travaillaient autrefois en Extrême-Orient pour une compagnie de tabac. Le bon temps, comme disait sa mère. Gin orange à seize heures, cocktails à dix-huit, dîner à vingt. Un tourbillon sans fin de réceptions et de fêtes. Dans la chambre de sa mère, à l'étage, les penderies regorgeaient de tenues années cinquante, crêpe de Chine fleuri emballé dans du papier de soie. Elle avait aussi gardé tous les smokings de son père : des costumes d'époque aux revers de soie, boutons recouverts de satin noir et doublures de satin crème confectionnés sur mesure en vingt-quatre heures par les tailleurs de Hong Kong.

Sa chambre à lui était au second : un lit très simple, des coussins rayés, la vieille bibliothèque renfermant les volumes de la *Royal Encyclopaedia For Boys*. Un jour – il venait de quitter l'université –, il avait commis l'erreur d'amener une petite amie à la maison et avait été mortifié quand sa mère lui avait fait faire le tour du propriétaire, du grenier plein de toiles d'araignées jusqu'au sous-sol. La jeune fille avait pris un volume de l'encyclopédie et s'était mise à lire le premier article sur lequel elle était tombée. Il l'entendait encore : « E, pour bloc de l'Est. » Elle avait ri. « On se croirait en pleine guerre froide ! Et puis *East Lynne*, le phare d'Eddystone et Édouard le Confesseur.

— Il a toujours adoré la lecture, avait dit sa mère. Je n'ai jamais vu d'enfant plus silencieux et renfermé.

— Qu'est-ce que tu connais aux enfants, au juste ? », s'était exclamé Robert, provoquant l'hilarité de son amie même s'il était sérieux. Sa mère refusait qu'il invite ses copains à la maison, ce dont il était secrètement reconnaissant puisque la maison et elle sentaient la fumée et le renfermé, et qu'elle avait pris l'habitude de stocker des journaux dans l'entrée et dans l'escalier et de laisser des vêtements éparpillés à droite et à gauche. Elle le dégoûtait.

« Où vis-tu ?

— À l'hôtel. Je voyage beaucoup, je fais surtout des audits à l'étranger. » Il n'avait pas envie qu'elle lui demande d'emménager chez elle.

« Et ta maison ?

— Nous allons la vendre.

— Tu ferais bien d'avertir ta femme. »

Même s'il venait de quitter Catherine, il détesta cette remarque. Elle ne méritait pas que l'on se moque d'elle. Elle était plutôt à plaindre.

Il se coucha tôt ce soir-là. Il avait besoin d'une longue nuit de sommeil. Il n'était pas fatigué, simplement agacé par ces émotions, ces désirs, ces soucis qui l'oppressaient. Il s'allongea sur le dos et se concentra sur le carré de lumière filtrant de la fenêtre et tombant sur son lit.

Il voulait rester allongé dans le noir à observer ce carré de lumière tombant de la fenêtre, résidus lumineux montant de la rue. Et rien d'autre.

11.

Depuis son retour, lorsque John rêvait, c'était de la maison d'Alora. En ce moment même, il marchait sur la route poussiéreuse menant à la *finca* et sa colline plantée d'oliviers. Des graviers se coinçaient dans la semelle de sa chaussure ; il se penchait pour les en extirper et continuait sa promenade en les gardant à la main. Le soleil lui réchauffait le dos et la maison était telle qu'il l'avait vue la première fois.

Construite un peu avant le sommet de la colline, un cube sur une dalle de ciment. Pas de toit, pas de vitre aux fenêtres, projet à demi entamé et laissé en plan par quelqu'un. Pas d'allée, juste un sentier défoncé à l'embranchement du chemin qui conduisait à la ferme, de l'autre côté de la colline.

Il avait soif. Dans son rêve, il en ressentait clairement les effets : la bouche sèche, la langue râpeuse. Le vent agitait doucement les branches des oliviers dans la chaleur de midi. Il approcha de la maison et caressa la brique rêche, comme il l'avait fait des années auparavant. Il en sentit la texture sous ses doigts. En levant la tête il aperçut des tiges de métal noir, très simples, courant du sommet du mur jusqu'au bord de la dalle de ciment et formant une structure au-dessus de l'entrée. Quelqu'un y avait planté de la vigne avant d'opter pour un toit de tuiles. Les ceps s'élançaient le long des tuteurs pour envahir la terrasse de fortune. Il y aurait des raisins l'année suivante.

Il se retourna pour embrasser le point de vue au bas de la colline.

Il n'avait rien d'un visionnaire, ne s'était jamais pris pour quelqu'un d'autre, même s'il avait été un brillant concepteur de projet. Il était capable d'expliquer à un client le plan qu'il envisageait pour sa maison et d'en visualiser les détails techniques. Mais tout ça était froid, dépourvu d'émotion. Sauf avec Claire, évidemment. De temps à autre à Rotherhithe, il s'était projeté dans un futur aussi chaleureux et distinct que le présent. Mais ces visions étaient rares.

Pourtant, debout devant la maison abandonnée, ce cube sans toit, il avait eu une vision, s'était vu vivre à cet endroit. Il s'était vu assis là le soir. Il avait vu la piscine qu'il construirait derrière, pas un objet design aux lignes nettes mais un réservoir aux murs verts, ni élégant, ni carrelé, ni cimenté, sans marches, une cuve profonde et ombragée sous une voûte de bougainvillées, au milieu d'un jardin tout simple, à l'abri des tamaris sauvages.

Il visualisa les pièces, fraîches et sans prétention. Une cuisine, une chambre, un studio à l'arrière sur lequel la lumière du soleil ne tombait que tard dans la journée. Un poêle à bois. Un bureau.

Un an plus tard, une fois la restauration bien entamée à Alora, il quitta la maison de Rotherhithe. C'était tellement plus facile de quitter Claire. Cela faisait quatre ans et il pensait avoir accepté sa mort.

Il avait fait l'erreur d'emporter le service de table en porcelaine qu'ils avaient acheté ensemble. Quinze jours plus tard, lorsqu'il le déballa dans la maison d'Alora, le motif de rubans et d'oranges le fit pleurer ; il lui rappelait trop de souvenirs et il ne put le supporter. Le second week-end, il descendit au marché pour acheter des assiettes et des tasses en terre cuite vernie. Il lui était difficile de manger à son arrivée là-bas : la solitude y était presque palpable, vivante, tel un serpent tapi derrière chaque porte. Mais il avait du temps, plus de temps libre qu'il n'en avait jamais eu avant. Il se força à l'affronter et à l'occuper, même si la douleur de sa perte était plus aiguë dans cet endroit lointain. Il se concentrait pendant de longs moments sur les combinaisons de couleur. S'accoutumer au silence plus profond de la nature ne l'aida pas à surmonter sa peine, rénover la ferme non plus. Les couleurs le sauvèrent. Les différents tons de vert au lever du soleil. Les couleurs primaires des poivrons, des tomates et des citrons dans son assiette. La peau des aubergines et des prunes. Les olives lorsque vint la saison. Les teintes de lilas profond qui traversaient sa chambre les nuits d'été. Il se concentra sur les couleurs.

Il se remémorait un après-midi d'été de la troisième ou quatrième année ; les travaux dans la maison étaient terminés et il avait accepté à contrecœur de dessiner les plans d'une villa à Ahaurin el Grande. Il se voyait dans la piscine sombre à l'arrière de la maison par plus de 40 degrés, la campagne anesthésiée par la chaleur sèche, le ciel d'un bleu éclatant au-dessus de sa tête, à travers les arbres. Il s'était étendu sur la pierre brûlante et l'empreinte des pas de Claire lui était apparue comme si elle venait de sortir de la piscine avec lui.

Mais à présent, il voyait ce qu'il n'avait pas vu alors. Un corps de femme se matérialisa à ses côtés. En rêve, il distinguait les épaules nues, la peau légèrement rougie par le soleil, l'eau ruisselant le long de son dos. Il posa les lèvres sur les gouttes, perçut la chaleur sous la peau humide.

En rêve, il caressa son dos. Elle se retourna en riant, s'allongea, lui toucha le visage en lui chuchotant quelque chose à l'oreille, l'attira près d'elle, lui prit la main et la guida vers son corps ; les cheveux lui tombant sur le visage, elle se redressa pour s'asseoir à califourchon sur lui, nimbée des rayons du soleil, le contact brûlant de la pierre sur son dos caressant la peau chaude et soyeuse. Il lui enserra la taille des mains, elle rejeta la tête en arrière. Il vit l'artère palpiter au creux de sa gorge, ferma les yeux, sentit qu'elle le prenait dans ses bras, sentit son souffle brûlant sur son corps.

Il la prit avec avidité, avec fièvre, son corps pressé sous le sien au bord de la piscine. Bras écartés, jambes autour de sa taille, elle soutenait son regard. Il n'avait jamais rien ressenti d'aussi bon, ne s'était jamais senti si bien que dans ses bras.

Il plongea son regard dans le sien, pressa ses lèvres sur les siennes.

Et en un éclair il comprit qu'il ne s'agissait pas de Claire mais de Catherine Sergeant.

Il se réveilla en sursaut dans la solitude de son lit glacial.

12.

Le camion de chez Pearsons arriva à neuf heures à Bridle Lodge. Depuis la fenêtre de la cuisine, John l'avait vu remonter l'allée, suivi de près par la voiture de Catherine. Il sortit sur le perron au moment où elle ouvrait la portière. Le gravier crissait sous ses pas ; elle sourit à Frith qui lui faisait fête.

« Je ne m'attendais pas à vous voir, dit John.

— Je n'ai décidé de venir qu'hier soir. »

Il eut la surprise de la voir rougir. Elle se passa une main dans les cheveux, visiblement gênée, puis entra lorsqu'il l'y invita.

Il guida les déménageurs dans la cuisine où tous les objets qu'avait contenus le buffet étaient maintenant éparpillés sur la table. Sans un mot, ils commencèrent à démonter le meuble. John mit de l'eau à chauffer pour le thé.

« Préférez-vous que les portes soient démontées ou scotchées ? s'enquit Catherine.

— Scotchées. »

Elle jeta un coup d'œil à la table.

Un tas d'objets du quotidien sortis des tiroirs s'y entassaient : reçus, cartes routières, factures. Elle parcourut la quatrième de couverture d'un livre de poche, le reposa. Il essayait de ne pas la regarder directement pour éviter de se remémorer les gouttes d'eau sur sa peau, ses doigts qui enlaçaient les siens.

Ils bavardèrent pendant que l'on chargeait le buffet dans le camion. Au bout de dix minutes, les déménageurs s'en allèrent sans que Catherine ne fasse le moindre effort pour les suivre. Elle accompagna John dans la cuisine.

« Vous avez une collection de tableaux ? » s'enquit-elle.

Posée à brûle-pourpoint, la question le déstabilisa. Il jeta un regard machinal à l'entrée et à l'alarme sur la porte du salon.

« Oui, j'en possède quelques-uns, répondit-il.

— Une période particulière ?

— Victorienne.

— Figuratifs ? »

Il s'assit près d'elle et, sans répondre, réalisa plusieurs piles avec les objets tirés du buffet.

« Lorsque je travaillais à Londres, nous nous sommes occupés de vendre une propriété en Irlande. Je suis allée jusqu'à Limerick. Une maison énorme, c'était quelque chose à voir. Elle appartenait au patron d'un journal à scandale qui s'était lassé de pêcher dans sa rivière privée et préférait déménager en Floride. » Elle sourit. « Cela dit, il s'était vraiment fait plaisir dans son petit pied-à-terre à la campagne. » Elle scrutait son visage avec curiosité. « Il y avait une piscine dans la cave, la grande galerie était transformée en bowling et des clips vidéo passaient en boucle vingt-quatre heures sur vingt-quatre dans les salles de bains. Il pouvait jouer au billard dans la bibliothèque et avait commandé la statue en pied d'une playmate, une grappe de raisins à la main. C'était grandiose ! Elle côtoyait sans complexe un Erskine Nicoll, un Deverell, un Mulready et six dessins de Leech. »

Un ange passa.

Il hocha la tête lentement. « Vous avez vu la miniature… », reprit-il.

Elle prit une profonde inspiration. « Oui, je l'ai vue. *The Child's Problem.* C'est une copie ?

— Non, enfin je veux dire, pas copiée par quelqu'un d'autre. Dadd en est l'auteur.

— Un original ? Vrai de vrai ? » fit-elle en portant une main à sa gorge.

« Oui. »

Elle leva les yeux au ciel avec un sourire. « Oh, mon Dieu ! »

Il sortit de la cuisine. Elle n'avait pas bougé lorsqu'il réapparut et déposa une petite boîte devant elle. Il l'ouvrit, déplia le papier de soie.

Elle se pencha, souleva le disque délicatement, le posa sur sa paume ouverte. Elle demeura longtemps silencieuse.

« Vous connaissez ce tableau, dit John.

— Oui, je l'ai vu à la Tate.

— Le public n'y a pas accès.

— Exact, reconnut-elle en faisant jouer la lumière sur la miniature. C'est extraordinaire. Il n'y a absolument aucune différence avec l'aquarelle de la Tate. L'échelle est parfaite. »

Il l'observait : elle était visiblement ravie. « Claire l'a toujours trouvé inquiétant.

— Il l'est, c'est vrai. Je crois qu'il s'agit du tableau le plus étrange et effrayant que j'aie jamais vu. J'en ai toujours été convaincue. »

Il approcha sa chaise de la sienne et elle pencha la miniature vers lui. « Cela vient de l'expression de l'enfant, reprit-elle. D'abord, on se dit qu'il a dû voir quelque chose d'affreux sur l'échiquier. Vous voyez la façon dont il tend la main, comme pour avancer une pièce, la tour ?

— Oui. C'est au blanc de jouer, mat en deux coups.

— Mais voyez comme il contorsionne le poignet… Il ne regarde pas la tour. En fait, il ne regarde même pas l'échiquier, mais quelque chose à l'extérieur de la toile. Il a un mouvement de recul à cause de quelque chose d'horrible, de terrifiant, dit-elle en s'adossant à son siège. Je me suis toujours demandé ce qu'était ce fameux problème qui donne son titre au tableau. *The Child's Problem.* À quoi pensait Dadd ? Il n'est pas question de la partie d'échec. Je ne pense pas non plus qu'il s'agisse du couteau posé près de l'échiquier, ni du vieillard grotesque endormi sur la chaise, à côté. Il s'agit d'autre chose, extérieur à tout ça.

— Et que seul Dadd était capable de voir.

— Un autre de ses tableaux représente une femme et deux satyres. Le même regard qu'ici vous dévisage à travers le feuillage. Les visages sont tournés vers le haut, comme si une main invisible agrippait les cheveux des personnages. Les sourcils sont levés et les regards obliques. Dadd a fini par représenter les yeux de tous ses protagonistes de cette façon : écarquillés, le blanc visible. Ceux des mères, des enfants et même ceux des bébés. »

John eut l'air de vouloir dire quelque chose, mais se ravisa.

Catherine lui jeta un nouveau coup d'œil. « Comment diable vous l'êtes-vous procuré ?

— Je l'ai trouvé.

— Trouvé ? Où ?

— Dans un marché aux puces », lança-t-il en baissant les yeux.

Elle le dévisageait, un sourire ravi aux lèvres.

Il culpabilisait de lui mentir.

« Vous avez trouvé un original de Dadd aux puces ? » répéta-t-elle avant de pouffer, telle était sa surprise. « Mais il doit valoir une fortune !

— En effet.

— Comment avez-vous su qu'il était authentique ?

— Il est signé. »

Elle reprit la miniature qu'elle avait déposée sur la table.

« Retournez-la et regardez à l'intérieur.

— Je ne peux pas faire ça, je pourrais l'abîmer.

— Vous résistez à l'envie de voir la signature de Dadd ? la taquina-t-il.

— Oh mon Dieu », soupira-t-elle avec une petite grimace, et avec une infinie délicatesse, elle ouvrit le fermoir. « Vous ne l'avez pas fait expertiser ?

— Non. »

Elle ôta le fond. À l'intérieur, le tissu était très soigneusement plié et une épingle en cuivre maintenait en place un minuscule morceau d'entoilage. « Je ne devrais pas, c'est à un spécialiste de la restauration de s'en charger. Je ne devrais pas y toucher. » Elle examinait la toile et l'épingle tout en caressant du bout du doigt la structure en métal. L'intérêt que John lui prêtait en fut accru ; il reconnaissait cet air dans ses yeux, ce désir.

« La miniature est peinte sur un petit morceau de coton empesé et assez sale. Peut-être prélevé sur un mouchoir ou même un drap. Et il y a un bout de papier là-dedans d'environ trois centimètres de côté qui porte l'écriture de Dadd.

— L'écriture de Dadd ? Sous cette toile ?

— C'est ça, oui. »

Elle reposa la miniature sur la table. « Vous savez qu'il a tué son père ? Qu'il a passé la majeure partie de sa vie dans les asiles de Bedlam et Broadmoor ?

— Oui, répondit John. Quand on pense qu'il a peint ça en prison… » Il se tourna vers Catherine.

« *The Child's Problem* à la Tate porte une inscription de sa main, en haut à gauche de la toile. Les lettres sont tellement minuscules qu'il faut presque une loupe pour la lire.

— C'est vrai, seules la date et l'adresse diffèrent sur cette miniature. »

Catherine le regardait dans les yeux. « Décembre 1857, récita-t-elle. Hôpital de Bethlehem, Londres, St George's in the Fields.

— Ici, on lit 14 novembre 1885.

— Un mois avant sa mort ? murmura Catherine.

— Oui.

— Son œuvre ultime.

— Sans doute, fit John en hochant la tête.

— Identique, jusque dans le regard.

— Identique, jusque dans le regard vide, perdu dans le vague. »

Catherine s'adossa à sa chaise en le regardant. Un ange passa. « Qu'en pensait Claire ? demanda-t-elle.

— Elle me poussait à la faire assurer.

— L'avez-vous fait ?

— Non.

— Pourquoi pas ?

— Je n'en sais rien. J'aurais dû avouer que j'en étais propriétaire. »

Elle lui lança un regard interrogateur. « Elle intéresserait beaucoup les musées. Les œuvres de Dadd sont si rares. La plupart se sont volatilisées.

— Je sais.

— Et trouver un original…

— Je sais », fit-il, coupant court à la conversation. Il ramassa la miniature, la rangea dans la boîte qu'il referma. Il sentait le regard de Catherine s'attarder sur lui, pas seulement sur le tableau.

« Quel est votre tableau préféré ? finit-elle par demander.

— De Dadd ?

— Non, je voulais dire parmi les autres. Vous avez dit en posséder plusieurs. »

John faisait passer la miniature d'une main à l'autre. « Je ne les ai jamais fait estimer, dit-il.

— Je ne voulais pas parler de leur valeur. Je voulais savoir lequel a le plus d'importance à vos yeux. Lequel vous préférez. » La question l'avait visiblement troublé. « Vous ne pensez pas que je vous pose la question pour pouvoir en faire l'estimation, au moins ? »

Il ne répondit pas.

« Vous croyez que je montre de l'intérêt parce que je garde un œil sur la commission ? Au cas où vous décideriez de vendre un jour ?

— Non, dit-il, bien sûr que non.

— Ma question n'a rien à voir avec ça, se justifia-t-elle, vexée. Cela m'intéresse vraiment, c'est tout.

— Ne partez pas.

— Il le faut, je suis déjà en retard.

— Je suis désolé, s'excusa-t-il. Je suis sur la défensive quand on aborde ce sujet.

— C'est votre droit. »

Il s'interposa entre elle et la porte. « J'ai commencé ma collection à la mort de Claire, se justifia-t-il.

— C'est personnel, je comprends.

— Non, je ne crois pas.

— Mais si, je vous assure. Je ne compte plus les clients qui refusent de me montrer leur collection, ou **qui** ne me montrent qu'une pièce à la fois. Je comprends très bien. Mais ce n'est pas au client potentiel que je posais la question.

— Écoutez, je vous en prie… » dit-il en la prenant par le bras. Elle baissa les yeux sur sa main, il la lâcha presque immédiatement.

« Je travaillais à Londres après la mort de Claire. Je voulais faire le vide dans ma vie. Je ne voulais même plus des meubles que nous avions achetés ensemble. Et puis, quelque temps après avoir déménagé en Espagne, j'ai acheté un tableau. Il n'était pas cher, ce n'était pas un Dadd, ni rien de ce genre. Un tableau surréaliste, personne de connu. Je l'ai accroché chez moi. » Il détourna le regard. « Je rénovais ma maison, c'est tout ce que je faisais, à part promener Frith. J'ai parcouru des kilomètres ce premier été. Je marchais la nuit. J'avais déménagé là-bas à cause du paysage, pour faire la coupure, mais je n'y prêtais jamais attention. J'en étais incapable. »

Elle l'écoutait, immobile.

« Et puis, un jour, j'ai acheté le tableau. Et je me suis dit… c'est difficile à expliquer… que quelque chose là-dedans…

— Pouvait combler le vide », intervint Catherine.

Il leva les yeux.

« Dites-moi quel est votre préféré », l'enjoignit-elle doucement.

Il le savait exactement, mais il n'aurait pu le lui avouer. Elle aurait tout de suite compris. S'il lui donnait le titre, elle comprendrait de quoi il voulait parler. Elle saurait quel fardeau sa vie était devenue.

Il essaya de penser à quelque chose qui ne prêtait pas à conséquence.

Il n'arrivait à penser qu'à de l'eau. Celle qui filtrait du barrage au fond du jardin. Les gouttes d'eau de son rêve, fraîches sur la peau brûlante. L'eau dans laquelle il s'abîmait maintenant.

« Il doit bien y en avoir un, insista Catherine.

— Il y a Sorolla y Bastida, un peintre espagnol. Un de ses tableaux est magnifique… on y voit deux femmes… sur fond bleu, un bleu merveilleux. La mer, sublime… »

Sa voix se brisa. Il lui prit la main. Cette fois, elle le laissa faire. Il posa la miniature sur la table.

« À votre avis, que voyait Richard Dadd de si terrible au-delà du tableau ?

— Le passé », répondit Catherine sans hésiter.

Il emmena Catherine dans l'entrée, s'arrêta devant le salon et éteignit l'alarme.

Il lui jeta un rapide coup d'œil avant d'ouvrir la porte. Ils entrèrent.

C'était une vaste pièce dont l'énorme fenêtre devait donner sur la pelouse, mais les rideaux étaient tirés. Catherine ne distinguait que des ombres dans l'obscurité : des cadres aux murs, ce qui ressemblait à une sculpture devant la porte d'en face. Les panneaux étaient identiques à ceux de l'escalier.

« Êtes-vous déjà entrée dans cette pièce ? demanda John.

— Oui, c'est ici que Mme Aston me recevait. »

Elle se souvenait d'avoir pris le thé dans ce salon. La vieille dame frêle tenait à ce rituel ; il lui fallait un temps fou pour approcher la table roulante de la fenêtre. Elle se servait d'une bouilloire en argent et d'un réchaud à alcool pour le préparer. La pièce débordait de meubles en acajou dont les plus imposants étaient couverts de poussière. Un énorme miroir français biseauté de près de deux mètres de haut et surmonté d'un panneau gris occupait le mur de gauche. Tous ces objets avaient été vendus, et Catherine comprenait maintenant que c'était pour satisfaire le nouveau propriétaire et lui permettre de les remplacer par autre chose.

John alluma la lumière et avança au centre de la pièce ; sous le choc, Catherine ne bougea pas.

Trois énormes buffets anciens de style jacobéen[1] en chêne très foncé occupaient les murs latéraux et celui du fond. Des dizaines d'objets étaient exposés : de la porcelaine Bow et Chelsea, vases, plats, salières, flacons à parfum, statuettes, assiettes, boîtes à thé. De l'argenterie aussi, mais surtout de la porcelaine. Sur le buffet le plus proche Catherine découvrit un amoncellement de bleu rehaussé d'or et contre le mur, une rangée d'assiettes de la même teinte.

Elle reconnut la porcelaine tendre de Bow, milieu du XVIIIe siècle. Sur les deux salières au premier plan, on dis-

1. C'est-à-dire XVIIe siècle.

tinguait un décor très complexe d'écrevisses et de coquillages, si minutieux qu'il donnait l'illusion de la vie. À l'une des extrémités, elle aperçut un petit service orné d'un motif chinois imprimé et peint à la main. Sur l'un des buffets, il y avait peut-être pour cent mille livres sterling d'artisanat d'une infinie délicatesse.

Elle alla voir de plus près. Sur les autres buffets, les objets étaient beaucoup plus hétéroclites. Sur l'un, elle remarqua un buste en plâtre de Marianne milieu XIXe, du genre de ceux que l'on voit parfois au fronton des mairies dans la France profonde ; une petite boîte dorée toute cabossée lui servait de piédestal. Sur l'autre, elle put admirer une petite commode balte du XIXe d'à peine une quarantaine de centimètres ; peinte en blanc, elle était ornée de colonnes surmontées de couronnes et soutenait une statuette de marbre blanc. « C'est un Henri Laurens », s'exclama-t-elle en caressant doucement les courbes du nu féminin, aux rondeurs disproportionnées, au dos raide, aux seins lourds, aux bras levés au-dessus de la tête, au cou d'une longueur impossible.

John ne disait mot, mais Catherine savait qu'il se tenait derrière elle. Elle se retourna pour lui parler et vit le portrait de Sargent.

Le portrait était accroché au mur du fond, derrière John ; une jeune fille étendue près d'une fenêtre, dans une bergère, tête penchée, bras le long du dossier. Le soleil d'été illuminait son visage, ses cheveux bruns torsadés, le diamant qui brillait à sa gorge, les épaules nues au-dessus de la robe crème. Son regard était détaché, distant, las et calme. À travers la fenêtre, on apercevait un parterre de roses et un parc miroitant au loin dans la brume d'une journée d'août. Sa robe tombait jusqu'au sol en un flot de satin. Le peintre avait rendu le tombé du tissu grâce à des coups de pinceaux énergiques qui accrochaient la lumière. Un châle aux motifs rouge et or gisait à terre.

Catherine s'approcha du tableau.

Le style de John Singer Sargent était tout à fait singulier. L'œuvre du plus grand portraitiste victorien rayonnait dans la lumière tamisée, faisant entrer la chaleur de l'été dans un salon qui aurait été sombre même les rideaux ouverts. Voluptueux, léger, frais, magnifique, le teint parfait du modèle illuminait la toile. C'était l'une des héritières dont Sargent avait exécuté le portrait. L'une des riches Américaines ou Françaises qui avaient défilé devant son chevalet à la fin du XIXe siècle et qui, tout comme l'aristocratie anglaise, l'ennuyaient au plus haut point.

John observait le visage de Catherine. « Elle s'appelait Amy Clanville-Wright, expliqua-t-il. Elle avait seize ans. »

Incapable de parler, la jeune femme s'approcha de John.

« Un client me l'a donné pour éponger une dette.

— Une dette ?

— Je lui avais construit une maison à Guadalhorce qu'il ne pouvait pas payer, dit-il en souriant. Je pense que c'était un escroc, un de ces malfrats de l'East End qui vivent en Espagne pour échapper au bras de la justice. Je n'ai jamais osé lui demander comment il gagnait sa vie, ni comment il s'était procuré Amy Clanville-Wright. J'en frémis rien que d'y penser.

— John, il vaut une fortune. Vous êtes fou de garder ça ici. Mon Dieu ! Et ça… » ajouta-t-elle en se tournant vers la porcelaine.

« J'ai acheté ça au cours des huit dernières années.

— Tout ?

— Oui.

— Le Laurens…

— Il fallait qu'elle m'appartienne. »

Leurs regards se croisèrent. Puis Catherine lança encore un regard autour d'elle en essayant de réaliser. « Je ne sais que dire.

— Ce n'est pas une question d'argent.

— Pas une question d'argent !

— Non, insista John, vous devez le savoir mieux que personne. »

C'était vrai. Elle comprenait les obsessions, les passions. Et par-dessus tout, elle connaissait les effets de la solitude. Elle jeta à John un regard empreint de tristesse.

« Je n'ai pas envie de vous faire pitié, dit-il.

— Ce n'est pas le cas.

— Contrairement aux apparences, ce n'est pas le désir de collectionner qui m'a poussé à acheter ces objets. Si je l'ai fait, c'est qu'ils me rappelaient à quoi ressemble le monde. »

Elle attendait.

Il approcha du Laurens et posa la main sur le cou de la statue, sur le marbre froid, parfaitement lisse. « Ces œuvres ont été créées par amour, pas pour l'argent ou la gloire, mais parce qu'elles devaient exister. C'était une nécessité. »

Il lança un regard vers la porcelaine. « La nécessité de créer quelque chose de magnifique, de vivre, d'appartenir au monde. »

Catherine se cacha le visage dans les mains.

« Qu'y a-t-il ? demanda John.

— Ce n'est rien. »

Mais elle s'était mise à pleurer. « Catherine. »

Les souvenirs la submergeaient. Elle se revoyait seule en train d'étudier. Petite fille, seule à la maison, assise à une fenêtre identique à celle du tableau de Sargent, le regard perdu sur un jardin vide. Elle jouait avec la peinture craquelée, créait des motifs, dessinait leur contour au crayon tandis que les journées s'étiraient sans fin. Elle se voyait avec Robert, se contentant du minimum, refusant de le voir sous son véritable jour : un homme secret qui ne plierait jamais.

Elle se projeta sur la toile vierge. Avec John Brigham, qui dessinait pour l'éternité, remplissait la toile de couleurs et de formes. Vivre dans les tableaux.

C'est tout ce qu'ils faisaient, se dit-elle. Vivre dans les tableaux.

Il lui tendit la main, cette main dont le contact, hier à peine, l'avait électrisée, transportée.

« Catherine », dit John en la prenant dans ses bras.

Ce n'était guère plus qu'un murmure dans une pièce saturée de désir.

Contradiction :
Oberon and Titania, 1854-58

Il y avait désormais une nouvelle aile. On lui avait dit que les meilleurs patients y seraient transférés, qu'elle était spacieuse, remplie de tableaux et de statues. Il y pensait, gardant le silence tandis que les autres divaguaient dans les dortoirs. Muré dans son silence, cette forêt dépouillée, branches entrelacées au-dessus de sa tête, empreintes de pas dans la terre détrempée, recouvertes de sable, il attendait.

Imaginait l'espace infini.

Le jour où on le transféra, on lui fit lire le registre de son internement. Il s'était montré tranquille et raisonnable – traces de pas englouties par le sable, tête baissée sous la voûte de branchage ; lorsqu'ils vinrent le chercher, il était calme.

Il parcourut des yeux le registre posé sur la grande table en chêne. On y avait noté la date de son admission, de son procès et de son transfert depuis la prison de Maidstone.

Penché sur la page, il suivit du doigt l'écriture moulée, concentré sur la courbe des lettres et la netteté des chiffres. Il caressa la page pour en mémoriser les contours, mémoriser les ondulations, les sommets et les vallées. Dans l'enjolivement des jambages, il voyait des rivières, mille gouttelettes enroulées sur l'oblique délicat du R, la courbe généreuse du D.

Tout ça, il le voyait dans son nom : rivières, gouttes d'huile, gouttes de peinture et gouttes de sang. Cachés dans son nom et les dates de sa vie, des continents et des pays. Il était arrivé ici le 22 août 1844 – il toucha la ligne du bout du doigt – une camisole de force passée sur son manteau bleu, les mains entravées, une barbe brune lui mangeant le visage, les cheveux peignés, un Christ enchaîné amené par le Diable.

On était en mai. Il trouva un calendrier dans la nouvelle aile. Ce fut la première chose qu'il vit. Il n'avait que faire du point de vue sur la campagne : la cité perdue, les bords grisâtres de la Tamise au loin. Il n'avait d'autre envie que de faire les cent pas le long du mur où se trouvait la porte par laquelle on l'avait amené ici. Il demanda qui tenait les comptes de la nouvelle aile, qui payait le salaire des médecins. Il demanda où se trouvaient le bureau du surveillant, le lavabo et les toilettes, l'escalier. Il demanda où étaient les barreaux utilisés pour fabriquer les montants des cages communiquant avec les cellules, comme celle dans laquelle il avait jadis vécu plusieurs mois.

Pendant un certain temps, après qu'on l'eut transféré dans la nouvelle aile, et à quelque endroit qu'il se trouvât, il était obsédé par cette idée : à qui appartenait-elle, qui l'avait construite, qui avait payé ? La voix du plus petit des démons qui l'accompagnaient pendant les heures d'oisiveté chuchotait qu'on l'avait abandonné. Il colla son oreille au mur de la pièce spacieuse pour essayer d'entendre la voix de la bâtisse dont les racines s'enfonçaient dans le calcaire et le gravier.

Il s'installa dans un coin, de dos à la lumière.

Edward Brigham, le nouvel infirmier, lui apporta le chevalet. Dadd traça un trait sur le sol pour que les autres patients restent à distance. Derrière le store, le Diable chuchotait en se tortillant ; les changements ayant eu raison de lui, il marmonnait dans son sommeil.

Cela faisait trois ans qu'il avait commencé ce tableau. D'après lui, il restait sans doute un an de travail. Il avait quadrillé la toile et progressait du coin inférieur droit vers le haut. Il aurait été plus facile de travailler dans l'autre sens, du haut vers le bas, parce qu'il n'aurait pas dû contorsionner son bras et sa main de la sorte. Mais quand son coude et son épaule se furent habitués, il sentit qu'il grignotait peu à peu du terrain, un centimètre après l'autre jusqu'à complète réalisation, comme les escargots et les insectes qui peuplaient ses tableaux et auxquels il consacrait des semaines, des mois de travail.

L'année précédente, en plus de Contradiction, *il avait représenté la dernière des passions. Une esquisse par tourment : duplicité et déception, douleur et colère. En 1853, il avait peint la pauvreté et l'opulence, la richesse, la paresse et la traîtrise. Exclusivement des aquarelles. Shakespeare lui avait inspiré la jalousie et la haine. Il se rappelait Othello et s'en était inspiré pour* Jealousy. *Cela faisait une éternité, semblait-il, qu'il n'était pas allé au théâtre ; pourtant il se rappelait Othello et le visage grimé de l'acteur.*

Dans Hatred, *il ne put s'empêcher de représenter le duc de Gloucester – « voyez comme mon épée pleure la mort du pauvre roi*[1] *» ; pourtant ce n'était pas le visage de Gloucester qu'il avait dessiné au-dessus du corps mais le sien, contemplant la longue lame.*

Il avait peint ces deux esquisses à quelques jours d'intervalle. Elles étaient inséparables, mêlées, attachées l'une à l'autre dans son esprit. Murder, *le meurtre avait été facile à peindre : son pinceau courait sur la toile. Caïn se tenait*

1. *Le Roi Lear.*

au-dessus du corps d'Abel, un bâton à la main, leurs deux corps ne faisant pratiquement qu'un. Voici de quoi il n'avait jamais pu parler, pas même à M. Hood qui s'était montré si compréhensif au sujet de son travail. Son père et lui étaient unis comme les deux frères de la Bible, une union scellée à jamais par un moment terrible. Il se tenait au-dessus du corps de son père, attaché à lui à plus d'un titre par les liens du sang. Il pensait souvent à cela : la main sur le poignard, le poignard contre la gorge. Ainsi vont les liens familiaux : étrangler, unir, tuer.

Lorsqu'il eut fini, sa main tremblait. Avec douceur, Brigham emporta les couleurs.

Au bas de Contradiction, *il avait représenté un archer. Grotesque, le bras tendu en arrière, il vise la reine des fées. Des farfadets se précipitent pour lui sauver la vie, mais elle ne leur prête aucune attention. À tel point qu'elle écrase sous son pied un minuscule personnage ailé. Elle est impitoyable. Corpulente, repoussante et cruelle, elle domine le tableau, tandis qu'autour d'elle, on déploie une activité frénétique pour la protéger.*

Il n'arrivait pas à l'aimer. Sa Titania était raide, statique, bouffie d'avidité, repue de désir physique. Elle avait changé depuis qu'il l'avait représentée douze ans auparavant, était à présent énorme, suffisante, blasée, stoïque. Elle incarnait la colère, était au cœur du différend entre le roi et la reine des fées. Il la détestait avec de plus en plus de force, éprouvait un besoin grandissant de se libérer d'elle. Et pourtant elle vivait là, au centre de son esprit, vêtue d'une robe jaune d'or et d'une cape à traîne et incarnait toutes les difformités, tous les détails et les objets qui étaient venus le posséder. Il voulait se libérer d'elle. Il voulait se précipiter dehors et respirer l'air frais.

Il voulait être traversé et purifié par cet air.

Il peignait obsessionnellement dans la nouvelle aile, remplissant ses journées de centaures, d'ailes, de lutins, de faunes et de créatures fantastiques. Il souffrit le martyre quand il ne resta plus qu'un dernier quart du tableau à remplir, en haut à gauche. Son cou et ses épaules le faisaient souffrir, ses yeux piquaient.

Les créatures rampaient dans la peinture, s'y épanouissaient, s'extirpaient du pinceau, se répandaient sur la toile. Le soir en allant se coucher, rarement pour dormir, il les voyait, la rosée qui suintait de leurs vêtements et ruisselait de toutes parts, gouttait du feuillage, imbibait l'herbe.

Il acheva la toile à la fin du mois.

Lorsque, enfin, il se redressa et regarda dehors, l'été était miraculeusement arrivé.

13.

Ce vendredi matin-là, aux premières heures du jour, John entendit un oiseau chanter à pleine gorge. Il ignorait à quelle espèce il appartenait, mais son chant extraordinaire résonnait dans le silence de l'aube, depuis l'arbre près de la maison où il était perché. Couché sur le dos, John était réveillé depuis plus d'une heure.

Il avait retrouvé Catherine la veille au soir dans un minuscule pub du village voisin. Au cours du dîner, comme il fallait s'y attendre, ils avaient orienté la conversation sur Richard Dadd.

« J'ai écrit un livre à son sujet, avait dit Catherine.

— Vraiment ? Je suis navré, j'aurais dû le savoir.

— Je ne vois pas pourquoi. Ça n'a rien d'un best-seller. J'ai dû en vendre environ trois exemplaires.

— Vous faites la modeste.

— Pas du tout. Je l'ai écrit à l'occasion d'une rétrospective sur lui. Bon, c'est vrai qu'il s'en est vendu quelques-uns pendant l'exposition, mais très peu depuis.

— J'aimerais le lire.

— Il y est davantage question des tableaux que de Bedlam ou Broadmoor.

— Tant mieux.

— Rares sont les gens qui ont déjà entendu parler de lui.

— Je peux vous en emprunter un exemplaire ?

— Oui, je… » Catherine fronça les sourcils.

« Qu'y a-t-il ? demanda John.

— J'en possède plusieurs, mais je pense que Robert en a emporté un.

— Ah oui ?

— Il y a un vide dans la bibliothèque. Je suis sûre qu'il s'agit de mon livre.

— Est-il si surprenant qu'il en prenne un avec lui ?

— Oui. Il trouvait Dadd grotesque.

— Eh bien, on peut le voir comme ça.

— Oui, mais… Robert pensait que tout ça était une perte de temps », ajouta-t-elle en portant une main à son visage.

« Dadd, vous voulez dire ?

— L'art en général.

— Difficile de ne pas pouvoir partager un aspect si important de votre vie.

— Il n'essayait pas de me mettre des bâtons dans les roues.

— Tout de même. »

Elle avait terminé son repas et reposa lentement ses couverts. « J'ai rencontré Robert dès mon arrivée à Londres ; je venais de terminer mes études. J'attendais un train, en fait.

— Vous travailliez à Londres ?

— Oui. Pour une maison de vente un peu plus grande que Pearsons », dit-elle avec un sourire.

« Et Robert travaillait à la City ?

— Oui, il venait de terminer sa période d'essai dans un cabinet de comptabilité.

— Vous deviez avoir vingt et un ou vingt-deux ans ?

— Vingt et un.

— J'étais à Londres il y a une quinzaine d'années, dit John. J'y ai fait mes études. Je vivais à Hammersmith.

— Earls Court », fit Catherine en se désignant du doigt. « C'est glamour.

— N'est-ce pas ? » Cette exagération la fit pouffer de rire. « Je vivais dans un studio minable. Pas de vue et de l'eau chaude un jour sur deux. Ah oui, et un joli collage couleur moisi sur l'un des murs.

— J'ai fait mieux : quand j'étais étudiant, j'ai vécu dans une cuisine.

— Quoi ?

— C'est la vérité. Je travaillais dans un restaurant quand je me suis fait virer de mon appartement – en fait, c'était un squat pour tout vous dire –, alors j'ai emménagé dans la cuisine. Ça a duré environ trois mois.

— Vous aviez à la fois le gîte et le couvert, c'est ça ?

— Je vous passe les détails », répondit John en faisant la grimace.

Catherine lui sourit avant de détourner le regard. « Ce n'était pas une période particulièrement gaie, cela dit.

— Pour une raison précise ? À part l'allure du moisi, j'entends.

— Eh bien… mes parents venaient de mourir dans un accident de voiture quelques années auparavant.

— Oh, je suis navré », dit John. Il s'attendait à d'autres détails, mais rien ne vint. « À Londres ? » finit-il par lancer au bout d'un moment.

« Non, à l'étranger. Ils vivaient en Afrique.

— En permanence ?

— Ils voyageaient beaucoup », expliqua Catherine. Sa main décrivait des cercles sur la table en chêne, en caressait le grain. « Ils roulaient sur une piste dans un convoi de trois véhicules. D'après le conducteur qui les suivait, le choc n'a pas été violent ; il était persuadé que mes parents allaient s'en sortir. Mais ça n'a pas été le cas. Mon père est mort sur le coup. »

Il attendait, essayant de déchiffrer son expression. « Dans quelle branche travaillaient-ils ?

— Dans l'humanitaire. Ils ne passaient pas beaucoup de temps à la maison. Ç'avait toujours été comme ça.

— Pourtant, vous étiez proches ?

— Très.

— Vous étiez en terminale quand ça s'est passé, ou en première année de fac ?

— En terminale.

— C'est très dur. Vous êtes enfant unique ?

— Oui. Vous aussi ?

— Non, j'ai une sœur, Helen. »

Elle sourit. « Plus jeune ou plus âgée ?

— Plus jeune. Elle vit à Londres.

— Vous la voyez souvent ? »

Il secoua la tête. « Je ne l'ai pas vue depuis un moment. Elle est… elle est très prise.

— Par quoi ? »

Il leva les yeux vers Catherine. « Pardon ?

— Par quoi ? répéta-t-elle. Par son travail ?

— Oui. Elle travaille pour la télévision.

— Ah, elle est actrice ?

— Non, designer. Je crois que la dernière production à laquelle elle ait participé, c'était *Byzance*. »

Il s'agissait d'un célèbre feuilleton historique qui avait battu des records d'audience. Catherine eut l'air impressionné. « En quoi consiste son travail ?

— Elle s'occupe de l'aspect visuel, des extérieurs, décide du ton général en collaboration avec le réalisateur.

— C'est un travail génial, s'exclama Catherine. Ce doit être quelqu'un d'intéressant.

— En effet », répondit John. Il n'avait pas envie de parler d'Helen, ni de ce qu'elle représentait pour lui. « Quelqu'un de très intéressant. » Il espérait qu'elle n'avait pas perçu l'ironie dans sa voix.

Ils consultèrent la carte des desserts que la serveuse leur avait apportée, puis commandèrent des cafés.

Catherine jeta un coup d'œil dans la salle avant de dévisager John. Elle cala son visage sur sa main.

Il l'observa. Étrange comme ce geste le touchait. Plus tôt dans la journée, il s'était senti attiré par elle, lié à elle par leur baiser, même submergé quand il l'avait prise dans ses bras ; mais à présent quelque chose de beaucoup plus puissant et primaire s'emparait de lui. La forme de sa main, de ses doigts, la douceur de sa peau, l'angle décrit par son poignet le remplirent d'un désir soudain. Il n'avait plus de force. Il avait envie de la caresser, de goûter sa peau. Il croisa les bras sur sa poitrine comme pour contenir ce sentiment.

Ce n'était pas lui qu'elle regardait mais leurs voisins de table. Puis elle se retourna. « Combien de temps avez-vous été mariés, Claire et vous ?

— Quatre ans.

— Avez-vous rencontré quelqu'un en Espagne ?

— Non.

— De longues années de solitude… »

Il ne répondit pas. Il sentit Claire quelque part dans un coin de son esprit, là où elle vivait depuis ces deux ou trois dernières années. Elle avait fini par se retirer de sa conscience ; quand il s'en était rendu compte, il s'était senti tour à tour coupable, triste puis soulagé. Elle vivait là, sur le chemin de l'oubli, fantasme de l'amour plutôt que femme de chair et de sang. Le manque s'estompait. Elle n'occupait plus ses pensées, il ne restait que son image.

Il vit que Catherine le regardait avec une drôle d'expression. « Je les ai vus après, dit-elle.

— Pardon ? Vu qui ? »

Elle rougit, grimaça comme si elle avait dit quelque chose de déplacé. « Ça n'a pas d'importance.

— Vu qui ? »

Elle se mordit la lèvre. « Avez-vous jamais vu Claire ? »

Il pensa au rêve, aux empreintes de pas. « Ses empreintes de pas me sont apparues », dit-il doucement.

Il y eut un silence. Elle n'essaya pas de l'apaiser, contrairement à ce qu'il pensait, ne lui dit pas qu'il avait peut-être eu une hallucination, que ce n'était qu'un souvenir. Elle accueillit simplement ses propos avec un hochement de tête.

« Ils étaient dans ma chambre, environ une semaine après les obsèques. » Elle s'adossa à sa chaise, mains jointes sur les genoux. Elle semblait calme, pensive plutôt que malheureuse. « Je suis montée. C'était en début d'année, il faisait noir et je n'avais pas allumé la lumière de ma chambre. Ils étaient là…

— Dans votre chambre ?

— C'était très bizarre, dit-elle en fronçant les sourcils. Pas le simple fait de les voir. Ils se tenaient de part et d'autre de mon lit, très droits, immobiles. Et sur le moment, je ne me suis pas dit que leur présence était étrange. C'est ça le plus étonnant. Ça ne m'a pas traversé l'esprit. Je me suis simplement demandé pourquoi ils ne disaient rien. On aurait dit qu'ils montaient la garde, debout de chaque côté de mon lit. » Elle croisa les bras. « J'ai allumé la lumière et ils sont restés là pendant trois ou quatre secondes. J'ai vu la lumière jouer sur leurs vêtements, les couleurs grignoter l'ombre. J'ai vu les reflets dans les cheveux de ma mère et l'anneau qu'elle portait toujours au pouce, un anneau africain. »

John pensa à la netteté des empreintes de Claire dans son rêve récurrent à Alora, à la façon dont elles l'habitaient et dont il croyait parfois les voir quand il ne dormait pas. Et au fait qu'il acceptait leur existence sans réserve. « Avez-vous eu peur ? s'enquit-il.

— Non, mais je revoyais sans cesse l'ambre de la bague. C'était une monture épaisse en argent marquée de stries. » Elle lui adressa un sourire hésitant. « Connaissez-vous le tableau de Martineau intitulé *The Last Chapter* ?

— Non.

— Peu importe. Mais j'en avais une reproduction. Le feu de cheminée est magnifique. Une jeune fille lit à la lumière d'un feu et... » Sa voix mourut. « ... elle porte une large ceinture ornée de hachures entrecroisées... dans mon esprit, j'associais la couleur des vêtements, la toile, les hachures. Parfois, dans les tableaux de Dadd, on voit ce genre d'ombres. Il m'arrivait d'apercevoir ce motif, comme un écho, alors que je faisais autre chose. Je pouvais être en train de travailler, être assise dans un bus ou... J'étais folle sans doute.

— Non, ça semble très sain au contraire. Un motif récurrent, présent partout où vous posez les yeux. » Il pensait à certains projets réalisés après la mort de Claire dans lesquels il avait incorporé sans y penser des détails dont elle s'était servie pour ses créations ; une coupe, un angle, une forme. Son influence se faisait sentir dans le travail de John. Tout était lié. Les toiles, les ombres, les formes, la mémoire, les sentiments ; le manque, le désir, l'inquiétude. Comme il était gratifiant de constater que le dessin se nourrissait d'images disparates dans votre esprit.

Le sourire que lui adressa Catherine rayonnait de gratitude. Le silence s'installa ; il régla l'addition. Ils sortirent au bout de quelques minutes, traversèrent le parking et s'arrêtèrent près de la voiture de John.

« Merci pour le dîner », dit-elle, ses clés à la main.

« Je vous en prie.

— Avez-vous terminé de nettoyer les écluses ?

— Pour l'instant, répondit-il. Et si nous marchions jusqu'au pont ?

— D'accord », dit Catherine en rangeant les clés dans sa poche.

Le calme régnait dans la rue du village. Ils ne croisèrent qu'une seule voiture en descendant la pente douce vers le pont du XVIIIe siècle que John avait vu presque submergé par les eaux en début d'année. Deux petites niches aménagées à mi-chemin permettaient aux piétons d'éviter les voitures.

Ils s'y arrêtèrent pour observer les noues d'un côté et la rivière de l'autre. À environ trois cents mètres, dans la noue, Catherine aperçut des silhouettes blanches.

« Vous les voyez ? demanda-t-elle. Les cygnes. »

Trois couples de cygnes fouillaient l'herbe du bec, silhouettes étranges, dignes d'un théâtre d'ombres. Six vaisseaux fantômes glissant sur la toile sombre des champs. Sans les rayons de lune, ils auraient été invisibles.

« Vous avez vu les cygnes dans la plaine près de Dorchester la semaine dernière ? demanda Catherine. J'en ai compté une vingtaine au bas mot. »

Il regardait les champs, le courant s'engouffrer entre les arches du pont et disparaître en tourbillonnant. Il prit Catherine par la main et traversa le petit chemin, descendit derrière la rivière sur l'étroit sentier crayeux, à l'abri des arbres.

Il était impossible de marcher côte à côte, alors John passa devant sans lui lâcher la main, mais sans non plus se retourner. Ils marchèrent un moment jusqu'à ce que le sentier s'élargisse, tout comme la rivière, au confluent de deux cours d'eau : à cet endroit, il y avait un rapide et une petite plage caillouteuse. Les arbres plongeaient vers la rivière. Il savait que, derrière lui, la plaine s'étendait jusqu'aux contreforts de la forêt de Derry Woods, bien qu'elle fût totalement invisible à présent.

En fait, il ne parvenait à distinguer que l'ombre des arbres et la course paresseuse de la rivière, valse lente là où les eaux se mêlaient et brisaient le reflet de la lune en mille morceaux.

Il s'aperçut que Catherine s'était arrêtée pour contempler la rivière.

« Qu'y a-t-il ?

— J'attends qu'ils reviennent, lança-t-elle. J'attends que ma mère me prenne par la main. »

Il l'enlaça. Elle ne dit rien, mais se tourna vers lui. Il arrivait à peine à distinguer les traits de son visage, mais la pâleur de son teint et sa chevelure lui apparaissaient très nettement.

« Tu n'as plus besoin d'eux maintenant, dit-il dans un souffle. Je suis là. »

Elle resta figée l'espace d'un instant, puis enfouit son visage au creux de son épaule. Il n'y avait plus autour d'eux que le murmure de la rivière, les arbres et l'eau projetés en ombres chinoises contre le ciel, presque abstraits tant les contrastes étaient nets.

Ils faisaient partie d'un tableau, ruban de lumière et d'ombre. John sentit le monde se fragmenter, vaciller, s'altérer. Il eut un coup au cœur, se sentit désorienté. Il attira Catherine à lui, pressa sa bouche contre son cou, son visage. Elle pencha la tête, se serra contre lui. Il lui prit la main, caressa sa paume du bout des lèvres.

Elle respira profondément, lui passa un bras autour du cou, resserra son étreinte. Il ne voyait plus que les reflets de la lune sur l'eau : la lune froide miroitant sans cesse dans le courant qui s'engouffrait sous les arches du pont et disparaissait au loin.

Couché dans son lit, John se tourna vers la fenêtre ouverte d'où soufflait un léger courant d'air. L'oiseau s'était tu, le silence était presque palpable. Il attendit un moment, en espérant qu'il reprenne sa chanson, puis se remit sur le côté.

Assoupie près de lui, Catherine lui tournait le dos.

Il tendit timidement la main vers elle, pour sentir sa chaleur.

Et pour la première fois depuis longtemps, certainement la première fois sans tristesse, il se mit à pleurer sans bruit dans l'obscurité, la main de Catherine serrée dans la sienne.

14.

Nathan Fitzgerald entendit frapper à la porte de sa loge alors qu'il s'apprêtait à quitter le théâtre.

« Tu as de la visite : une admiratrice », lui annonça une ouvreuse qui avait passé un manteau sur son uniforme noir.

« Toutes les mêmes », répondit-il.

Elle lui sourit. Il referma la porte derrière lui et jeta son sac à dos sur son épaule. Il était toujours le dernier à partir parmi les acteurs, c'était la même chose tous les soirs : il avait donné une interview au *Evening Standard*, couché sur le dos, jambes appuyées contre le mur de sa loge, seule position capable de soulager ses reins mis à rude épreuve par la représentation. Il grimaça de douleur, et la jeune femme lui lança un coup d'œil. « Tu as toujours mal ?

— Mon ostéopathe est nul.

— Tu devrais éviter de te dépenser autant sur scène, suggéra-t-elle. Ou ailleurs. » Ils arrivaient devant l'escalier. Elle descendit quelques marches avant de désigner du doigt les fauteuils d'orchestre. « Elle t'attend là et refuse de partir. Tu ferais mieux de te dépêcher, lui conseilla-t-elle, Webster aimerait bien fermer. »

Nathan soupira. « Qui est-ce ? Elle a un nom ?

— Brigham, dit la jeune femme en se retournant. Helen Brigham. »

En allant la rejoindre, il essaya de se rappeler depuis combien de temps il ne l'avait pas vue. Trois semaines, un mois peut-être.

Elle était assise près de la scène, les bras serrés autour de ses genoux, emmitouflée dans son grand manteau de velours noir. Elle paraissait fragile, avec son corps frêle et son visage enfantin. Elle s'était fait couper les cheveux très court, presque au ras, ce qui ne faisait qu'ajouter à son apparente vulnérabilité et à la tension qu'elle dégageait.

Il décida de ne pas s'installer à côté d'elle mais dans la rangée devant la sienne.

« Me voici, dit-elle. Tu m'avais dit de ne pas venir, mais je ne t'ai pas écouté.

— Ça ne fait rien. Tu n'étais pas censée m'éviter pour toujours.

— Ah non ? »

Il fit comme s'il n'avait pas entendu. « Comment vas-tu ?

— Ça va. » Elle répondait toujours ça. Elle allait toujours bien, même en proie à une de ses crises.

Il l'étudiait en essayant de jauger son état d'esprit. « Tu as assisté à la représentation ce soir ? demanda-t-il.

— Non, j'ai assez vu cette pièce. »

Pendant leur liaison, elle venait souvent, assistait parfois à la représentation entière ou à une partie seulement. Elle restait parfois en coulisse, ce dont il avait essayé de la dissuader parce qu'il sentait son regard braqué sur lui.

« Nous avons un nouveau Daniel, dit-il en parlant d'un personnage.

— Il paraît, oui. C'est un bon acteur ?

— Oui.

— Il va te faire de l'ombre.

— Impossible. »

Elle sourit. « Ah oui, c'est vrai, j'oubliais : toi, tu es un *acteur*, un vrai. »

Il y eut un silence.

« Sois sincère : comment vas-tu ?

— J'ai été renvoyée, répondit-elle en regardant fixement devant elle.

— Quoi ? Quand ?

— Aujourd'hui.

— Oh, merde. Qu'est-ce qui s'est passé ? »

Elle resserra les pans de son manteau autour d'elle. « Je n'ai pas droit à la parole. Et ce… Price…

— C'est Price qui met en scène ?

— Oui. »

Nathan l'avait vue pleurer de nombreuses fois, il était même capable de déterminer à quel point ses larmes étaient sincères. Mais c'était si soudain, si vrai cette fois. Elle porta une main à ses lèvres, puis se cacha le visage.

Il lui toucha le genou. « C'est sans doute un malentendu.

— Non. »

Du coin de l'œil, il vit Webster, le régisseur, lui faire signe qu'il éteignait les lumières.

« Sortons, d'accord ? » dit Nathan.

Elle continuait à sangloter et à renifler comme une enfant ; il se dit qu'elle devait en rajouter à présent. Il lui tapota le genou. « Lève-toi, Webster voudrait rentrer chez lui boire un bon chocolat, et moi aussi. »

Elle leva la tête. « Tu détestes le chocolat chaud », maugréa-t-elle avec un sourire triste.

« Prenons le métro », dit-il.

Elle se leva presque immédiatement, soudain radieuse, le suivit jusqu'au bout de la rangée et lui prit le bras. « Tu m'as manqué », s'écria-t-elle.

Un abîme s'ouvrit sous les pieds de Nathan.

Le métro était bondé.

Plusieurs passagers sourirent en le reconnaissant. Puis ils dévisagèrent Helen, avant de revenir à lui.

On leur donna une table au milieu du restaurant. Helen se faufila le long de la banquette et se débarrassa de son manteau. Elle semblait ravie d'être vue avec lui, se dit Nathan.

« Je ne prends rien, l'avertit-il.

— Oh, juste un petit truc.

— Je n'ai pas faim. Je suis épuisé, Helen. Je dois vraiment rentrer dans pas longtemps. »

Elle laissa tomber le menu sur la table. « On vient à peine d'arriver ici et tu me dis déjà que tu dois partir ?

— D'accord, excuse-moi. Mais je n'ai vraiment pas faim. Prends quelque chose, toi. »

Elle commanda un verre de vin et le plat italien. Il fronça les sourcils, conscient que c'était un code – il la connaissait bien. Ils étaient allés en Italie à Noël, à Florence. Il avait détesté. Il n'aimait ni les musées ni les églises. Mais elle avait insisté ; elle avait même emporté un petit carnet et un appareil photo. Pour faire des repérages. Elle y était déjà allée quand elle était étudiante. Elle n'arrêtait pas de parler des tableaux, d'expliquer à quel point elle les comprenait. C'était à Florence qu'il s'était rendu compte qu'il ne la supportait plus et c'était triste, tellement triste de passer du temps avec elle, étant donné son enthousiasme, toutes ces notes et ces photos qu'elle prenait, tout en sachant que bientôt, il lui dirait qu'il la quittait.

C'était son idée à elle d'emménager ensemble. Il avait toujours résisté. Elle en avait parlé pratiquement dès leur première rencontre et elle savait se montrer persuasive. Bon sang, persuasive n'était pas le terme approprié : elle était fatigante, à toujours vouloir le monopoliser. Très sexy, au début, et puis au bout de deux mois, épuisante, ennuyeuse. Sans parler des sautes d'humeur…

Et puis, il avait dû quitter l'appartement qu'il partageait avec des amis. Il s'était servi d'elle, il en était conscient, pour ne pas avoir à chercher un autre loyer. Ça n'avait rien de reluisant, alors il s'était efforcé de ne pas y penser. Mais à Florence, il avait compris qu'il ne supportait plus de passer du temps en sa compagnie.

Elle avait tout prévu. Elle était douée pour tout organiser. C'était son métier, lui faisait-elle remarquer en riant.

Elle avait donc tout organisé : leurs vacances ensemble, leurs week-ends. Sa générosité avait quelque chose d'inquiétant, il se disait qu'elle devait avoir une fortune personnelle. Ils avaient visité Paris, la Crète et la Sardaigne, avaient passé un long week-end en Cornouailles pendant lequel elle avait tenté de lui apprendre à naviguer. Elle s'était montrée inflexible à ce sujet. « Tu vas apprendre et ressembler à ces stars des années trente, lui avait-elle assené. C'est excellent pour ton image, Nathan. Penses-y. Un type sain, la mer… »

Mais il n'avait pas le pied marin. Rien pour lui plaire, apparemment. Il était acteur, mais n'appréciait ni la littérature, ni l'art ; il aimait aller au pub ou faire un jogging avec ses deux anciens colocataires.

« Je suis un type ordinaire, lui répétait-il.

— Tu es extraordinaire », le corrigeait-elle en brandissant un journal. « C'est l'avis des critiques.

— Je suis un acteur extraordinaire. À part ça, un mec banal. Ne fais pas de moi quelqu'un que je ne suis pas.

— Ce n'est pas en t'accoudant à un bar de Mile End Road que tu vas te faire un nom.

— Ça m'est égal. Je ne suis pas un de ces vieux ringards, un de ces grands manitous du théâtre. J'ai vingt-six ans.

— Tu mens, tous les acteurs sont égocentriques. »

Elle avait peut-être raison et il se donnait peut-être un genre en se faisant passer pour un prolo ; en tout cas, aller aux soirées showbiz ou traîner à la Royal Academy, l'été, en faisant semblant d'être intello ne lui disait rien.

« Écoute », lui avait-il dit un jour, au lit, « il y a quelque chose qu'il faut que tu comprennes : je suis un gars de Salford. Voilà ce que je suis.

— Et tu entends le rester toute ta vie ? » avait-elle répondu, sarcastique.

« Oui », s'était-il écrié en se levant.

Il la regardait à présent. « Qu'est-ce que tu as fait de beau ces dernières semaines ? s'enquit-il.

— J'ai travaillé.

— Avec Price.

— Pour lui. Ça ne m'a pas apporté grand-chose.

— Tu trouveras un autre travail. »

À sa grande horreur, elle se remit à pleurer. « Il n'y aura pas d'autre travail. Personne ne voudra plus de moi.

— Tu exagères.

— Non, pas du tout.

— Tu déprimes parce que… » Il se rendit compte de ce qu'il avait dit dès que les mots sortirent de sa bouche. Mais il était trop tard.

« J'ai une bonne raison de déprimer, tu ne crois pas ? Tu me laisses tomber… »

Il ne pouvait le nier. Il lui avait tout dit à leur retour de Florence. En fait, pour soulager la tension qui l'oppressait – égoïsme, quand tu nous tiens –, il lui avait annoncé qu'il partait, alors qu'ils venaient à peine de poser leurs sacs dans l'appartement. Il ne voyait pas l'intérêt de défaire ses bagages pour les refaire quelques jours plus tard.

« Tu pars ? Où ça ? »

Évidemment, il était désolé. Mais en ce qui le concernait, il n'avait jamais été question d'une relation sérieuse. Il avait été assez stupide, assez cruel pour le lui dire.

« Pourquoi ? » s'était-elle écriée en se laissant tomber dans un fauteuil. « Pourquoi ? »

Parce qu'elle était désespérément collante. Parce qu'elle avait des sautes d'humeur. Parce qu'il était sans arrêt en train de se demander ce qu'il avait fait pour la contrarier. Parce qu'elle pouvait passer une journée entière à chanter ou à pleurer. Parce qu'elle avait planifié et imaginé leur futur et tout ce qui allait avec – enfants, amis transis d'admiration, fans trop démonstratifs, la vie du couple célèbre dans toute sa splendeur. Parce que tous ceux qui la connaissaient depuis plus longtemps que lui disaient qu'elle était folle. Et ils avaient raison. Parce qu'elle lui dévorait l'âme avec ses satanées questions. Parce qu'il avait envie de respirer librement à nouveau, sans regarder par-dessus son épaule en permanence de peur qu'elle ne le surveille.

Mais il ne lui avoua rien de tout ça. « Je ne suis pas prêt à te donner ce que tu veux, avait-il fini par dire.

— Je vais changer. »

Elle le retenait alors qu'il essayait de quitter l'appartement.

« Je t'appelle ce soir, mentit-il.

— Viens me voir demain. » Elle s'agrippait à lui.

« D'accord. »

Mais il n'y alla pas. Pendant quinze jours, il ignora ses coups de fil, ses emails et ses messages. Puis il tomba sur elle au Royal Festival Hall. Il allait retrouver quelqu'un, une femme. Helen sortait de la librairie. Elle le dévisagea avant de lui faire un petit signe de la main. Il feignit de ne pas la voir.

On leur apportait la commande. Elle n'y toucha pas, se contenta de fixer son assiette.

« Je laisse tomber la pièce dans trois semaines, annonça-t-il.

— Ah bon ?

— J'ai une proposition à New York. »

Un ange passa. « De quel genre ?

— Le même rôle.

— À Broadway ?

— Oui. »

Il lui était difficile de dissimuler son enthousiasme même s'il n'avait pas envie de la blesser. Il comprit qu'elle était venue le voir pour le convaincre de recommencer. Il vit passer dans ses yeux une émotion complexe, étrange.

« Je devrais peut-être aller à New York moi aussi, fit-elle gaiement. Un nouveau départ. Ils m'aimeraient peut-être là-bas. »

Il attendit un instant. « Helen. »

Elle se leva, les yeux pleins de larmes, une main sur le ventre. Puis elle se pencha, l'embrassa sur la joue avant d'attraper son manteau.

Il eut une terrible appréhension, un pressentiment. « Pourquoi es-tu venue précisément ce soir ?

— Ça n'a pas d'importance, répondit-elle.

— Où vas-tu ? »

Elle enfila son manteau. Une jeune femme à la table voisine leur jeta un coup d'œil et sourit. Helen se figea un instant, puis se reprit et avança d'un pas chancelant, regard baissé. « Je vais prendre quelques vacances, dit-elle. Je vais aller voir mon frère, je pense. »

Après un signe de tête, elle quitta le restaurant sans se retourner.

Sketch to Illustrate the Passions : Treachery, 1853

Un nouveau médecin prit ses fonctions à Bedlam en 1853. Brigham emmena Dadd le voir : promenade le long des galeries, devant la buvette où bouillonnait une énorme chaudière. Il aurait voulu s'arrêter pour écouter la vapeur résonner dans l'escalier, l'écho répercuté par les murs carrelés. Mais il lui était interdit de traîner. Ils continuèrent – de minuscules fenêtres carrées jetaient des reflets ocre sur le sol rouge, délimité par des frises de carrelage bleu, comme si des ruisseaux coulaient contre les murs – jusqu'au bureau du Dr. Hood.

Dadd réalisa son portrait peu après. Le médecin était assis, mais pas à son bureau, face à la porte, très calme, mains jointes sur les genoux. Il regardait fixement devant lui. Il portait un habit, un veston et un pantalon noirs, une chemise amidonnée et une cravate noire. Dadd l'avait peint de mémoire dans un jardin, car c'est ce qu'évoquaient pour lui l'attitude de Hood et son bureau : il n'y avait rien de suspicieux chez lui, il n'avait pas l'air étriqué contrairement aux autres. Il le représenta assis sur un banc de couleur bleue sur fond de branches entrelacées, la vigne vierge serpentant à ses pieds, une feuille tombant sur son épaule.

À chaque fois qu'il y pensait, Dadd souriait secrètement. Personne n'avait remarqué que cette feuille – une feuille de tournesol énorme, épaisse – avait l'air d'être à la fois derrière et devant le Dr. Hood. La perspective était tronquée. Si l'on se concentrait sur la tête et les épaules du sujet, on avait l'impression qu'elle se trouvait derrière lui ; mais son extrémité reposait en fait sur la branche à laquelle le Dr. Hood était adossé. Il portait cette plante vigoureuse sur son épaule, elle l'abritait comme une ombrelle. Pure folie, digne d'un malade en proie à ses fantasmes depuis dix ans.

En fond, les montagnes et les cèdres du Liban ; au premier plan, un rouleau abandonné dans un jardin anglais. À côté de Hood, un fez turc et un bout de tissu opaque, le même que celui posé sur le visage de l'homme dans The Child's Problem. *Le tissu avait certaines propriétés, expliqua-t-il à Hood ce jour-là, à la fois épais et souple, capable de couler et tomber. On pouvait l'amidonner, le transformer en collerette. Sans relâche, il représentait les grands plis de châles, de jupes, les drapés sculpturaux couvrant presque – mais jamais tout à fait – les pieds, les visages ou les mains. Que cachaient ces plis ? Peut-être simplement le tissu lui-même. Ou peut-être la profondeur d'autres choses ; le tissu n'était que l'enveloppe de vices assoupis.*

Il peignit Cupid and Psyche *cette année-là. Cupidon s'était épris de la fille du roi, mais l'avait abandonnée lorsqu'elle lui avait jeté un regard à la dérobée. Dadd avait représenté leur baiser, mais pas le visage de la femme. Le résultat final était étrange : ses cheveux lui arrivaient au niveau de la gorge. Les seins, la courbe des épaules et du ventre étaient ceux d'une autre femme, plus opulente. Et sous les plis du tissu qu'elle piétinait, on apercevait un pied de chaise : une patte de griffon, toute d'écailles et d'os.*

On ne savait jamais ce que cachaient les objets ou les esprits les plus banals.

« Monsieur Dadd », s'était exclamé Hood en se levant pour lui tendre la main. « Quel honneur de vous rencontrer. »

Sa dernière poignée de main remontait au moins à cinq ans.

Dadd accueillit avec intérêt ce contact physique avec un autre être humain. La main était froide, la pression trop faible. Il en fut déçu. Il résista à l'envie d'examiner les doigts de Hood, comme il examinait souvent les siens, doigts qui avaient tailladé la peau d'un homme, gravé la toile et le papier.

« Dites-moi », demanda le Dr. Hood une fois assis, « qu'avez-vous peint cette année ? »

C'était difficile. Dadd se remémora Dymphna Martyr, *mais il ne souhaitait pas parler au Dr. Hood de cette aquarelle. On pouvait faire un pèlerinage à Gheel pour honorer sainte Dymphna, supposée guérir la folie. Dadd s'y était arrêté en 1842 en traversant la Belgique avec Thomas Philipps. Cette sainte était la fille d'un roi païen irlandais et d'une chrétienne. Après la mort de sa mère, son père avait voulu la prendre pour femme, elle, sa chair et son sang. Elle s'enfuit à Gheel où le roi la retrouva et la décapita, versant sur le sol le sang de son propre enfant.*

Non, il n'en parlerait pas. Et il ne parlerait pas non plus de The Death of Richard II *: quatre silhouettes luttant aux portes de l'éternité. Ni de* Hatred.

« J'ai peint une aquarelle, dit-il doucement, intitulée A Hermit. *Très sereine. On y voit un sablier et un livre.*

— Avez-vous de quoi lire ?

— M. Brigham m'a apporté une Bible. »

Hood adressa un hochement de tête approbateur à l'infirmier. « Voudriez-vous quelque chose d'autre ? »

Dadd réfléchit. « Shakespeare, dit-il. De la poésie. »

Dans ses notes, ce jour-là, Hood écrirait : « ... un être très sensible et d'une compagnie agréable, un esprit autrefois très cultivé, on ne peut plus informé... »

L'entretien ne dura pas longtemps. Dadd apprit que le Dr. Hood était très occupé.

Il avait, paraît-il, entrepris toutes sortes d'améliorations à Bedlam. Les fenêtres de l'hôpital furent élargies cette année-là, inondant la cellule de Dadd d'une clarté inattendue en fin de matinée, lorsque les rayons du soleil tombaient selon un angle particulier. Et d'autres changements aussi, des choses nouvelles. Chaque aile de l'hôpital résonna bientôt du chant d'oiseaux enfermés dans des volières.

Les patients s'attroupaient autour d'elles. Certains essayaient d'attraper les oiseaux, mais échouaient à cause de la hauteur à laquelle les cages étaient suspendues et de leurs portes soudées. D'autres, dont Dadd, ne supportaient pas de les entendre. Ils chantaient à l'aube et au crépuscule, et c'était pour lui d'une tristesse intolérable. Ils n'avaient commis aucun crime pour mériter d'être emprisonnés et en étaient réduits à s'égosiller sans relâche.

Il tentait de contrôler sa rage. Il adressait toutes sortes d'invectives sans queue ni tête à Brigham, recrachait sa nourriture par terre.

Lorsque le Dr. Hood rendit de nouveau visite à Dadd, il découvrit qu'il avait entrepris une grande série de dessins illustrant les passions : pauvreté, misère et opulence, paresse, passion du jeu et traîtrise. Hood examina la dernière aquarelle de près. « Ce sont trois Chinois. »

Dadd leva à peine les yeux. « Nous sommes en guerre avec la Chine. Voilà pourquoi ils symbolisent les traîtres.

— Il y a douze ans que la guerre avec la Chine est finie, murmura Hood.

— Toutes les guerres et les fourberies ont la même origine », déclara Dadd sans s'interrompre.

Hood examina le dessin : un escalier, une porte ouverte. Debout sur les marches, un personnage livre un secret à un autre tapi sous l'escalier. Une longue lame à la main, il attend un homme qui sort de la maison sans se douter de rien. « L'habit du Chinois est très bien rendu, dit Hood.

— Non, ce n'est pas correct, le reprit Dadd. Il tombe mal à la taille.

— Je ne vois aucun défaut », répondit Hood, sincère.

À cet instant précis, Dadd acheva le tableau ; il signa et ajouta la date sur la dernière marche de l'escalier. « Certains défauts sont invisibles », murmura-t-il. Il pensa à son père, vomissant dans l'obscurité, incapable, même à ce moment-là, de perdre sa confiance. Il était tombé, une main sur le cou, cherchant des yeux son assassin qui ne pouvait être son propre fils, et ses yeux avaient fini par se poser sur Richard avec incrédulité. Voilà le dernier sentiment qu'il avait éprouvé : une profonde incrédulité.

« La traîtrise de ceux qui prétendent nous aimer », dit Dadd en essuyant son pinceau au coin du dessin.

15.

Catherine s'éveilla aux premières lueurs du jour.

John et elle étaient ensemble depuis deux mois et cela faisait bien longtemps qu'il n'avait pas fait aussi beau pour un mois de mai. Les premières feuilles du hêtre s'ouvraient. Elle apercevait le faîte de l'arbre à travers les rideaux ouverts. Les pousses, d'un magnifique rouge fauve, contrastaient avec celles du chêne et du tulipier qui poussaient derrière.

« Qu'y a-t-il ? demanda John.

— Rien », fit-elle en se retournant vers lui. « Tout va bien. Rendors-toi. »

Il tendit les bras, elle se pelotonna contre lui et posa la tête sur son épaule. Elle savoura ce moment, la chaleur de son corps élancé, sa façon de réagir quand elle le touchait. Il lui prit la main, la porta à ses lèvres, puis la posa sans un mot contre sa poitrine. « Tu veux que je t'accompagne chez toi aujourd'hui ?

— Non », finit-elle par dire après un instant de réflexion.

Robert lui avait écrit pour lui demander de le rejoindre chez eux ce jour-là. Elle ne l'avait pas vu depuis trois mois, peut-être un peu plus. En allant faire un tour à la maison la veille, elle avait trouvé sa lettre dans un tas de courrier.

Postée de Londres, elle datait de la semaine précédente. En rentrant à Bridle Lodge, elle l'avait montrée à John.

« Cela devait arriver tôt ou tard, dit-il.

— Il va vouloir vendre. Il ne peut pas s'agir d'autre chose.

— Personne ne peut t'obliger à faire quoi que ce soit. »

Ils se tenaient dans l'entrée. Elle vivait chez John depuis un mois et demi environ ; depuis cette première nuit, elle n'avait jamais eu envie de rentrer chez elle. Parfois, elle se demandait à quoi ressemblait sa vie avec Robert. Avec le recul, elle semblait terne. Elle avait quitté ce monde, comme Alice passant de l'autre côté du miroir. Ou comme un personnage sorti d'un tableau. À part qu'elle avait l'impression de passer d'un rêve à la vie réelle, et non le contraire.

John lui rendit la lettre et descendit la marche sur laquelle il travaillait ; il restaurait les panneaux sous la balustrade, l'entrelacs de vigne masqué par une couche de peinture. C'était une tâche méticuleuse, et Catherine ne pouvait s'empêcher de penser qu'il s'y consacrait avec une ferveur presque religieuse. « Tu as vu la ressemblance ? » lui avait-il demandé après leur première nuit ensemble.

« Le vitrail ? La jeune femme, tu veux dire ?

— Elle te ressemble comme deux gouttes d'eau. »

Elle examinait le portrait d'un œil critique.

« Et à la fille au miroir vert. »

Elle s'était retournée vers lui. « Je ne comprends pas. »

Il s'était contenté de sourire et de l'embrasser. Elle était partie travailler. À son retour ce soir-là, un poster du tableau *The Fairy Feller's Master Stroke* était étalé sur la table, maintenu aux quatre coins par des livres.

« Oh, mon Dieu », s'exclama-t-elle en passant la porte, « l'espace d'un instant, j'ai cru que l'on avait une autre copie d'original. » Elle secoua la tête, posa la main sur son cœur en faisant semblant d'avoir eu peur.

Il lui prit la main. « Regarde la fille au miroir. » Il désignait deux femmes juste à la gauche du magicien dont les bras écartés et le chapeau au large rebord occupaient le centre du tableau.

Catherine se pencha pour y regarder de plus près. « Elle ne me ressemble pas du tout, murmura-t-elle.

— Mais si. La façon dont elle tient la tête, son allure. Vous avez aussi le même teint. »

Catherine sourit. Les deux femmes étaient connues pour l'érotisme qu'elles dégageaient, en particulier celle qui ne tenait pas le miroir, tout de blanc vêtue, un papillon de nuit posé sur une main, un balai dans l'autre – la bonne tout droit sortie du fantasme d'un gentleman victorien, le genre de femme de chambre que tous les écoliers inhibés rêvaient sans doute de voir venir travailler chez eux. Elle avait des mollets proéminents, des pieds minuscules, une taille de guêpe, des seins serrés dans un corsage trop petit. La fille au miroir la regardait, mais indirectement, en baissant les yeux. Elle ressemblait à une nymphe, à une ballerine avec ses ailes translucides déployées.

« J'ai toujours pensé qu'elle avait le type espagnol, dit Catherine, pensive.

— Espagnol ?

— Oui. Regarde ces cheveux noirs. Son sourire est si mystérieux. Elle me fait penser à ces danseuses de flamenco, à leur expression si particulière. Et puis, elle frappe presque des mains.

— Si ce n'est qu'elle tient le miroir. » Il poussa les livres qui retenaient le poster qu'il tint à bout de bras. « Regarde le reflet.

— Je ne vois rien, maugréa-t-elle en fronçant les sourcils. Ce n'est qu'un disque de couleur verte.

— Concentre-toi. »

Elle eut beau se concentrer, elle ne voyait toujours rien.

« J'ai toujours cru que l'on pouvait y voir son profil, mais différent de son vrai visage. Plus chaleureux.

— Une autre jeune femme habiterait le miroir ? »

John reposa le poster et lui prit les épaules avant de caresser la ligne de son cou, la courbe de sa joue. Un courant électrique la traversa, une envie viscérale, presque désespérée de le toucher. « Tu es sortie du miroir, murmura-t-il.

— Que ressens-tu quand tu dessines ? demanda-t-elle en lui prenant la main.

— Je ne dessine pas.

— Je voulais parler de tes dessins techniques.

— Ça n'a rien à voir avec ça », fit-il en désignant le poster d'un hochement de tête.

« Pourquoi pas ? Tu fais naître quelque chose à partir de rien. Tu l'imagines avant de le coucher sur le papier.

— Tu me compares à Dadd ?

— Je compare les processus créatifs.

— Je n'y ai jamais pensé de cette façon.

— Tu es un créateur.

— Je ne suis pas peintre.

— Pas plus que je ne suis modèle.

— Tu lui ressembles beaucoup, insista-t-il.

— Peut-être que nous en sommes les équivalents modernes.

— Ce n'est pas bête. Je pourrais faire ton portrait. Serais-tu prête à enfiler un costume de ballerine et une paire d'ailes ? »

Elle prit la main de John, la caressa. « Je ne suis pas la représentation d'une fille sur une toile, dit-elle. Je suis bien réelle. »

Une expression proche de la souffrance se peignit sur le visage de John. Il l'attira contre lui. « Tu crois que je ne le sais pas ?

— Tu n'as pas répondu à ma question.

— Laquelle ?

— Que ressens-tu quand tu dessines ?

— Contact. Compréhension.

— Compréhension… de quoi ?

— De ce que j'essaie de concevoir dans ma tête. Et puis il ne reste plus qu'à le traduire sur papier.

— Le point de contact.

— Le toucher. La rencontre. »

Elle se tortilla dans ses bras. « Tu te moques de moi, dit-il.

— Comme ça ? » le taquina-t-elle. Elle baissa les yeux, tourna la tête de sorte qu'il puisse voir le profil de la fée ballerine se matérialiser. Il sourit. « Réelle et irréelle, voilà ce que tu es… »

Elle posa la main sur ses lèvres.

Il n'acheva pas sa phrase.

Elle levait la tête à présent, dans la pénombre du jour naissant. « John, je n'arrive pas à dormir. Je me lève. »

Il fit mine de se lever aussi, mais elle l'en dissuada d'un mouvement de tête. Il la regarda enfiler un jean et un pull ; elle se retourna avant de passer la porte pour lui dire qu'elle l'appellerait quand le petit déjeuner serait prêt, mais il avait déjà refermé les yeux.

Elle descendit l'escalier, jeta un coup d'œil au vitrail en passant devant. À la lumière de l'aube, la silhouette était translucide, seulement rehaussée de reflets gris bleuté. Elle s'assit sur la première marche pour enfiler ses chaussures. Frith sortit à contrecœur de son panier et lui lança un regard inquisiteur. Elle attrapa les clés suspendues au portemanteau, ouvrit la porte d'entrée et sortit dans le jardin.

Un profond silence régnait. La pleine lune dont ils avaient parlé la veille au soir – vague présence dans un océan de nuages – était basse à présent, presque invisible. Les nuages s'étaient dissipés, les dernières étoiles brillaient dans le ciel. Elle pencha la tête en arrière, respira goulûment l'air frais. Elle traversa la pelouse en laissant derrière elle un sillon dans l'herbe trempée de rosée.

La plupart des arbres, tout comme le reste du jardin, avaient été plantés l'année de la construction de Bridle

Lodge. Âgés de cent trente ans, ils avaient l'air d'un petit bataillon de fantômes à la silhouette imposante. La semaine précédente, John lui avait fait faire le tour du jardin en lui indiquant les arbres dont il connaissait le nom et en essayant de façon comique de deviner ceux qu'il ignorait. Près de la maison s'élevait le magnifique chêne à feuilles de châtaignier, tout droit venu des montagnes d'Iran. Plus loin, le tulipier, élégant, élancé, dont les feuilles pareilles à des mains ouvertes commençaient à peine à s'épanouir. Puis les érables aux troncs minces et tortueux, semblables à des corps enlacés. En passant, elle vit que les bourgeons s'ouvraient en éventails rose pâle.

Frith courait loin devant, faisant crisser les gravillons du sentier détrempé qui menait à l'étang et au ruisseau.

« Je veux que tu vives ici », lui avait dit John cette première nuit. « Je veux que tu restes.

— C'est trop tôt », avait-elle répondu en se couchant sur le dos. Il s'était assis près d'elle pour la regarder. « C'est trop compliqué, avait-elle ajouté. Avec Robert et tout ça.

— Tu préférerais être avec lui ?

— Non, bien sûr que non.

— Tu préférerais l'attendre.

— Non !

— Je ne comprends pas. Tu veux rester dans cette maison vide et me laisser vivre ici sans toi ? » Il pressait ses lèvres contre son ventre, ses seins, ses épaules. Sa voix était douce, n'avait rien d'agressif.

« John », fit-elle, en s'efforçant de le repousser pour pouvoir le regarder dans les yeux, « tu n'as pas peur d'aller trop vite ?

— Non », finit-il par dire après un moment de réflexion.

« Mais tu me connais à peine. »

Il se rassit, lui prit la main. « Tu connaissais Robert depuis combien de temps quand tu l'as épousé ?

— Dix-huit mois.

— Et tu savais vraiment tout de lui ? »

Elle pensa à son mari : il la rassurait parce qu'il avait une profonde confiance en lui-même. Il ne lui donnait que rarement son avis, ne semblait pas avoir de rêves.

« Je suppose qu'il ne jugeait pas nécessaire de tout savoir, répondit-elle.

— Et toi ?

— Oui, je voulais faire partie de sa vie. J'y croyais. » Elle se demanda à nouveau comment elle avait pu s'attacher à ce point à quelqu'un qui, au fond, ne tenait pas à elle.

« Tu l'aimais.

— Oui. » Elle se rappelait à quel point elle désirait arranger les choses entre eux. « C'est étrange, murmura-t-elle, j'ai toujours eu la sensation de tout faire pour nous lier l'un à l'autre et pendant tout ce temps, il ne cherchait qu'à me tourner le dos. Pas vraiment à se détacher. Si quelqu'un avait fait le portrait de notre couple, je l'aurais bien vu en train de tourner la tête, comme distrait.

— Il t'a trompée ?

— Non, pas jusqu'à récemment. » Elle essaya de se faire à cette idée : elle avait toujours fait son maximum pour attirer l'attention de Robert. « Je ne sais pas pourquoi je m'escrimais comme ça. Je me disais simplement que c'était dans l'ordre des choses. Tout ou rien.

— Il s'éloignait de toi, suggéra John.

— Non, ça aurait voulu dire que le lien était rompu. Je voulais garder le contact, savoir ce qu'il avait au fond du cœur. Mais il ne l'a jamais montré, je crois », conclut-elle doucement, comme pour confirmer ce qu'elle venait de dire. « C'était exactement ça : il ne se donnait pas pleinement. »

John semblait la plaindre. « Il est impossible d'être amoureux et de ne pas se donner corps et âme, dit-il, horrifié.

— C'est courant.

— Tu fonctionnes comme ça, toi ? »

Elle se pelotonna dans ses bras, le prit par le cou. « Non, John. »

Elle suivit Frith jusqu'aux buissons de camélias et de rhododendrons. À l'endroit où le sentier décrivait un coude avant de plonger abruptement vers la rivière, il y en avait un d'une incroyable beauté. Il devait faire deux mètres cinquante de haut et croulait sous des fleurs d'un rose étonnant, presque trop criard pour être réel ; des centaines de bouquets miniatures formaient une voûte dense au-dessus de sa tête. À travers les branches, elle admira la multitude de boutons couleur cerise coincés entre les épaisses feuilles vernissées. Le rose se teintait d'un bleu presque parme sous cette lumière.

Elle se retourna pour laisser son regard errer sur la plaine en contrebas. Une profusion d'ail sauvage poussait sur les berges de la rivière ; au loin, l'herbe était plus haute. Elle aperçut Frith qui traversait le champ en direction de la forêt en bondissant comme un diable hors de sa boîte.

« Frith ! », appela-t-elle. Mais il ne l'entendit pas.

Elle approcha de l'eau.

John et Peter Luckham avaient terminé leur travail un mois auparavant. Toutes les écluses avaient été nettoyées ; depuis le petit pont, Catherine aperçut les cinq portes alignées, rubans sombres contrastant avec le gris clair de la rivière et des quatre étangs autour desquels John avait planté de jeunes pousses d'alisier blanc. Les bourgeons en demi-lune de leurs feuilles tombaient au ras de l'eau ; sur les berges, les espèces sauvages – cardamine des prés, julienne des jardins, barbarée commune – se côtoyaient. Il avait aussi planté du cresson, malgré la désapprobation de Peter Luckham persuadé que d'ici trois ans, il aurait tout envahi.

« Une eau vive dans un lit calcaire : parfait, avait dit John.

— Ça va étouffer la source, avait maugréé Luckham.

— Ça m'est égal, avait répondu John avec un sourire. Je la nettoierai. »

Le cresson commençait à pousser en touffes sombres et vigoureuses là où l'eau était la moins profonde. Catherine traversa le pont pour accéder à l'autre berge, s'installa au bord du sentier et regarda la rivière se jeter dans l'étang le plus proche. La pâle image du rhododendron et le rose orangé des premières lueurs du jour se reflétaient sur les eaux étales. Un mur d'arbres masquait la maison. Le calme régnait de ce côté-là, comme dans les champs. C'était un endroit magique, digne d'un conte de fée.

Frith, parti en mission quelque part dans la vallée, était invisible. Les rayons du soleil printanier effleuraient la cime des arbres, teintant le feuillage sombre de vert acide.

Elle se baissa pour goûter l'eau : elle était froide mais pas glaciale. Catherine ôta ses chaussures et avança sur le lit de gravier. Elle sourit : elle devait avoir huit ou neuf ans la dernière fois qu'elle avait fait cela. Il y avait un ruisseau en bas de chez ses parents. Leur maison de campagne était environnée de chênes et c'est là que coulait le ruisseau, entre le jardin et les terres. Quand elle était enfant, elle rêvait qu'il se transforme en fleuve, s'imaginait voguer au gré du vent à travers la campagne et jusqu'à la mer, laissant derrière elle les églises et les fermes endormies pour plonger dans l'océan, emportée par une vague noir bleuté.

Elle sauta sur la berge, jeta un regard alentour, enleva son jean et son pull avant de se débarrasser du reste de ses vêtements en se tortillant.

Elle entra de nouveau dans l'eau, avança lentement jusqu'à l'étang le plus profond. Lorsqu'elle n'eut plus pied, elle s'élança, souffle coupé par le froid et se mit à nager. Elle fit remonter des tourbillons de vase à la surface, torsades couleur réglisse sur fond vert.

En riant, elle nagea quelques brasses rapides jusqu'à ce que l'eau semble plus chaude, gagnée par un plaisir secret.

Elle traversa l'image boueuse des rhododendrons, brume ondoyante de plus en plus pâle. Elle effleura les tiges des nénuphars dont les premières feuilles s'élançaient vers la lumière, volutes pourpres et pâles, racines tendues caressant sa peau, tâtonnant sur son corps. Elle fit la planche pour admirer le ciel.

« Catherine ! » s'écria quelqu'un.

Elle perçut vaguement la vibration de la voix, comme en rêve.

« Catherine ! »

Elle passa sur le ventre. John se trouvait sur la berge, près du pont. Elle éclata de rire en lui tendant la main.

« Qu'est-ce que tu fais ? hurla-t-il.

— Viens, l'eau est délicieuse. Elle est chaude.

— Oh, mon Dieu », l'entendit-elle dire.

Il s'était assis sur le pont, tête baissée.

« John ? »

Il ne répondit pas.

Elle avança et sortit de l'eau. Il se releva et elle courut à sa rencontre, nue, ruisselante. « Qu'y a-t-il ? Qu'est-ce que tu as ? »

Il secoua la tête.

« Je t'ai fait peur ?

— Ne fais plus jamais ça, dit-il en souriant.

— Je nageais, c'est tout. »

Le visage blême, il prit une profonde inspiration. « Qu'est-ce que tu croyais ? Je nageais, c'est tout. Tout va bien.

— Là-dedans ? » dit-il en la regardant des pieds à la tête. « Bon sang. »

Elle se blottit contre lui. « Je vais bien.

— J'ai emmené Frith là-bas il y a quatre mois. On a failli se noyer tous les deux.

— Je ne me suis pas noyée. J'ai chaud », dit-elle en pressant sa main sur son ventre. Il ne la retira pas. « Je suis là », dit-elle.

Elle posa la main de John sur son cœur. Puis, les yeux plongés dans les siens, elle la promena sur son corps.

*
* *

Les gouttes d'eau dansaient dans sa tête, sur sa langue, dans sa gorge. C'était comme étancher une soif jusque-là inextinguible, un jaillissement de fraîcheur, les gouttes d'eau du rêve, la peau presque chaude.

Il s'agenouilla, l'attira vers lui, la coucha sur l'herbe en pensant au désir qui l'avait habité dès qu'il l'avait vue devant la porte de la maison.

Il ferma les yeux, et le tourbillon qui l'emporta quand il la prit ne ressemblait à rien de ce qu'il avait ressenti jusque-là, à rien de ce qu'il pourrait désormais ressentir ; il l'emporta loin de cette journée, du jardin sur lequel le soleil s'était levé, loin des cris de Catherine. Ses sensations étaient annihilées ; il ne sentait ni le sol détrempé, ni l'eau, ni l'air du matin sur son dos, ni même les mains de sa bien-aimée sur son corps. Il eut l'impression terrifiante de voyager à une vitesse incontrôlable.

Lorsqu'il baissa enfin les yeux sur Catherine, ses paupières étaient closes, ses lèvres entrouvertes. Il souleva une mèche humide collée à son cou et attendit que son pouls s'apaise et que la douleur sourde et familière se réapproprie sa poitrine.

« Je voudrais vivre éternellement », murmura-t-il.

Elle ouvrit les yeux et lui sourit.

16.

Catherine arriva chez elle à treize heures. En ouvrant la porte, elle fut accueillie par une petite bouffée d'air chaud venant de l'entrée, odeur de renfermé des maisons inhabitées. Elle posa sa mallette, ôta son manteau et ouvrit toutes les fenêtres du rez-de-chaussée avant de sortir dans le patio par la porte de service. Elle n'avait pas vérifié son état depuis des semaines. Les mauvaises herbes avaient envahi les pots et les jardinières ; elle coupa les fleurs de jonquilles fanées.

Quelqu'un sonna.

Elle consulta sa montre. Treize heures dix. Robert était en avance.

Elle ouvrit sans la moindre nervosité. Pourtant elle eut la nausée en le voyant, comme si elle avait reçu un petit coup sec à l'estomac.

Il avait maigri.

« Bonjour, dit Catherine. Tu es en avance.

— Ça fait une demi-heure que j'attends au coin de la rue. Ça ne te dérange pas ? »

Elle recula pour le laisser entrer. « Tu es venu de Londres en voiture ?

— Oui. » Sa réponse ressemblait plutôt à une question.

« Tes collègues ont fini par me dire où tu étais, au bout de quatre coups de fil. »

Il rougit.

« Ils se sont montrés loyaux envers toi. La première fois que j'ai appelé, ils ont nié être au courant de quoi que ce soit. Ils m'ont dit que tu étais en vacances.

— Je suis désolé.

— Tu t'es vraiment donné beaucoup de mal. Ça devait être compliqué.

— Non. Je suis désolé. »

Elle s'installa sur le canapé et le dévisagea, mains sur les genoux. Il approcha une chaise.

« Tu as l'air très en forme, la complimenta-t-il.

— Merci.

— Le travail, ça marche ? »

Elle secoua la tête, ignorant la question.

« Je vais en venir aux faits, dit-il.

— S'il te plaît. »

Il bougea sa chaise, sembla se demander par où commencer.

Après avoir ressenti un coup en le voyant, Catherine se trouvait à présent curieusement objective. Robert avait l'air vieux jeu. Voilà ce qu'elle se dirait si elle le rencontrait pour la première fois aujourd'hui. Vieux jeu, avec une attitude un peu raide. Y avait-elle déjà pensé avant ? Oui. Il avait toujours été précis, méticuleux. Il avait l'air strict.

Comme c'est étrange, se dit-elle. Je l'avais oublié.

« Comment s'appelle-t-elle ?

— Qui ça ?

— Allons, Rob.

— Qu'est-ce que ça change ?

— Rien, je suppose. Où l'as-tu rencontrée ?

— À Londres.

— C'est pour ça que tu es retourné vivre là-bas ? »

Elle était calme. Il n'avait pas escompté un tel accueil. Il s'était préparé à une scène, des larmes, au minimum. Il ne répondit pas. « Je veux acheter un appartement à Londres. J'en ai un en vue. » Il comprit qu'elle n'allait pas lui faciliter la tâche. Elle le regardait avec une espèce d'indifférence. « Ce n'est pas grand. Même pour des centaines de milliers de livres, on ne peut rien avoir de grand. »

Elle ne réagissait toujours pas. Il la regarda. Elle souriait, ce qui le déconcerta. « J'ai dit quelque chose de drôle ? demanda-t-il.

— Toi et l'argent.

— Au cas où tu ne l'aurais pas remarqué, c'est lui qui fait tourner le monde.

— L'argent ? Je ne crois pas, non. »

Il sourit à son tour.

« Vas-y, dis-moi à quel point je suis naïve.

— Écoute, tu as sans doute compris que nous devons vendre.

— Ah oui ?

— Nous avons chacun payé la moitié de l'apport et la moitié du prêt. Tu ne contestes pas ça ?

— Je ne conteste rien du tout.

— Bon, eh bien, je possède la moitié de cette maison. Nous n'avons pas d'enfant, nous devons vendre. »

*

* *

Sa voix était telle que dans son souvenir ; même ton mesuré qu'elle se remémorait parfaitement à présent. Bizarre à quel point l'argent comptait, se disait-elle. Que l'on en ait ou pas ne faisait aucune différence. Il était tout de même source de dispute, d'incompréhension. L'argent avait une dimension émotionnelle, était à l'origine du pouvoir, lié au plaisir. Robert, qui avait toujours très bien gagné sa vie, avait épousé une femme dont le salaire était presque aussi élevé que le sien ; pourtant, il était excessivement prudent en matière d'argent.

Elle imaginait Amanda lever les yeux au ciel. « Tu es radin, avoue-le. » En fait, ils avaient taquiné Robert à ce sujet un soir au dîner ; il avait protesté avec bonne humeur. Amanda faisait semblant de vider son portefeuille et de chasser les mites imaginaires qui s'en échappaient.

Pour leur lune de miel, ils étaient allés à Rye pour faire plaisir à Catherine ; elle avait envie de courir les brocantes, les galeries et de voir la mer. Ils s'étaient mariés en janvier et à leur place, tout autre couple serait parti à l'étranger. Mais quelque chose dans la côte anglaise en hiver lui plaisait.

Un samedi, dans une brocante, ils avaient chiné un secrétaire. Il ne coûtait pas très cher – une affaire aux yeux de Catherine. Robert n'avait pas protesté, mais sans être emballé non plus. Elle le revoyait encore sortir son chéquier, enlever le capuchon de son stylo, poser le chèque méticuleusement sur le comptoir.

Ce printemps-là, ils avaient visité Paris. Elle le revoyait s'appliquer à compter ses centimes au métro Hôtel de Ville.

« Pourquoi ne pas me dire ce que tu trouves si drôle ?

— Pardon, dit-elle en clignant des yeux.

— Tu m'écoutes ?

— Oui, la maison. Je sais.

— Alors ? »

Elle se leva, soudain à bout de souffle. Il tressaillit comme s'il s'attendait à ce qu'elle le frappe. Elle lui jeta un regard étonné avant de se diriger vers la cuisine. Elle attrapa la cafetière, se souvint qu'elle n'avait pas servi depuis des semaines et la reposa. « Tu veux un thé ? »

Il s'était approché de la porte.

Elle s'apprêtait à dire quelque chose à propos de la maison, quand une image la frappa : ils s'étaient tant de fois

tenus là, elle en train de préparer un repas, lui debout près de la porte en train de lui dire quelque chose de banal. Ils étaient banals, pas vraiment heureux, mais cela dit, rares étaient les couples vraiment heureux dans son entourage.
« Est-elle plus âgée que moi ?

— Catherine, je t'en prie.

— Je la connais ? »

Robert retourna dans le salon, Catherine lui emboîta le pas. « Je la connais ?

— Non », fit-il avec un profond soupir et en posant une main sur son front.

« Pourquoi as-tu fait ça ? Pourquoi partir comme ça ? En laissant un vulgaire mot, Robert. Comment as-tu pu faire ça ?

— Ne commence pas.

— Pourquoi pas ? C'est une question raisonnable.

— Je n'ai pas envie de me disputer.

— Moi non plus. Je cherche seulement à comprendre. » Elle essayait de garder son sang-froid.

« Je ne voulais pas de scène de ménage.

— Tu la mérites.

— Peut-être bien.

— Il n'y a pas de peut-être qui tienne, rétorqua Catherine. Je ne te croyais pas capable d'une telle lâcheté. »

Il ne répondit pas, l'air déçu, désapprobateur. Comme si le sujet lui répugnait.

« Tu ne regrettes rien. »

Il ne répondit pas.

Elle s'approcha de lui. « Absolument rien. Regarde-toi.

— Je ne regrette pas d'être parti, plutôt la façon dont je suis parti. »

Elle le dévisagea et ne lut dans ses yeux qu'une espèce de patience, comme si tout ça était le prix à payer pour arriver à ses fins. On aurait dit qu'il était en train de faire la queue à la banque ou dans une station-service. L'air de s'ennuyer, d'être un peu agacé.

« Oh, mon Dieu, murmura-t-elle. Tout ça est d'un tel ennui pour toi !

— Pas la peine d'aborder le sujet. Ne peut-on pas se contenter de parler de la maison ?

— Pas la peine. Oh, après tout, comme tu voudras. » Elle était tout près de lui. Elle avait une folle envie de le gifler, d'effacer l'indifférence qui se peignait sur son visage. « Est-ce que tu m'as jamais aimée ? Je veux dire vraiment aimée ?

— Catherine.

— J'en doute.

— C'est ridicule, coupa-t-il.

— Tu ne m'aimais pas.

— Peut-être pas, non. »

Ils se turent ; puis Catherine répéta ses dernières paroles à mi-voix.

« Écoute, ça ne va nous mener nulle part. Si tu regardes les choses en face – amour ou pas, quel que soit le nom que tu veuilles lui donner –, j'étais un sacré bon mari. J'étais le mari parfait.

— Robert, tu t'entends parler ?

— Je ne t'ai jamais trompée, jamais battue, jamais privée d'argent. Je ne suis jamais rentré tard le soir, je ne t'ai jamais humiliée ou laissée tomber.

— Et c'est ça ta définition du mari idéal ?

— La plupart des gens n'ont pas un si bon partenaire.

— Les autres ne m'intéressent pas. Tu parles de nous, de notre couple.

— Tu as changé, s'écria-t-il en lui jetant un regard méprisant.

— Quoi ?

— Tu es différente.

— Toi en revanche, tu n'as pas changé. Tu es toujours le pauvre type suffisant et frigide que j'ai connu. »

Il eut un mouvement de recul.

Elle s'était toujours efforcée de lui faire plaisir. S'il était capable d'assez de perversité pour se dépeindre sous les traits du mari idéal, alors elle, elle était l'épouse parfaite. Elle avait laissé tomber son travail à Londres pour le suivre là où il voulait vivre, avait renoncé à des perspectives professionnelles potentiellement plus intéressantes. Quitté ses collègues et ses amis.

Pourtant, elle comprit soudain que rien de tout cela ne pouvait être imputé à Robert, même si la tentation de le faire était grande. Il avait pris ce qu'elle lui offrait sans se poser de question. Il avait été aimé. Elle avait été fidèle. Tous les mérites qu'il s'attribuait valaient aussi pour elle.

Sauf qu'elle ne s'était jamais considérée comme l'épouse parfaite. Mais en y pensant maintenant, elle se reprit. Elle jouait les martyrs, se faisait passer pour la merveilleuse épouse, toujours prête à le soutenir. Il y avait un certain confort à se prendre pour une victime, songea-t-elle. Cela permettait d'avoir l'avantage, du point de vue moral. Cette idée désagréable lui trottait dans la tête, de même l'impression sournoise d'être, comme toujours, exclue de la vie de Robert, de ne pas figurer au nombre de ses priorités.

Elle avait passé tout son temps à essayer d'attirer son attention, mais il était toujours ailleurs.

À chacun de ses voyages d'affaires, il lui avait consciencieusement envoyé une carte postale de la ville où il séjournait. Fribourg, Bruges, Munich. Elle les posait sur le manteau de la cheminée. À son retour, les cartes étaient alignées et lui, assis en face d'elle, était toujours aussi absent. Il avait toujours été renfermé, secret, il s'était barricadé. Elle avait parfois eu la folle envie de le dépecer pour vérifier qu'il était bien fait de chair et de sang. Idée honteuse, stupide. Simplement pour se prouver qu'il n'était pas le robot qu'elle imaginait…

Elle l'avait accompagné une ou deux fois, mais cela n'avait fait aucune différence : elle avait passé son temps à l'attendre. Assise dans un bar d'Innsbruck, elle regardait les péniches glisser telles des baleines sous le pont Deutzer. Assise sur le mur du Hofkirk, à l'ombre du tombeau de Maximilien elle s'imaginait que, dans ce décor étranger, son sourire serait peut-être différent lorsqu'il viendrait la rejoindre. Mais il restait égal à lui-même.

Elle eut le vertige – comme si elle s'était jetée d'une falaise – en comprenant que depuis qu'elle le connaissait, elle avait espéré voir le reflet de ses propres sentiments sur son visage.

Elle fuit son regard interrogateur. « Je n'ai pas changé, dit-elle. Prends ta satanée baraque, garde tout, ça m'est égal.

— Je prendrai une moitié et toi l'autre.

— D'accord, comme tu veux.

— C'est la loi, ce n'est pas moi qui décide. »

Elle se tourna vers lui. Le secrétaire qu'ils avaient acheté pendant leur voyage de noces se trouvait dans l'angle, près de la cuisine. Elle s'en approcha, posa la main dessus. « Il y a tous les meubles.

— Nous pouvons nous revoir pour en parler.

— Ce secrétaire… » Elle se mit à pleurer, malgré elle.

« Non, Catherine », dit-il en essayant de se glisser entre elle et le bureau.

« Qu'est-ce que ça peut te foutre ?

— Ne pleure pas. »

Elle le repoussa. « Va-t'en, s'écria-t-elle.

— Je ne vais pas partir alors que tu es bouleversée.

— Tu es vraiment incroyable », maugréa-t-elle en s'essuyant le visage d'une main.

Il lui lança un regard critique. Elle partit chercher une feuille d'essuie-tout dans la cuisine avant de revenir vers lui. « Je vais bien. Tu vois ? Ça va, génial. Tu peux te casser l'esprit tranquille maintenant. Tu te souviens où nous l'avons acheté ? fit-elle en désignant le bureau d'un geste.

— Bien sûr.

— Bon, tu le veux ? Tu l'as payé de ta poche, après tout.

— Je ne l'ai jamais aimé, tu peux le garder. »

Il se dirigea vers la porte d'entrée en traversant le couloir, l'ouvrit et s'arrêta sur le seuil. Elle se tenait un peu en retrait. « Tu sais Catherine, dit Robert, avant que tout ça n'arrive, si j'ai jamais fait ou dit quelque chose qui t'a blessée, je m'en excuse. »

Il attendait une réponse qui ne vint pas.

Il sortit. Elle approcha de la porte ouverte et le regarda s'éloigner. Il se retourna en arrivant au coin de la rue.

Elle referma la porte.

17.

Ce jour-là, Mark était en train de préparer la vente consacrée aux œuvres d'art. La porte de service de chez Pearsons avait été ouverte pour permettre une livraison. Il s'agissait d'une succession, toute une vie que l'on déchargeait du camion. Les meubles défilaient devant Mark tandis qu'il notait les détails sur le registre : six fauteuils en acajou avec dossier à barreaux, secrétaire en chêne, miroir en bois doré George III. En levant les yeux, il vit un homme traverser le parking et se diriger vers lui. « Mark Pearson ? demanda-t-il.

— Oui.

— John Brigham. »

Il fallut à Mark une seconde pour comprendre de qui il s'agissait. Il serra la main que l'homme lui tendait. « Ah, dit-il en souriant, Catherine n'est pas là. Elle doit rentrer d'une minute à l'autre.

— Puis-je l'attendre ici ?

— Je vous en prie. »

Ils traversèrent la salle des ventes. Brigham s'arrêta au passage pour jeter un coup d'œil à son buffet, posé dans un coin.

« Nous nous sommes dit qu'il valait mieux attendre, dit Mark. Il est trop beau pour être vendu lors de la vente générale qui a lieu deux fois par mois. »

Brigham ne répondit pas, jeta un regard circulaire au reste des objets. « Vous avez une belle sélection.

— Un décès, commenta Mark froidement, c'est toujours bon pour les affaires. »

Un ange passa, puis Brigham continua. Ils franchirent les doubles portes menant à la réception.

« Entrez », dit Mark en ouvrant la porte de son bureau, avant d'aller demander à la réceptionniste de préparer du café. Quand il revint, Brigham s'était déjà installé.

Ils mettaient la dernière touche au catalogue de la vente ; des ouvrages de référence s'entassaient sur le meuble derrière la table de travail.

« Vous faites des recherches ? s'enquit Brigham.

— Sur les médailles, oui, répondit Mark en souriant. On en a découvert tout un tas dans une commode. Burma Star, Africa Star, une plaque commémorative de la première guerre. Ce n'est pas mon domaine, j'ai dû me renseigner.

— Il y a toujours autant de variété ?

— Toujours. La dernière fois, nous avions une harpe, anges sculptés, pieds de griffons. Et puis il y avait un polyphon, deux ou trois trains électriques, des figurines de musiciens de l'armée britannique en Elastolin, des cuillères en argent, un trophée remporté dans un tournoi de tennis en 1952..., dit-il en souriant. Ah, ajouta-t-il en levant l'index, et une coupe sur pied ornée d'une frise florale gravée.

— Une coupe sur pied ? »

Mark écarta les bras. « Fouillez-moi, plaisanta-t-il. Ça a l'air génial, non, vous ne trouvez pas ? »

On apporta les cafés. Mark en profita pour inspecter John Brigham en détail pour la première fois. Catherine n'en avait pas dit grand-chose : il ne savait rien, à part qu'elle vivait pratiquement avec lui. Qu'elle semble s'être totalement fondue dans son univers en renonçant à son ancienne vie le dérangeait et pourtant, il éprouvait une certaine satisfaction à la voir sourire, ce qu'elle ne faisait plus depuis des mois. Et si c'était grâce à cet homme grand, séduisant aux cheveux grisonnants, il estimait devoir lui en être reconnaissant. Pourtant, Brigham n'avait vraiment pas l'air d'un boute-en-train.

« Comment ça se passe à Bridle Lodge ? s'enquit Mark. J'ai entendu dire que vous aviez rénové les écluses.

— Oui.

— Ça représentait pas mal de travail.

— En effet.

— Avez-vous d'autres projets en vue ?

— Non », fit Brigham en lui jetant un coup d'œil.

« D'après ce que j'ai compris, c'est une belle maison *Arts and Crafts*. »

En guise de réponse, Brigham fronça les sourcils. D'accord, tu n'as pas envie de bavarder, se dit Mark. « Ça vous dérange si je retourne m'occuper de la livraison ? Nous sommes très occupés aujourd'hui.

— Non, répondit Brigham, je vous en prie, allez-y. »

Mark aperçut Catherine alors qu'il sortait du bureau. Il l'attendit ; elle s'adressa aux réceptionnistes avant de venir vers lui.

« Tu as l'air fatiguée, dit-il.

— Je viens de voir Robert.

— Où ça ?

— Il est venu à la maison.

— Tu vas bien ?

— Ça va.

— Qu'est-ce qu'il voulait ?

— Vendre. Tout partager équitablement. Il achète un appartement à Londres.

— Je vois, fit Mark. Eh bien c'est gentil de sa part de te mettre au courant. » Elle eut un sourire triste. « Tu es d'accord ?

— Je suppose.

— Tu n'es pas obligée de lui obéir comme un toutou, tu sais.

— Je sais.

— Sa mystérieuse petite amie l'accompagnait ?

— Non.

— Tu as de la visite, fit Mark en lui touchant le bras. John Brigham est dans mon bureau.

— C'est vrai ?

— Il est gai comme un pinson ce type, non ? Un vrai moulin à paroles. Il vient vérifier sa marchandise ?

— Je suppose que oui.

— Il a examiné le buffet…

— … qui est arrivé sans encombres, n'est-ce pas ?

— Bien sûr que oui, après ce périple de cinq kilomètres ! » plaisanta Mark en faisant la grimace. « Il a l'air déçu. » Il leva les sourcils avant de repartir vers la salle des ventes.

Elle le regarda s'éloigner, puis entra dans son bureau. John était déjà debout. « J'avais cru entendre ta voix, dit John.

— Qu'est-ce qui se passe ? demanda-t-elle en l'embrassant.

— Rien. Comment ça s'est passé avec Robert ?

— Je ne sais pas. Il achète un appartement à Londres.

— Et alors ?

— Pas grand-chose. »

Il la dévisageait. « Tu as du travail cet après-midi ?

— Un peu de paperasse, quelques coups de fil à passer. » Elle jeta un coup d'œil au mot que les réceptionnistes lui avaient donné. « Et je dois passer chez M. Williams. Il souhaite me voir. C'est urgent. Oh, mon Dieu, dit-elle en se laissant tomber sur une chaise.

— Que comptes-tu faire ? demanda John en s'asseyant près d'elle.

— Cet après-midi tu veux dire ?

— Non, à propos de Robert. Tu préfères rentrer ? Tu veux arrêter…

— Arrêter quoi ?

— Nous.

— C'est ce que tu penses ?

— Respirer un peu, maintenant que tu l'as revu. »

Elle eut un rire bref. « Et ça a quelque chose à voir avec nous ?

— Bien sûr que oui. »

Elle se demanda s'il était venu la voir, avec son air renfrogné, pour trouver un prétexte et rompre. Elle chassa cette idée de sa tête. Ce n'est pas possible, se dit-elle. Certainement pas. Tout simplement parce qu'elle portait sa marque : celle de ses mains, de ses pensées. Elle avait envie de fuir Robert, Mark, la salle des ventes, le bruit de la circulation. Assise, immobile, elle désirait John de toutes ses forces, c'était une nécessité physique : comme du sel fondant sur sa langue, sensation vive, intense, sèche dans sa bouche. Et ce manque si étrange qui ressemblait à de l'impatience : une minute, elle brûlait de respirer, loin de ses bras, de s'enfuir, et la minute suivante, brûlait d'être avec lui, de faire disparaître le monde en un clin d'œil, de l'oblitérer.

« Tu veux la vérité ? » demanda-t-elle.

Il lui avait pris la main, l'air un peu pensif.

« Je n'ai pas pensé une seule fois à Robert depuis des semaines. J'aurais dû, tu ne crois pas ? Tu ne crois pas qu'une femme qui vient de se faire larguer devrait se préoccuper de l'endroit où est son mari et de ce qu'il fait ? »

John affichait une expression indéchiffrable.

« Eh bien, je vais être honnête : je n'ai pas envie de penser à Robert, d'abord parce qu'il est prisonnier de ses principes et aussi parce que, depuis que je t'ai rencontré, il n'y a plus de place pour lui. »

À ces mots, John se détendit.

Catherine se pencha vers lui. « Je viens de parler à un homme qui… » Elle cherchait ses mots. « J'ai eu l'impression de mourir sur place, d'être devenue invisible…

— Tu ne l'es pas.

— De marcher dans un labyrinthe. C'était comment avec Claire ?

— Claire ?

— As-tu jamais eu l'impression d'être dans l'impasse ? Qu'elle ne comprenait pas ce que tu disais, une idée que tu avais eue, tes désirs ?

— Non.

— Tu avais l'impression que vous étiez deux entités bien distinctes, avec chacun vos sentiments ?

— Non, je n'ai jamais eu cette impression.

— Tu sais que ça, c'est un défaut », ironisa-t-elle.

Elle le tira brusquement par la main pour qu'il se lève. « Allez, emmène-moi loin d'ici », ordonna-t-elle.

Après le déjeuner, ils prirent la route de Sandalwood. Ils traversèrent la vallée où la rivière serpentait entre les collines. Lorsqu'ils tournèrent vers le village, le lit s'élargit aux dépens de la route. Sur la gauche, des massifs de roseaux parsemaient l'eau ; à droite, le sol montait en pente douce. On avait semé l'orge mais, trop courte pour ondoyer au gré du vent, elle s'étendait, verte et duveteuse, jusqu'au pied de la forêt. La route zigzaguait entre les champs, traversait des ponts. Ils arrivèrent enfin au village et remontèrent le chemin menant à la maison.

« Tu es venu au village en début d'année ? s'enquit Catherine.

— Non. »

Elle ralentit, franchit le portail avec précaution en roulant sur la grille qui empêchait le bétail de passer. Les branches enchevêtrées des lilas, dont on apercevait les premiers boutons violet et blanc, retombaient au-dessus de l'allée.

« Le cimetière jouxte la maison, expliqua Catherine. Au printemps, les perce-neige poussent sur les tombes. On en a planté pratiquement sur chacune d'elles. On dirait un lit de plumes. » Elle jeta un coup d'œil à John qui regardait la propriété à travers la fenêtre. Elle gara la voiture, mit le frein à main. « Pourquoi ne me dis-tu pas ce qui te chagrine ?

— Tout va bien.

— Tu m'as à peine adressé la parole. Et Mark m'a dit que tu n'avais presque pas desserré les dents.

— Je crois que je ne l'aime pas beaucoup, fit-il avec une moue.

— Mark ? s'écria Catherine, ébahie. C'est l'homme le plus gentil du monde. Qu'est-ce qu'il t'a dit ? Il a fait une plaisanterie, c'est ça ?

— Oui.

— Allez, ne le prends pas trop au sérieux. Il est adepte de l'humour noir. C'est le buffet qui t'inquiète ? La description dans le catalogue est parfaite, précise. Rien ne le distingue des autres et il est assuré.

— Il ne s'agit pas du buffet.

— Qu'est-ce que c'est alors ? » Catherine était inquiète car John ne s'était jamais montré aussi sec jusqu'ici.

« J'ai quelque chose à faire. »

Elle attendit. Il ne précisa pas. De toute évidence, il n'avait pas l'intention de se confier. Il lui rappelait Robert. Elle s'efforça de réprimer ce sentiment.

Après avoir frappé à la porte, Catherine resta un moment sur le perron à humer le parfum de la glycine blanche qui avait envahi la façade de la maison ; elle s'était enroulée autour des gouttières et rampait maintenant vers le toit.

John sortit de la voiture. Les martinets s'élançaient dans les airs en véritables virtuoses avant de disparaître sous les solives.

Catherine frappa à nouveau. À l'étage, un rideau flottait au vent par une fenêtre ouverte. « Il m'a appelée tôt ce matin, j'étais en ligne avec quelqu'un d'autre.

— Il s'est peut-être recouché, suggéra John. Quel âge a-t-il ?

— Quatre-vingts, quatre-vingt-cinq ? » Elle lança un coup d'œil dubitatif à la porte, puis à la fenêtre.

« Je vais essayer la porte de derrière », décida-t-elle.

Ils firent le tour en empruntant l'allée pavée couverte de mousse et de lichen, à l'ombre d'énormes conifères. Du liseron s'agrippait à leurs racines. Ils passèrent devant deux gigantesques baies vitrées certainement plongées dans une obscurité permanente, même quand les lourds rideaux n'étaient pas tirés. Catherine remarqua les volutes de moisissure sur la doublure, la peinture craquelée sur le châssis des fenêtres, les coulures de rouille le long du mur.

Ils passèrent par le portillon du jardin pour accéder à l'arrière de la maison. La terrasse était plongée dans un demi-jour sinistre, tant les arbres alentour étaient touffus. Presque invisible à cause de l'obscurité, une remise se dressait là, assaillie par une plante grimpante vert tendre aux fleurs blanches étoilées. Le cadenas ouvert pendait de la serrure ; le plancher était pourri. Elle était abandonnée depuis des années, se dit Catherine.

John et elle entrèrent par la porte de service.

« Monsieur Williams, vous êtes là ? »

Catherine n'obtint pas de réponse, si ce n'est le miaulement hystérique d'un chat qui se précipita vers eux. Elle lui tendit la main, mais il recula. « Qu'est-ce qu'il y a ? Tu as faim ? »

Il s'enfuit, queue dressée, et gagna la terrasse ; puis il se retourna pour leur jeter un regard mauvais, braquant sur eux ses yeux jaunes.

« Monsieur Williams ! », appela Catherine en arrivant dans l'entrée.

Ils vérifièrent dans la cuisine. Des placards et un égouttoir en bois délavé par l'eau de javel, deux robinets en fer au-dessus de l'évier en pierre : elle était démodée, mais propre et bien rangée.

« John, chuchota Catherine, viens voir. » Elle l'emmena à l'autre bout de l'entrée, elle aussi d'une netteté méticuleuse avec ses bois de cerfs servant de portemanteau et son porte-parapluie, la faïence de Delft craquelée sur les murs et les assiettes que M. Williams ne jugeait pas bon de vendre. Il recevait toujours Catherine dans la pièce située à gauche de la porte d'entrée qui ressemblait à une salle d'attente avec sa rangée de chaises edwardiennes et sa petite table en pin. Catherine y conduisit John : c'était un espace confiné guère plus grand qu'un placard, l'endroit où, à l'origine, les domestiques faisaient sécher le linge et ciraient les chaussures de leurs patrons. Des crochets avaient été alignés sur le mur, au-dessus de placards lambrissés sur lesquels on avait posé des coussins de brocart vert, aplatis à l'usage, fanés par les années.

« Oh, mon Dieu », murmura John.

Les murs ocre pâle étaient couverts de photos, toutes encadrées ; à l'exception d'une poignée d'entre elles, elles représentaient toutes la même femme. Catherine examina la plus proche, le portrait réalisé en studio d'une jolie jeune fille vêtue d'une robe à col souple, aux cheveux crantés ramenés sur la joue. Elle souriait avec modestie, menton baissé. Les années donnaient à la photo une teinte sépia. La jeune fille ne devait pas avoir plus de dix-huit ans ; sur ses genoux reposait un petit bouquet de violettes.

À côté, une photo de mariage. Petite et plutôt floue, on y voyait une foule d'invités se presser sur le vaste perron d'une maison de campagne qui n'était pas Sandalwood. Cette photo respirait l'opulence : les femmes portaient des fourrures et des bottines sophistiquées en dépit de la vive lumière du soleil. Au premier plan, au centre de la photo, on distinguait les mariés ; la jeune femme aux violettes arborait à présent une robe à longue traîne de dentelle et tenait un bouquet de lys. L'homme à ses côtés n'était autre que M. Williams, mal à l'aise avec son col amidonné et sa jaquette.

Plus loin, une succession de clichés pris dans divers pays étrangers ; une inscription à l'encre noire courait en diagonale sur chacun d'entre eux. « Jaipur 1946, Sandy et Denny Marshall, le Colonel et Mme Powell. » Là, dans ces avant-postes perdus et poussiéreux, sur ces collines, panamas, treillis et tenues de soirée étaient de rigueur. Chameaux agenouillés près d'un puits, petits garçons nus, mains croisées derrière le dos au bord de l'eau. Une jeep militaire arrêtée à un carrefour au milieu de nulle part ; un promontoire rocheux sur fond de grands espaces déserts, des hommes, cou et visage enveloppés d'écharpes de coton pour se prémunir du vent.

La jolie jeune fille aux violettes, âgée d'une trentaine d'années sur cette photo, était à présent allongée au bord d'une piscine, le regard caché derrière des lunettes noires, cigarette à la main. Près d'elle, sur une petite table, des cartes à jouer voisinaient avec un shaker à cocktail.

« Regarde ça », s'exclama John.

Il venait d'ouvrir une penderie à l'autre bout de la pièce où étaient rangées les toilettes de toute une vie : manteaux, robes, robes de bal, pulls, jupes, chaussures par dizaines maintenues en forme par du papier de soie froissé, comme si leur propriétaire était susceptible de s'en servir d'une minute à l'autre. Écharpes, gants, mouchoirs, même, dessous placés sur des étagères coulissantes et parfumés avec de petits sachets de lavande.

John dévisagea Catherine. « Tu as déjà vu un truc pareil ?

— Pas dans un tel état, non.

— Il a conservé tout ça précieusement, comme des reliques. »

Ils regagnèrent l'entrée, encore enveloppés par le parfum de gardénia de la disparue.

Ils ouvrirent la porte de la chambre ; le rideau à moitié tiré, coincé sous la fenêtre à guillotine, était celui que Catherine avait aperçu depuis le perron.

Le lit à deux places était recouvert d'un édredon de satin rouge et d'oreillers ornés d'un entrelacs de roses. Sur le papier peint courait un motif de roses anglaises anciennes aux pétales doubles, rouge sur fond blanc. C'était une chambre d'une féminité exacerbée, apparemment restée intacte depuis les années soixante. Les rideaux de damas bouillonnés étaient eux aussi frappés d'un motif de rose.

Une large bergère était installée au pied du lit, de dos à la porte.

John s'en approcha pour voir qui l'occupait. La surprise lui coupa le souffle. « Qu'y a-t-il ? » s'enquit Catherine.

Elle fit mine de s'approcher, mais il lui fit signe de ne pas bouger.

Catherine remarqua d'abord la photo de la jeune fille aux violettes dans un cadre doré posé sur l'édredon, près du fauteuil. Puis elle vit les mains – la peau parcheminée, les articulations livides – posées sur les genoux de M. Williams, détendues, le bout des doigts bleu. Les genoux du vieil homme étaient trempés de sang.

Il avait le visage blême, inexpressif. Ses yeux ouverts fixaient la photo posée devant lui, des yeux d'un bleu de céanothe fané. Il était vêtu de son plus beau costume, au col froissé mais propre. Il portait la cravate de son régiment et l'insigne d'une organisation de charité au revers de sa veste.

Catherine découvrit le couteau dont il s'était servi, un petit canif au manche de nacre posé sur ses genoux. Il s'était tranché les veines et avait patiemment attendu sans bouger.

Il était deux heures du matin lorsque John renonça à dormir. Catherine venait enfin de s'assoupir. Couché sur le dos, John regardait depuis un moment la lumière danser sur le plafond, déterminé à chasser les évènements de la journée de son esprit.

Mais les souvenirs l'assaillaient, obsédants : l'ambulance, la police. Le corps que l'on emportait, le bruit des pas dans l'entrée. Le déclic des appareils photos dans la chambre. Il était debout sur le palier quand on avait soulevé le corps de M. Williams pour le mettre dans le sac mortuaire. Il n'en revenait pas de la plasticité des bras et des mains, même après que la rigidité cadavérique fut un peu passée. La tête avait un peu dodeliné. Les chaussures, lacées et cirées, paraissaient pathétiques, l'effort pour paraître présentable maintenant anéanti.

Quelle fin pitoyable, quel gâchis ! Cela dit, la mort en soi avait un côté pitoyable. Il n'y avait que les vivants pour se soucier de la dignité, songeait John. Parfois pour se rassurer, comme des enfants effrayés par l'obscurité.

Quand il était petit, il avait peur du noir ; même âgé de sept ou huit ans, il ne pouvait dormir sans lumière. Ça ne l'aidait pas beaucoup : dans l'ombre projetée sur les murs, il distinguait des spectres réunis pour l'observer. Il entendait des bruits de pas, croyait voir des volutes de fumées ramper par terre. On n'arrivait pas à le rassurer, même en lui expliquant que ce n'était qu'un rêve. « Tu as simplement cru que tu étais réveillé », lui disait sa mère.

Il se demandait maintenant, tant d'années plus tard, dans l'obscurité de cette chambre, bercé par la respiration de

Catherine, s'il avait jamais surmonté les cauchemars de son enfance. S'il se laissait aller, il apercevait toutes les choses qu'il n'avait pas envie de voir, silencieuses, regroupées dans son champ de vision.

Il finit par se lever. Tout ça ne servait à rien. Ça ne le mènerait nulle part. En fait, cela ne ferait que rendre les choses plus difficiles.

Il n'arrêtait pas de voir le visage de M. Williams, la résignation qu'il avait lue dans ses yeux.

Il avait fait des choix, songeait-il. Petit à petit, un tableau après l'autre, M. Williams avait mis sa vie aux enchères au fil des années – ce qui lui coûtait énormément, d'après Catherine. C'était à chaque fois un nouveau déchirement. Catherine lui avait dit ce soir qu'à son avis, en vendant le dernier portrait, celui de l'aquarelliste écossais, M. Williams avait fait ses adieux au monde. C'était son objet préféré, ultime pièce d'une collection réunie avec sa femme. La lui vendre équivalait à rédiger une lettre de suicide, encore plus parlante en un sens que le couteau reposant sur ses genoux.

Moi aussi j'ai un sanctuaire en bas, se dit John.

Il approcha de la fenêtre, tira légèrement le rideau et se pencha pour regarder le jardin. C'était une nuit calme et étoilée. Il apercevait distinctement la Grande Ourse, presque exactement au-dessus de sa tête. Les Pléiades. En Espagne, elles lui paraissaient plus proches qu'ici. Un jour, il avait appris leurs noms et pendant des semaines, des mois, avait observé leur lente procession à travers le ciel. Miraculeux voyage de la lumière, témoignages vacillants de mondes millénaires. Flammes qui éclairent la voie.

En Espagne, il s'était sérieusement consacré à sa collection. Parfois, il revenait même spécialement à Londres pour un objet précis. Il était sans doute allé assister à des enchères chez Bergens à l'époque où Catherine y travaillait. Bizarre qu'elle ait peut-être été si proche au moment où il s'efforçait de combler le vide.

Il avait rempli la nuit étoilée d'objets. Il ne les conservait même pas chez lui : il avait loué un box miteux dans la banlieue de Malaga. Il y amenait son trésor bien emballé dans un carton et le laissait en compagnie de tous ses autres trésors. Un carton parmi tant d'autres. Il aurait été incapable d'expliquer pourquoi cela marchait. Cela relevait de la folie, du mécanisme de deuil. Il enfermait des objets magnifiques dans des cartons avant de les cacher, et puis il les visualisait, dans leur box anonyme sur une zone industrielle, au milieu de meubles et d'objets stockés là par d'autres. Des centaines de petits trésors dérobés aux regards dont lui seul connaissait l'existence.

Savoir qu'ils existaient lui suffisait.

À son retour en Angleterre, il avait demandé aux déménageurs de poser tous les cartons dans le salon. Avant de les vider, il avait installé l'alarme. Il lui avait fallu deux jours pour tout défaire, parce qu'à chaque objet était attaché un souvenir.

Moi aussi, j'ai conservé ces objets comme des reliques, songea-t-il.

Cette idée lui coupa le souffle. Il lâcha le rideau en suffoquant, mains sur les hanches, tête penchée sur la poitrine. Il se tourna vers Catherine en essayant de distinguer son visage dans l'obscurité. Elle s'agita, comme si elle avait senti son regard. Il y eut une ou deux secondes de silence avant qu'elle ne prononce son nom. Il la rejoignit.

« Tu n'arrives pas à dormir ? », demanda-t-elle en se redressant sur un coude et en se passant une main dans les cheveux.

Il la caressa. Elle avait chaud. « Je vais tout vendre, annonça-t-il. Tout ce qui est en bas.

— Quoi ? fit-elle, déconcertée. Qu'est-ce que tu veux dire ? Pourquoi ? »

Il essaya de trouver une raison qu'elle pourrait comprendre. « Je ne veux pas finir comme lui », dit-il. Catherine lui prit la main, chassa quelques-unes des ombres qui montaient la garde près de la porte et l'empêchaient d'avancer.

Il avait envie de lui faire confiance, de tout lui dire, de lui ouvrir son cœur ; il se demandait – les spectres, près de la porte, rampaient vers lui maintenant, se rapprochaient, la fumée serpentait sur le sol de sa mémoire – s'il pouvait s'en remettre à Catherine Sergeant. Pas simplement pour ses objets, aussi précieux soient-ils, mais pour tout ce qu'ils représentaient. S'en remettre complètement à elle.

Se décharger des inestimables secrets qu'on lui avait confiés.

18.

John avait oublié à quoi Londres pouvait ressembler. Debout à l'angle du Strand et de Whitehall, dans l'exceptionnelle chaleur de mai, il attendait à un feu rouge. Les travaux à Trafalgar Square transformaient la ville en véritable bourbier : les trottoirs étaient défoncés, des barrières rouges et blanches s'élevaient à chaque intersection, les piétons jouaient des coudes aux passages cloutés.

Le ciel était du bleu turquoise auquel il pensait avoir renoncé en quittant l'Espagne, l'atmosphère moite. Il jeta un coup d'œil en direction du lion de Landseer au pied de la colonne Nelson : l'un et l'autre paraissaient gigantesques au milieu de cette marée humaine.

Lorsqu'il atteignit enfin le square, il s'aperçut que l'on aménageait une nouvelle place devant la National Gallery : de là, des marches mèneraient à l'entrée ainsi protégée de la circulation. Il eut un coup au cœur en comprenant qu'il ne reverrait jamais de bus rouge à impériale passer devant le musée. C'était pour lui une des images typiques de Londres, au même titre que les gardes de la reine regagnant la caserne des Horseguards en longeant le côté est de Hyde Park ou les bateaux passant sous le Putney Bridge lors de la *University Boat Race*, la course d'aviron opposant Cambridge et Oxford.

Il remonta St Martin's Lane, passa devant le théâtre et le restaurant où à une époque, il passait le plus clair de son temps, traversa la cacophonie de Leicester Square, le flot de touristes sortant du métro. Londres étouffait par trente degrés et des bouffées de climatisation s'échappaient des portes. Sa chemise lui collait à la peau ; il haussa les épaules pour regagner un peu d'aisance. Helen adorerait le voir arriver tout chiffonné : elle lui en ferait la remarque dès qu'il passerait le seuil.

Il arriva en retard au restaurant, quelques minutes après treize heures. Il descendit l'escalier. L'endroit ressemblait à un vieux cinéma des années trente, avec des colonnes de mauvais goût et une rampe en cuivre. Au pied des marches, les néons orange et rouge d'une installation d'art moderne vibraient par intermittence. Il avait toujours détesté cet endroit, et cela n'avait pas changé. Il le trouvait sinistre et prétentieux. Il y avait une vague odeur chimique, rappelant celle du chlore. Pourtant, Helen avait choisi de le retrouver ici.

Elle attendait à une table juste au centre du restaurant, vêtue d'une mini robe qui n'était vraiment plus de son âge. Les fines bretelles vert acide mordaient ses épaules, remarqua John en l'embrassant. Elle portait un parfum capiteux et coûteux ; en fait, se dit-il, elle est excessive en tout – trop sexy, trop maquillée, trop de grimaces en guise de sourires. Il connaissait bien cette expression et éprouva un pincement au cœur.

« Comment vas-tu ? demanda-t-il en s'asseyant.

— Bien. » Elle avala une bonne gorgée du gin tonic qu'elle avait commandé.

« Il fait chaud.

— Trop », renchérit-elle.

Le serveur s'approcha de leur table ; ils étudièrent les menus et passèrent commande. Elle paraissait plus âgée, songea-t-il, mais quand elle était de cette humeur, c'était toujours le cas. « Tu vas bien ?

— Je viens de te le dire.

— J'ai eu ton message… »

Elle baissait les yeux. Puis soudain, elle posa la main sur celle de John. C'était un geste triste, comme si elle s'agrippait pour ne pas tomber. « Parle-moi de toi. Tu as vendu la maison d'Alora ?

— Non, elle est louée.

— C'est vraiment joli comme endroit. » Elle lui avait rendu visite là-bas une fois, un an auparavant, mais était restée moins longtemps que prévu. Elle n'avait pas dit grand-chose pendant son séjour, et si elle s'était fait une opinion de la maison, elle ne la lui avait pas fait partager. Il l'avait plutôt trouvée mal à l'aise, énervée. C'était l'été, et la veille de son départ elle s'était plainte d'avoir trop chaud. « J'étouffe », lui avait-elle expliqué. Elle était partie le lendemain dans sa voiture de location non pas pour se rendre à l'aéroport, comme il l'avait découvert plus tard, mais pour se diriger vers le nord, vers les montagnes et au-delà.

« Cet endroit dans le Dorset, c'est un cottage aussi ? demanda-t-elle.

— Non, je me suis un peu lâché », admit John.

Elle lui sourit. Elle pouvait être tellement charmante et jolie quand elle s'en donnait la peine, songeait-il. « Il faut que je vienne voir cette maison.

— Oui, viens dès que tu auras des vacances.

— Oh, je suis en vacances prolongées, dit Helen en riant doucement.

— Ah bon ? » L'estomac de John se serra à cause du ton de sa voix. Un paquet de cigarettes était posé près de son assiette et elle tournait et retournait un briquet dans sa main.

Leur commande arriva. Il avala une bouchée, elle prit sa fourchette. « Écoute, j'ai des ennuis, John. »

Il ne servait à rien d'essayer d'anticiper ce qu'elle allait lui dire. Il pouvait s'agir de n'importe quoi.

Elle reposa sa fourchette sans avoir touché à son plat. « Je veux vendre », annonça-t-elle.

Il sentit le poids de cette vieille querelle l'écraser, comme si le passé revenait pour s'en prendre à lui – vieil ennemi qui prenait vie, le malmenait, le frappait en pleine poitrine. « Pourquoi ? s'enquit-il.

— Pour l'argent, quoi d'autre ?

— Tu en as besoin ? »

Elle s'empara du briquet, le serra fort dans sa main, le caressa du bout des doigts. « Tu as besoin d'argent parce que tu as perdu ton travail ?

— Oui, entre autres.

— Eh bien, laisse-moi t'aider », proposa-t-il. Il l'avait déjà fait par le passé. « Combien te faut-il ?

— Écoute », dit-elle en haussant le ton, « est-ce qu'on va continuer à avoir la même conversation jusqu'à la fin de nos jours ?

— Quelle conversation ? »

Exaspérée, elle eut un rire rauque. « Oh, pour l'amour du ciel, John, je t'en prie : ne m'oblige pas à te supplier.

— Je viens de t'offrir tout ce que tu veux.

— Mais je ne veux pas de ton argent ; je veux simplement la part qui me revient de droit.

— Helen, elle ne t'appartient pas plus qu'à moi.

— Bien sûr que si ! » dit-elle sèchement en haussant nettement la voix. « Bien sûr que si ! Ça n'a aucun sens de tout garder. Pire, en fait : c'est criminel.

— Personne n'est au courant.

— Pour quelqu'un d'intelligent, tu peux te montrer vraiment idiot parfois. »

Il ne répondit pas tout de suite. « Tu as raison », murmura-t-il.

Elle parut surprise, l'imita pour se moquer de lui.

« Mais seulement quand tu dis que je suis idiot », ajouta John.

Le serveur remporta les plats auxquels ils n'avaient pas touché. Helen alluma une cigarette.

Ils ne dirent rien pendant quelques minutes. Elle commanda un autre verre ; on le lui apporta et elle prit un malin plaisir à faire courir ses doigts sur le pourtour un moment. « Écoute », finit-elle par s'exclamer, le visage empourpré, « j'ai vraiment besoin d'argent, John. Je ne plaisante pas.

— Je ne peux pas... »

Elle tapa du poing sur la table pour lui couper la parole. « Si, tu peux, s'écria-t-elle. Il le faut. » Elle avança sa chaise. « Je t'interdis de me traiter comme ça. Je n'ai pas dix ans, John. J'en ai trente-huit, bon sang. Je suis sans emploi. Je veux m'acheter un endroit à moi. Avoir quelque chose rien qu'à moi. J'ai besoin d'argent », dit-elle, la voix brisée. Elle s'adossa lourdement à sa chaise et le dévisagea.

« Qu'est-ce qui s'est passé ? demanda John.

— Rien.

— Il y a autre chose que la perte de ton travail.

— Non. »

Il savait qu'elle mentait. Il le savait à cause du ton de sa voix, ce ton évasif qu'il connaissait, et à cause de l'expression de son visage. Son air meurtri.

« ... et au cas où tu l'ignorerais, disait-il, les prix de l'immobilier à Londres sont exorbitants.

— Oui, je suis au courant. »

Elle écarta les mains. De la cendre tomba par terre. « J'ai besoin de l'argent de la caution.

— Et tu n'as pas assez ? demanda-t-il. Tu as gagné une fortune ces dernières années.

— Et toi, tu as de l'or entre les mains ; tu pourrais t'en défaire et nous rendre la vie plus facile à tous les deux. »

Il sentit une légère pression, comme une corde que l'on tordrait juste en dessous de sa clavicule. Il but une gorgée d'eau. « Dis-moi ce qu'il s'est passé », l'enjoignit-il doucement.

Elle se mordit la lèvre. Il attendit. Elle soutenait son regard. « J'ai perdu un bébé, annonça-t-elle.

— Quoi ? » Il essaya de lui prendre la main, mais elle la cacha sous la table.

« Inutile d'avoir pitié, c'était un avortement.

— Helen, Heeble, je suis désolé. »

Il l'avait appelée par son surnom de petite fille. Son origine s'était perdue dans la nuit des temps ; ils ne se rappelaient ni l'un ni l'autre pourquoi elle en avait hérité. Pourtant, la spontanéité avec laquelle il venait de s'en servir lui fit monter les larmes aux yeux et sa carapace se fissura. « Trente-huit ans », fit-elle en essuyant les larmes qui coulaient sur ses joues, « et tellement idiote.

— Qui est-ce ?

— Un acteur.

— Je l'ai déjà rencontré ? » demanda John en lui tendant son mouchoir. « Je le connais ?

— Peu importe qui c'est.

— C'était son idée ?

— Il n'était pas au courant.

— Helen… »

Elle sortit une autre cigarette du paquet, essaya maladroitement de l'allumer. « Je ne le vois plus.

— Je suis sincèrement désolé. Qu'est-ce que je peux faire ? »

Elle le regarda.

« Je ne peux pas dilapider l'héritage, lui dit-il.

— Si, tu peux.

— Il y a une clause… en interdisant la vente… tu le sais.

— On s'en fout ! Ce truc a été rédigé il y a plus d'un siècle. Ça n'intéresse plus personne aujourd'hui. Un peintre dont personne n'a jamais entendu parler, en plus. Tout le monde s'en contrefout.

— Pas moi. »

Les volutes de fumée s'élevaient dans les airs. La lumière des néons de l'installation vacillait sur le mur d'en face. John avait déjà vu cet air abattu, cette vacuité dans le regard. Il y avait de cela douze ans, quand il l'avait trouvée assise par terre dans sa cuisine, genoux ramenés contre la poitrine, la fiole marron posée près d'elle, vide.

Qu'est-ce que tu as pris ? lui avait-il demandé.

Il avait dû s'accroupir et s'approcher d'elle tout doucement. Elle le regardait comme un chat regarde une souris, patiemment. Ses yeux souriaient sans la moindre joie. Il était convaincu qu'elle allait se ruer sur lui s'il s'approchait trop près. Pourtant, quand il avait attrapé la fiole pour lire l'étiquette, elle n'avait pas réagi.

Combien ? Pas tout quand même ?

Douze ans. Le souvenir était si vivace que cela aurait pu dater de quelques heures ou quelques jours. Ça le terrifiait toujours. L'ombre du désespoir planait dans la petite pièce. Il avait l'impression d'être sous l'eau dont le miroitement floutait la réalité ; ils nageaient tous les deux. C'était à peine huit mois après la mort de Claire.

Après qu'il l'eut appelée des jardins de la maison de John Soane le jour de la mort de sa femme, Helen l'avait amené dans son appartement, un logement de fonction dans le vieil immeuble GLC, avec vue sur le fleuve. Elle était exaltée alors, les mots se bousculant dans sa bouche. Elle l'avait aidé à organiser les obsèques et, dans l'esprit de John étaient associés l'impression d'être à la dérive, impuissant, et le tir nourri des instructions données par Helen, son agitation le jour de la cérémonie. Le retard des voitures du cortège l'avait fait bouillir de rage. « C'est moi qui ai préparé ce spectacle », lui avait-elle dit quand il lui avait demandé pourquoi cela la dérangeait. « Ça n'a rien d'un spectacle », avait-il répondu, blessé. « Tu vois ce que je veux dire. » Elle faisait les cent pas dans la cour, surveillait la route. Et puis, elle était revenue vers lui, des larmes plein les yeux, s'excusant platement. « Tu dois penser que je suis un monstre. Ce n'est pas ce que j'ai voulu dire. »

À l'arrivée des voitures, John avait été anéanti de voir combien de fleurs sa sœur avait commandées. Claire aimait les choses simples et n'aurait pas apprécié les couleurs bariolées du cortège. Mais il n'avait rien osé dire : il serait passé pour un ingrat. C'était exactement ce qu'il était, sans doute, avait-il songé à l'époque.

Les jours suivants, il avait remarqué – mais à travers cet épais brouillard – que sa sœur dormait à peine. Helen lui tenait compagnie pendant qu'il était éveillé. Il essayait de la persuader d'aller se coucher, mais elle prétendait ne pas avoir besoin de repos : son travail était très prenant, elle préparait un feuilleton. Elle relatait toujours les disputes et les réunions de la même façon : elle avait dominé des adversaires plus faibles qu'elle, elle travaillait avec des imbéciles, le système reposait entièrement sur ses épaules. Il avait l'impression d'être emporté par un ouragan. Elle le déconcertait. Il avait du mal à suivre son raisonnement, comme s'il était convalescent, ou toujours malade.

Les choses avaient commencé à se gâter au moment de l'accident.

Assis à la fenêtre de l'appartement, à peine dix jours après les obsèques, il avait assisté à la scène. Il essayait de travailler ce matin-là, son bloc-notes et son carnet d'adresses près de lui. Il pleuvait, la bruine tombant presque à la verticale sur le fleuve. Il s'était retrouvé à observer la dragueuse et les péniches en pensant à l'époque où de nombreux bateaux faisaient le va-et-vient sur la Tamise aux environs des docks, près des quais où arrivaient le thé, le sucre et le tabac, plus à l'est. Il pensait à l'histoire qu'un collègue de bureau lui avait racontée : pendant la guerre, son père docker chargeait et déchargeait du bois. Il lui avait parlé de l'odeur de la sève de pin, de camphrier, de cèdre qui imprégnait les vêtements de son père. Il se souvenait d'avoir entendu, petit garçon, le ronronnement des moteurs d'avion avant que les sirènes ne retentissent, d'avoir vu les projecteurs percer les ténèbres, et d'avoir senti le souffle tout-puissant des bombes. Le lendemain, une multitude de petites échardes d'acajou couvrait le sol.

Le nom des rues était évocateur du passé : Plantation Wharf, Trinidad Wharf, Smugglers Way, Jews Row, Cotton Row, Ivory Square. Leur histoire s'était évanouie, réduite au seul témoignage des plaques de rues. Il se disait qu'il s'était produit une coupure nette dans l'histoire : Londres pré et post 1950, deux mondes n'ayant pratiquement rien en commun. Le temps des dockers et des bateleurs n'était plus qu'un vague souvenir. Pour lui aussi, il y aurait un avant et un après : de l'autre côté de la rivière, il y avait Claire dont le souvenir s'estompait rapidement, l'être de chair et de sang laissant place à une image, une esquisse sur du papier. Claire se résumait à présent aux numéros qui l'identifiaient : dossiers médicaux, relevés de compte. Elle s'en était allée, comme les navires et les cargos, en ne laissant derrière elle qu'un faible écho de sa présence.

Et il avait pensé – ride dans les eaux miroitantes, sans la moindre importance, la moindre conséquence directe, pensée anodine – à sortir de l'appartement, traverser la rue pour aller contempler l'eau du fleuve. Il avait ressenti comme une évidence le besoin de mettre un terme à cette lancinante insomnie.

Et puis, il avait entendu le bruit.

Au volant de sa petite Fiat, Helen était en train de faire un demi-tour au milieu de la chaussée. Elle n'avait évidemment pas la place, la route n'étant pas prévue pour ce type de manœuvres. Elle avait percuté un taxi arrivant à toute vitesse sur la voie intérieure. Elle n'était pas blessée, mais le passager du taxi n'avait pas eu cette chance, et il avait fallu appeler une ambulance. À l'arrivée de John sur les lieux, Helen se trouvait au beau milieu de la rue en pleine dispute avec un policier. On portait le blessé dans l'ambulance. Helen ressemblait presque à un spectre, vêtue de son tailleur gris, les cheveux plaqués au crâne par la pluie. Trempée, elle n'en continuait pas moins à protester, refusant de faire quoi que ce soit concernant sa voiture, ou même de donner ses nom et adresse. Elle répétait qu'elle n'y était pour rien.

Il avait fini par la ramener chez elle, après avoir passé la moitié de la nuit au commissariat. Elle était surexcitée, dans tous ses états, si bien qu'il avait appelé son médecin. C'était ce jour-là qu'il avait entendu les mots « syndrome bipolaire » pour la première fois.

Il ignorait, lui le grand frère qui n'habitait plus chez ses parents pendant l'adolescence d'Helen, qu'elle en était atteinte – ou du moins que le diagnostic avait été posé – depuis l'âge de dix-neuf ans. Leur grand-mère, dont John se souvenait à peine, était atteinte du même syndrome. Helen savait qu'elle était malade mais ne lui en avait jamais parlé, ne lui avait jamais montré son traitement. Assis dans la cuisine minimaliste et high-tech d'Helen, symbole de sa réussite, il écoutait le médecin expliquer à quoi allait ressembler la vie de sa sœur : l'alternance de périodes d'excitation et de dépression, la manie et les obsessions qui constitueraient son paysage intérieur. Il n'y avait aucun remède. Pendant les phases maniaques, elle serait euphorique, optimiste, ferait preuve d'arrogance, d'un manque de discernement, d'agitation et souffrirait d'insomnies. Pendant les phases de dépression, elle se sentirait triste, coupable et épuisée. Elle aurait du mal à se concentrer, deviendrait suicidaire.

Ce dernier détail, présenté avec calme, avait rempli John d'horreur. C'était justement à cela qu'il pensait ce jour-là, quelques secondes avant l'accident : il avait prévu de sortir et de se laisser tomber dans le piège qu'il apercevait depuis sa fenêtre.

Il lui avait fallu quelques jours pour se persuader qu'il ne souffrait pas de la même maladie que sa sœur. Il décida de découvrir quels médicaments elle prenait et à quelle dose. Elle se laissait faire, ne s'exprimait pratiquement que par monosyllabes. Elle était à présent aux antipodes de ce qu'elle avait été jusque-là, lui lançant des regards emplis d'indifférence. Jour après jour, elle se faisait porter pâle au travail.

Parfois, durant les épisodes dépressifs, elle s'efforçait de se reprendre. Il avait toujours pensé que ces tentatives rendaient sans doute la situation plus poignante, plus triste que si elle était restée étendue sur le canapé, les yeux dans le vague. Elle s'habillait avec soin, se maquillait trop et sortait. Faire un tour, prétendait-elle. Mais elle rentrait ivre, ou, pis encore, plus perturbée, plus tendue que jamais, avec cette horrible expression d'agressivité et de désespoir mêlés.

Elle en était à son troisième verre à présent. « Viens chez moi, proposa-t-il. Je veux te présenter quelqu'un.

— Qui ?

— Elle s'appelle Catherine Sergeant.

— Alors, ça y est, fit Helen en hochant la tête lentement.

— Eh oui, ça y est.

— Qui est-ce ? Qu'est-ce qu'elle fait dans la vie ?

— Elle travaille pour une maison de ventes. Une petite entreprise régionale. Je leur ai vendu un meuble, c'est là que je l'ai rencontrée.

— Une maison de ventes ? répéta Helen. En quoi consiste son travail ? Elle est vendeuse ou quoi ?

— Elle est expert.

— En quoi ? En immobilier ?

— Non, en objets d'art. »

L'atmosphère devint glaciale. Helen posa son verre. « En objets d'art ?

— Pas simplement en œuvres picturales. »

Helen rit. « Merde alors, tu couches avec un expert en art ? » Leurs voisins de table leur jetèrent un coup d'œil. « Hip, hip, hip, hourra !

— Helen, arrête, s'écria John.

— Et je suppose que vous avez eu tout un tas de gentilles petites conversations au sujet d'un peintre bien précis, je me trompe ?

— Helen...

— Quel âge a-t-elle ?

— Quel rapport ?

— Quel âge a-t-elle ?

— Bientôt trente ans. »

Helen éclata de rire. « Trente ans ? Trente ans ! » fit-elle en levant les yeux au ciel. « Bon sang, John.

— Tu pourrais être contente pour moi.

— Contente ? Tu couches avec un marchand d'art de vingt ans ta cadette et il ne t'est pas venu à l'idée qu'elle s'intéresse peut-être à autre chose qu'à ton incroyable jeunesse et ta vitalité ? »

Ce sarcasme blessa John plus qu'Helen n'aurait pu l'imaginer. Elle le dévisageait, essayant de toute évidence de déchiffrer ce qu'elle voyait dans ses yeux. « Tu es amoureux d'elle », dit-elle.

Il ne répondit pas.

« Bordel de merde, marmonna Helen.

– Arrête.

— Bordel de merde. » Elle sourit.

Il détestait ce sourire ; il lui glaçait le sang. Il l'effrayait. « Helen, murmura-t-il, tu prends toujours de la paroxetine ?

— Je n'en ai jamais pris, ça prouve à quel point tu me connais.

— Qu'est-ce que tu prends alors ? De l'olanzapine ? »

Elle lui lança un regard vénéneux. « Pourquoi tu fais ça à chaque fois ? Pourquoi toujours remettre ça sur le tapis ?

— Tu prends du lithium en ce moment ?

— Oui.

— De façon régulière ?

— J'aimerais que tu ne me traites pas comme un bébé.

— Tu l'as pris régulièrement cette semaine, ce mois-ci ?

— Oui, oui et re-oui ! Qu'est-ce que tu veux de plus ? Je te dis que oui. »

Il ne la croyait pas.

« Tu ne me mets pas forcément au courant à chaque fois que tu prends de l'aspirine.

— Ça n'a rien à voir.

— Pour moi, c'est pareil. Maintenant, pour l'amour du ciel, change de sujet. Je ne suis pas venue pour que tu me donnes une leçon sur la bipolarité.

— C'est important.

— Je pense que je suis mieux placée que toi pour savoir à quel point c'est important, fit-elle en s'empourprant. Et je n'ai pas besoin de toi, ni de quiconque, pour me le rappeler. »

Ils restèrent silencieux pendant un long moment. Les voisins de table reprirent le fil de leur conversation, ayant perdu tout intérêt pour celle de John et Helen. John se sentait essoufflé, comme s'il avait couru ou soulevé un poids. Il était partagé entre pitié et agacement.

« Alors, finit-elle par dire, cette femme, Catherine… »

Il se demandait ce qui allait suivre.

« De quoi est-elle au courant, au juste ?

— De rien.

— Rien du tout ?

— Elle a vu certains objets de ma collection.

— Mais pas tout ?

— Non.

— Tu me dis la vérité ?

— Ça ne ferait aucune différence si elle était au courant. Catherine est une personne honnête.

— Ah, ça ne changerait pas l'opinion qu'elle a de toi ? Pas le moins du monde ? »

Helen avait mis le doigt sur ce qu'il refusait d'admettre : il n'avait pas dit toute la vérité à Catherine à propos de lui, du fardeau qui les avait éloignés, Helen et lui, du secret qu'il l'avait convaincue de garder pendant toutes ces années, de peur que cela n'altère leur relation. Comme cela avait altéré, empoisonné même, sa relation avec sa propre sœur.

« Une personne honnête, s'écria Helen. Tu en jurerais ?

— Oui, j'en jurerais.

— Et tu serais prêt à sacrifier tout ce que tu as ? »

Ils se dévisageaient. John ne répondit pas.

« Alors tu serais prêt à mettre ta vie entre ses mains, c'est ça ? » Elle sourit en articulant chaque mot avec précision. « Ça m'étonnerait. »

John dévisagea sa sœur pendant un long moment.

« Je suis heureuse de voir qu'il te reste encore un peu de jugeote », dit Helen. Elle alluma une nouvelle cigarette, commanda un café. Elle se plaignit auprès du serveur que son plat n'avait pas l'air appétissant. Une longue conversation s'ensuivit, le maître d'hôtel dut se déplacer. Elle insistait, bornée ; on lui présenta des excuses. John assistait à la scène, écœuré par sa propre lâcheté. Il n'arrivait pas à se séparer de sa collection, c'était la vérité. Ni pour Helen, ni pour Catherine.

Il était prisonnier d'une promesse faite plus d'un siècle auparavant.

Il consulta la pendule. Sa poitrine lui faisait mal, ses mains aussi – il avait serré les poings pendant tout le repas. Il déplia les doigts lentement. « Viens me voir ; j'aimerais que tu me rendes visite. »

Elle ramassa son sac. « Oh, ne t'en fais pas », lui dit-elle en poussant sa chaise. « Plus rien ne me retient, maintenant. »

Sketch to Illustrate the Passions : Anger, 1854

On pensait que les bains pouvaient aider les patients maniaques à maîtriser leur colère. Des bains froids, bien sûr, dans lesquels un patient pouvait être précipité nu ou tout habillé. Glaciale, pompée directement dans le fleuve, vaseuse, l'eau montait jusqu'au cou de l'aliéné jusqu'à ce qu'on ouvre les vannes. On le retrouvait alors agenouillé par terre, près de la grille d'évacuation le plus souvent, s'efforçant de résister à la violence de l'eau qui se retirait du bassin.

Les traitements de choc rendaient sains les esprits les plus dérangés, ou du moins, la menace de tels traitements les rendait dociles.

À l'aube de la deuxième moitié du siècle, le Dr. Hood s'intéressait aux traitements administrés en Amérique. Il se fit envoyer la gravure de la chaise tranquillisante de Benjamin Rush sur laquelle le patient était attaché par des entraves aux pieds, aux mains et aux épaules. À l'arrière saillait une tige à laquelle était fixée une boîte que l'on posait sur la tête du patient. On disait que cette chaise avait des effets calmants sur les maniaques et, étant donnée son efficacité, on y attachait certains d'entre eux des semaines durant.

Il y avait aussi le berceau d'Utica, un lit ressemblant à un cercueil fait d'un treillage de bois. Dans les asiles new-yorkais, on y attachait les malades les plus agités avant de refermer le couvercle afin de les empêcher de bouger.

Bedlam ne disposait que de peu d'appareils aussi modernes ; cependant, dans l'une des pièces du bas, on trouvait un fauteuil rotatoire, placé dans un cadre qui ressemblait beaucoup à une potence. Cette invention datait du XVIIIe siècle, ce qui la rendait obsolète au vu des théories modernes les plus avancées. Voilà pourquoi Hood n'en avait jamais ouvertement recommandé l'usage.

Le patient était attaché à la chaise, elle-même fixée à un immense axe qu'un infirmier actionnait grâce à une barre de fer depuis des marches en pierre. Lorsqu'il poussait la barre, l'axe pivotait et le patient tournait. Certains des infirmiers les plus expérimentés rivalisaient pour voir lequel d'entre eux était capable de faire tourner l'axe le plus longtemps. Avant l'arrivée du Dr. Hood, on payait pour assister au spectacle offert par les patients à peine descendus de la chaise, incapables de marcher, si ce n'est en tournant sur eux-mêmes. Une créature enveloppée d'un manteau indigo, qui veillait sur sa caisse comme Cerbère sur la porte des Enfers, vendait les billets à l'entrée.

Ce genre de commerce avait évidemment été banni depuis longtemps. Pas qu'il ait été nuisible, au contraire : les sommes récoltées représentaient une source de revenus non négligeable pour l'hôpital. Mais Bedlam avait fini par attirer les prostituées qui venaient y exercer leur profession à l'abri de la pluie. On disait alors qu'à toute heure du jour ou de la nuit, tout chasseur y trouverait gibier à son goût ; Bedlam était aussi indispensable aux Londoniens que le Long Cellar aux habitants d'Amsterdam.

C'était une époque révolue. La pièce qui abritait le fauteuil rotatoire était verrouillée, les patients n'avaient plus de chaînes aux pieds. Seules l'hydrothérapie et la chaise de Rush étaient encore en usage. Dans les années 1850, Bedlam allait mettre en place l'une de ses innovations les plus importantes : un traitement capable d'apaiser les fantasmes des patients. Lors de son admission à l'hôpital, chaque aliéné était photographié afin d'être confronté à une véritable image de lui-même.

Dadd avait déjà entendu parler de la photographie. Un des membres de la Clique lui avait rendu visite et lui avait appris qu'avec son calotype, Talbot avait réussi à figer une image. Il lui avait raconté que des établissements photographiques avaient été ouverts dans Regent Street, et que des personnes de qualité s'y rendaient pour immortaliser leur visage grâce à l'iodure de potassium et au nitrate d'argent.

Seul dans sa cellule, Dadd ne cessait d'y penser tout en observant la lente progression de la lumière sur le mur. Voilà donc qui sonne le glas du peintre, songeait-il. La reproduction des visages dans les œuvres d'art était désormais obsolète ; inutile pour le peintre d'essayer de représenter l'âme dans un regard. Ni les paysages, d'ailleurs : avec le temps, les plaques monochromes parviendraient à saisir la couleur. Il deviendrait inutile de peindre les montagnes, les arbres oscillant au gré du vent, les ponts, les docks ou les fleuves. Tôt ou tard, la plaque photographique capturerait les eaux vives, les produits chimiques figeraient leur image à jamais.

L'homme avait confisqué le temps pour le placer dans une lentille. Il maîtrisait les saisons dont il pouvait saisir le moindre changement d'humeur. Et il maîtrisait ses congénères.

On apporta une chaise dans l'une des galeries, sur le palier devant les portes, une chaise de cuisine ordinaire en bois courbé au dossier arrondi. Un matin, on y fit asseoir Anne Mary Rivers, jeune fille de bonne famille âgée de dix-huit ans. Mains jointes posées sur les genoux, elle levait les yeux au ciel. Elle refusait de les baisser et on la photographia dans cette pose, échevelée, une tunique en calicot de l'hôpital lui couvrant à peine les épaules. Elle ne fit aucun effort pour regarder le photographe, et il se peut même qu'elle ait ignoré jusqu'à sa présence. Sur les registres, on trouvait la date de son admission – le 1er juin 1854 – et celle de sa sortie, six ans plus tard. On n'y trouvait aucun autre détail ; l'avant et l'après s'étaient évanouis comme s'ils n'avaient jamais existé, et tout ce que l'on sait d'Anne Mary, c'est ce que nous en montre cette photo : une jeune fille de dix-huit ans assise sur une chaise bon marché, le regard tourné vers le ciel, comme en prière. D'autres suivirent ce matin-là. William Wright venait d'être interné. Fay Reynolds, âgée de soixante-dix ans, résidait à Bedlam depuis vingt-cinq ans. Maître d'école, Wright était choqué, terrorisé ; la seule raison pouvant expliquer son désespoir était sa découverte, un an plus tôt, du corps d'une noyée. Fay Reynolds avait passé de nombreuses années en prison pour prostitution ; un jour, elle avait décidé de ne plus dormir, et de chanter pour se tenir éveillée. On les soignait avec des purges et des bains, on les enfermait dans des cellules pour qu'ils se calment. Fay Reynolds mourut de la syphilis et William Wright, qui souffrait de mélancolie, fut autorisé à sortir ; aucun d'eux n'apprit jamais la nature de sa maladie.

Le tour de Dadd vint un peu avant midi.

Il ne connaissait pas William Wright, mais le dévisagea avec intérêt car il lui trouvait une ressemblance avec son frère. Quand on prit sa photo, Wright pleurait, agrippait sa chemise, marmonnait.

« Qui est-ce ? » demanda Dadd à l'infirmier.

« Un ancien étudiant de St John's College à Cambridge. » Dadd reçut une bourrade dans les côtes. « Voilà qui est parfait Richard, s'écria l'infirmier pour faire de l'humour. Si vous lui parlez en latin, il vous comprendra.

— Qu'est-ce qui lui arrive ? s'enquit Dadd en dévisageant son compagnon d'infortune.

— Il a des basses et des aigus plein la tête, voilà mon opinion, Richard. Il a étudié la musique et trop de basses et d'aigus perturbent ses méninges. »

La plupart du temps, Dadd préférait rester sourd à ce genre de raisonnements. Il entendait ces théories toute la journée : l'alcool avait rendu untel fou à lier, ou c'étaient ses voyages à l'étranger, ou encore ses péchés. Il savait que pour Brigham, sa maladie était due à un coup de soleil attrapé en Égypte.

Il ignorait si c'était la vérité.

Depuis peu, il se disait qu'Osiris lui avait donné ses ordres alors qu'il était inconscient ; l'ordre de tuer était entré dans son esprit alors qu'il dormait ou qu'il était distrait, avait pris corps dans sa tête et s'était emparé de son cerveau devenu incontrôlable. Il songeait que, s'il dormait ou se laissait aller à l'oisiveté, Osiris s'adresserait de nouveau à lui.

Voilà pourquoi, depuis ces dernières semaines, il avait décidé de garder sa conscience en alerte en piétinant le sol de sa cellule. Il tapait des pieds jusqu'à ce qu'ils saignent. On l'avait laissé faire pendant quelques jours puis on avait appelé le Dr. Hood. Brigham avait suggéré qu'on lui mette une camisole de force comme celle qu'il portait lors de son entrée à Bedlam. Mais après avoir observé Dadd un moment et s'être fait expliquer ce qu'il faisait, le Dr. Hood en avait conclu que la camisole était inutile. « Richard », avait-il dit en touchant le bras du peintre, « vous pouvez vous reposer, je crois que vous avez vaincu votre ennemi. Il est totalement à plat. »

Dadd ne perçut pas l'humour de la remarque. « Vous feriez mieux de partir », dit-il en reculant, « ou il s'en prendra à vous.

— Qui donc ?

— Le joueur de flûte de Neisse. »

Sur le moment, Hood ne comprit pas ; il finit par découvrir la référence dans des papiers confisqués à Dadd neuf ans plus tôt. C'était le manuscrit d'un poème intitulé « Le joueur de flûte de Neisse : Légende de Silésie ». Il conte l'histoire d'un jeune homme emprisonné pour sorcellerie car il a le don de faire danser même le moins agile des hommes. Il meurt seul dans sa cellule et sort de sa tombe chaque nuit pour faire danser les morts dans les rues de la ville.

Une semaine plus tard, lorsque Hood revint rendre visite à Dadd, il ne tapait plus des pieds. Il était couché, en proie à une bronchite.

« Comment allez-vous ? » s'enquit le médecin.

Dadd lui lança un regard d'une absolue lucidité. « Le joueur de flûte et le dieu m'habitent tous les deux, mais je crois qu'ils se sont endormis.

— Ne les réveillez pas. »

Les yeux de Dadd se remplirent de larmes. « Il y a des voix à leur place, des voix qui expriment tout haut mes pensées. Que dois-je leur dire ?

— Dites-leur de s'en aller.

— C'est impossible. »

Hood resta à ses côtés bien après la tombée de la nuit pour écouter le silence que Dadd croyait rempli de bruit.

On emmena William Wright.

Le photographe fit signe à l'infirmier de faire avancer Dadd.

Debout près de la chaise, ce dernier examinait l'appareil avec grand intérêt. On avait installé une grande tente ser-

vant de chambre noire à côté des douches. Dadd observait les plis noirs du tissu et les plaques photographiques.

« C'est un calotype ? » demanda-t-il.

Le photographe sourit. « Vous connaissez ce procédé ?

— Non, mais j'en ai entendu parler.

— Ce n'est pas un calotype, j'utilise du collodion. »

Dadd pencha la tête. Le regard du photographe passait du gardien au patient. Dadd était de grande taille et sa barbe devenait chenue ; son front haut commençait un peu à se dégarnir. Son beau regard perçant respirait l'intelligence. Il avait tout du prophète de l'Ancien Testament. « Du collodion, répéta Dadd.

— C'est bien ça, on l'appelle aussi collodium.

— Un adhésif, du grec kollodês, agglutiner, ou colle ? »

Le photographe hésita. Il n'avait qu'un vague souvenir du peu de grec qu'il avait jamais appris. Puis il sourit. « On utilise une espèce de colle, oui en effet. M. Frederick Archer a perfectionné le processus. C'est une solution de fulmicoton et d'éther, un liquide gluant dont on recouvre les plaques. »

Dadd restait silencieux. Il avait perdu l'habitude de bavarder. Les voix s'efforçaient d'interrompre le fil de sa pensée ; il était tendu.

Le photographe n'avait rien remarqué. « Le collodion est plus sensible à la lumière que le calotype, expliquait-il. Il a réduit le temps de développement de l'image. Il fallait attendre de longues minutes avec le calotype. Maintenant, l'image est prête en deux ou trois secondes.

— C'est délicat de saisir une image, murmura Dadd.

— Si on veut, oui.

— Sur du verre.

— Le collodion est étalé sur la plaque ; ensuite on sensibilise, on expose et on développe avant qu'il ne sèche.

— De capturer l'image. »

Le photographe lui lança un regard interrogateur ; il attendait toujours qu'il s'asseye.

« J'ai capturé des images moi aussi, marmonna Dadd, mais elles ne sont pas visibles en ce monde. Elles sont ici », fit-il en se tapotant la tempe. « On ne peut pas se servir de collodion avec elles. Rien ne peut les immortaliser à part ma main. Et elles voyagent... » Il tendit le bras et fit courir sa main de son épaule à ses doigts. « ...Elles voyagent grâce aux pensées que l'on ne trouve ni dans votre solution, ni vos plaques de verre, ni dans l'alcool, ni dans l'eau, ni dans le pyrogallol. » Il avança d'un pas vers le photographe. « J'ai appris tous vos noms, et pourtant vous ne pouvez capturer ni mon image ni mes pensées. »

Il refusa de se laisser photographier.

Il retourna dans le quartier des criminels et garda le silence pendant des heures. Il refusait de répondre aux questions de Brigham, pourtant posées sans brusquerie. Il ne se remit à parler que le soir, fulminant contre la mort de la peinture figurative, de l'inspiration, l'assassinat des artistes perpétré par le collodion. Une fois la crise passée, il pleura amèrement, le visage enfoui dans l'oreiller de toile rêche, tapant des pieds comme un enfant.

Le lendemain et le surlendemain, apparemment en proie à une terrible douleur, il refusa de s'alimenter ou de se laver, jeta sa nourriture par terre, comme frappé par un deuil insupportable.

On l'enferma dans sa chambre.

Le cinquième jour, il se remit à peindre.

L'aquarelle était sculpturale, pleine de contrastes. En haut à gauche de la toile, on voyait une maison apparemment en feu ; en bas à droite, une forge. Deux personnages se tenaient près du feu, le corps et le visage délavés par la vive lumière. Un troisième personnage, presque invisible dans la pénombre, fixait le brasier du regard.

La signature serpentait sous le talon d'une des silhouettes. « Sketch to illustrate the Passions. Anger, *de Richard Dadd, 17 octobre 1854, Hôpital de Bethlehem, Londres.* »

Il l'offrit au Dr. Hood qui l'accrocha face à son bureau et chercha lui aussi dans le brasier incandescent des traces de ce qui y avait été détruit.

19.

La vente touchait à sa fin quand Mark Pearson remarqua la jeune femme debout dans l'encadrement de la porte. Il ignorait depuis combien de temps elle se trouvait là – peut-être y avait-elle passé tout l'après-midi. Bien que menue, elle ne passait pas inaperçue avec ses cheveux ras et l'épais manteau de soie dans lequel elle était emmitouflée. La salle s'était un peu vidée depuis le déjeuner ; la vente durait depuis un jour et demi et on avait dépassé les neuf cents lots. Mark et Catherine avaient gardé les meubles anglais et continentaux pour la fin, parmi lesquels le buffet de John Brigham. Mark consulta sa montre ; on arrivait au dernier lot, numéro 983. La vente prendrait une quarantaine de minutes environ.

Il faisait extrêmement chaud dans la salle. On avait ouvert les verrières, mais cela avait rendu l'atmosphère plus étouffante encore. On avait fini par ouvrir les portes de service, à l'arrière du bâtiment, ce qui permettait au public d'admirer la vue sur la place du marché et les collines. Il n'y avait pas un nuage.

Amanda avait passé la journée à prendre les enchères au téléphone ; elle vint rejoindre son mari quand elle eut terminé.

« Robert est là », murmura-t-elle.

Mark quitta l'inconnue des yeux pour regarder dans la direction que lui indiquait Amanda. Robert se tenait dans l'encadrement de la porte lui aussi, et observait Catherine mener les enchères.

« Comment tu le trouves ? s'enquit Amanda.

— Indifférent. »

C'était vrai. Robert avait l'air de s'ennuyer ; lourdement appuyé contre le chambranle, il défaisait sa cravate. Il laissa passer l'inconnue au manteau de soie qui descendit l'allée centrale en cherchant des yeux une place assise.

Catherine aperçut la jeune femme ; elle avait fini par trouver un siège et se mit à s'éventer avec le catalogue qu'elle tenait à la main. Catherine crut d'abord qu'elle était venue pour enchérir ; elle lui jeta un nouveau coup d'œil, puis poursuivit la vente. Au bout d'un moment, elle remarqua que l'inconnue se penchait de temps à autre pour examiner certains objets d'un air neutre. Catherine comprit qu'elle n'inspectait pas seulement les objets mais la salle des ventes dans son ensemble.

On en vint aux dix derniers lots.

« Lot 972, annonça Catherine, un secrétaire flamand en marqueterie à motif de noix et de fleurs, incrusté de différentes essences de bois avec niches réalisées sur mesure. Mille livres ? »

Il y eut un silence.

« Très bien, disons cinq cents ? »

En l'espace de quelques secondes, trois ou quatre antiquaires se disputaient le secrétaire. Les enchères stagnèrent autour de trois mille livres.

« Trois mille cinq cents ? demanda Catherine à l'intéressé le plus proche.

— Trois mille deux cents.

— Trois mille quatre cents ? » Personne n'enchérit.

« Mesdames et messieurs, trois mille deux cents…

— Trois mille cinq cents », proposa l'inconnue.

Catherine braqua le regard sur elle. « Nouvelle enchère pour madame au centre de la pièce, annonça-t-elle. Trois mille cinq cents…

— Trois mille six cents, proposa l'antiquaire.

— Trois mille sept cents », renchérit la femme.

Un murmure envahit la salle. Quelques spectateurs qui s'apprêtaient à partir se figèrent près des portes. Les antiquaires, qui se connaissaient tous, se penchaient pour voir de qui émanait la proposition.

L'homme – Stuart, un antiquaire que Catherine et Mark connaissaient bien – étudiait son catalogue en lançant des regards furibonds, conscient d'être en compétition avec un particulier, agacé que l'enchère atteigne de tels sommets. « Huit », proposa-t-il sèchement.

« Trois mille huit cents », annonça Catherine en se tournant vers l'inconnue. Celle-ci la regarda dans les yeux, lui sourit, ce qui surprit Catherine avant de lui faire un signe de tête.

« Nous sommes toujours à trois mille huit cents », confirma Catherine. Elle vit que Stuart avait pris des couleurs. L'inconnue semblait si détendue qu'il ne l'avait pas prise au sérieux – ce qui venait de lui coûter six cents livres.

« Nous disons trois mille huit cents. »

Catherine jeta un nouveau coup d'œil à l'adversaire de Stuart. Elle lui rappelait vaguement quelqu'un. « Quatre mille », s'écria soudain l'inconnue avec un large sourire.

L'antiquaire abandonna la partie et retourna s'asseoir.

« Quelqu'un souhaite renchérir ? »

Personne ne fit d'autre proposition. Catherine laissa tomber le marteau. « Votre nom ?

— Brigham », répondit l'inconnue.

Amanda, debout au fond de la pièce, prit Mark par le bras. « Qu'est-ce qu'elle a dit ?

— Brigham », répéta Mark.

Ils se regardèrent. « C'est sa femme, s'exclama Amanda.

— Impossible, elle est morte il y a douze ans, d'après Catherine.

— Eh bien, il a très bien pu se remarier.

— Il pourrait s'agir de n'importe qui. Sa sœur, sa cousine... » Il jeta un regard inquiet en direction de Catherine. Elle n'avait hésité que l'espace d'une seconde avant de passer au lot suivant. Adossée à son siège, l'inconnue semblait détendue.

« Elle n'a pas l'air agacé.

— Pourquoi devrait-elle l'être ?

— Si c'était sa femme et qu'elle était venue ici pour trouver Catherine, elle serait sans doute un peu plus remontée, tu ne crois pas ? »

La vente s'acheva au bout d'une demi-heure ; la jeune femme n'avait pas bougé pendant tout ce temps.

Une fois la vente terminée, Catherine quitta l'estrade ; alors qu'elle descendait l'allée centrale, l'inconnue vint à sa rencontre. Elle lui tendit la main. « Je suis Helen Brigham, annonça-t-elle.

— C'est la conclusion à laquelle je venais d'arriver », répondit Catherine en lui serrant la main. « Ravie de faire votre connaissance. John ne m'avait pas dit que vous viendriez.

— Il n'en savait rien. C'est une surprise. Il me l'a demandé l'autre jour, quand il est venu en ville. Nous avons déjeuné ensemble.

— Déjeuné, répéta Catherine.

— J'ai tellement hâte de voir sa nouvelle maison. »

Catherine ne voyait aucune ressemblance entre cette femme brune et frêle et son frère. John était grand, d'allure ascétique, mince, parfois au point de sembler souffrant ; cette femme était bien différente. « Et vous vivez à Londres ?

— C'est ça, oui », répondit Helen.

Un silence gêné s'installa. Catherine s'efforçait toujours de déterminer quel jour John était allé retrouver sa sœur. Il ne lui en avait rien dit. « Eh bien, vous avez fait l'acquisition d'un très joli meuble.

— Vous trouvez ?

— Absolument.

— Rien à voir avec ceux de mon frère, cela dit.

— Eh bien…

— J'imagine qu'il vous a montré la collection complète.

— J'ai vu… oui », admit Catherine, déconcertée.

« Tous ses petits secrets. Sans exception ? » Elle baissa la voix. « Mon Dieu, vous avez dû être ravie. »

L'arrivée de Mark et Amanda coupa court à la conversation.

« Voici la sœur de John », expliqua Catherine. *Tous ses petits secrets.* Elle examina le profil d'Helen lorsqu'elle se tourna vers Amanda, l'épais col de soie, la couleur théâtrale du manteau, la coupe cruelle des cheveux et le visage pâle. « Voici Mark Pearson et sa femme, Amanda. Amanda, je te présente Helen, la sœur de John.

— Vous recherchez des meubles pour votre résidence par ici ? C'est une belle pièce XIXe que vous avez là.

— Non, le secrétaire peut rester chez John pour l'instant. » Elle jeta un regard circulaire à la salle et au public qui faisait maintenant la queue pour sortir. « C'est un sacré endroit ici. John m'avait dit que c'était une petite entreprise, mais la salle est énorme. Alors Pearsons vous appartient ? » demanda-t-elle à Mark.

« Pas exactement. Catherine et moi sommes associés. »

Du coin de l'œil, Catherine vit que Robert s'approchait d'eux. Il en avait assez d'attendre, l'impatience se lisait sur ses traits. Elle essaya de lui faire comprendre qu'elle allait venir lui parler, mais il se frayait un passage parmi les derniers spectateurs et Mark se tournait déjà vers lui. Il tendit poliment la main.

Helen les dévisageait tour à tour d'un air inquisiteur.

« Helen, je vous présente Robert Sergeant, mon mari. »

Un ange passa. « Ah oui ? fit Helen. Voilà qui est intéressant. Je suis la sœur de John Brigham », fit-elle en serrant la main à Robert.

« Robert vit à Londres lui aussi », expliqua Catherine, cherchant désespérément quelque chose à dire. La gêne était palpable.

« Où ça ? » s'enquit Helen.

Il donna un nom de rue. Catherine ignorait où elle se trouvait. C'était la première fois qu'il admettait avoir un appartement, une adresse, plutôt qu'une chambre d'hôtel.

« Près du Cavendish ? demandait Helen.

— Pas loin.

— Je vois où c'est.

— La mère de Robert vit à Bedford Square, ajouta Catherine.

— Ah bon ? »

Robert retira sa main. « J'ai besoin de te parler », annonça-t-il à Catherine.

Ils s'excusèrent, puis Catherine retourna vers l'estrade, Robert sur les talons. Deux clients attendaient de pouvoir récupérer leurs achats près de la vitrine. L'intendant lança un regard à Catherine et lui tendit le livre de quittances pour qu'elle le contresigne.

Elle lui tourna le dos. « Qu'est-ce qui t'amène, Robert ? chuchota-t-elle.

— Je devrais savoir qui est John ?

— Un client.

— Un client ?

— Qu'est-ce qui t'amène ?

— Je suis passé à l'agence immobilière, et ils ont trouvé deux acheteurs potentiels en un rien de temps. Ils veulent visiter la maison demain.

— Demain, répéta Catherine, d'accord. » *Tous ses secrets... tous ses secrets... vous avez dû être ravie...* Les mots tournaient dans sa tête.

« Tu es disponible pendant la journée ?

— Quoi ? fit-elle, distraite. Oh, je n'en sais rien. Je n'ai pas vérifié mes rendez-vous pour demain. Je dois pouvoir m'arranger. Tu repars pour Londres ?

— Ce soir, tout de suite. Je pourrais être en route depuis une heure si seulement cette fichue vente ne s'était pas éternisée.

— Tu n'avais qu'à laisser un message à la réception. »

Robert ne répondit pas et lança un coup d'œil vers Mark, Amanda et Helen. « Qui est John Brigham ? » demanda-t-il de nouveau.

Catherine l'ignora. « Je m'occupe de la maison.

— J'y suis allé aujourd'hui, fit-il en lui touchant le bras. On m'avait demandé d'apporter tous les papiers concernant la taxe foncière et les factures d'eau. Je ne me souvenais pas des chiffres. Je suis allé vérifier dans le bureau. »

Elle soutint son regard.

« Tu ne vis pas là-bas, si j'ai bien compris.

— Ça ne te regarde pas.

— L'autre jour...

— Quoi ?

— L'autre jour, tu m'as fait croire... » Il s'arrêta pour prendre une inspiration. « Et me voilà en train de penser à tout un tas de trucs.

— De quoi tu parles ?

— Je me disais... dit-il avec un rire bref, que je t'avais fait beaucoup de mal. Je me sentais coupable.

— C'est normal. C'est ta faute, tout ça.

— Je me sentais coupable de te laisser vivre seule. Je pensais au secrétaire, à Rye.

— Ça n'a plus d'importance à présent.

— C'est vrai, pas plus que l'autre jour quand tu pleurais en pensant à Rye.

— Que veux-tu dire ? » fit Catherine en se sentant rougir.

« Que tu m'as menti.

— Menti ? »

L'intendant toucha le bras de Catherine. « Excusez-moi, j'aimerais juste… » Il tendit le livre de quittances. Elle signa et il s'approcha de la vitrine. Les trois personnes qui attendaient leurs objets dévisageaient Catherine et Robert.

« Je refuse d'avoir cette conversation ici, murmura Catherine, et je refuse de parler de ça.

— Tu m'as bien eu, fit Robert. Je te plaignais alors que tu as quelqu'un d'autre. »

Elle fit mine de lui tourner le dos, mais il l'attrapa par le coude. « Tu n'as pas perdu beaucoup de temps, dis donc. »

Elle se dégagea, furieuse. « Tu ne manques pas d'air. Qu'est-ce que ça peut te faire ? C'est toi qui ne veux pas de moi, Robert. Tu m'as quittée pour une autre femme, tu te souviens ?

— Je n'ai personne.

— Quoi ? » fit-elle après un moment d'hésitation.

Robert se taisait, lèvres serrées en une espèce de rictus. Puis il parut se reprendre, se redressa, sortit une carte de visite de sa poche. Il la lui mit dans la main et dit : « C'est le numéro de l'agence. Appelle-les.

— Robert… »

Il retourna vers le groupe au centre de la pièce.

Helen était en train de faire un chèque. Elle le signa et le tendit à Amanda. Robert s'adressa brièvement à Mark puis Helen lui toucha le bras. Elle lui parla à l'oreille et il finit par hocher la tête.

Ils sortirent ensemble et à la porte, Helen se retourna pour regarder Catherine.

Elle ne lui adressa ni signe de la main, ni sourire, mais se contenta de lui lancer un bref regard avant de partir.

20.

Ce soir-là, John se rendit en ville en voiture. Il avait attendu Catherine à Bridle Lodge, mais elle n'était pas rentrée après la vente. Il avait fait les cent pas, puis appelé chez Pearsons.

Amanda avait décroché.

« Bonsoir, c'est John – John Brigham. Catherine est là ?

— Non.

— Elle est sur la route ?

— Non. Pas que je sache, en tout cas. Je crois qu'elle est rentrée.

— Rentrée ? Chez elle, vous voulez dire ?

— Oui. »

Il essaya d'analyser le ton de sa voix. « Elle va bien ? Son portable est débranché.

— Vous voulez que je lui transmette un message si elle appelle ici ?

— Non… Non, ça ira. Merci. »

Il avait essayé de l'appeler chez elle, mais le téléphone sonnait dans le vide. Pendant un moment, il s'était dit qu'elle avait dû sortir, mais au bout de la sixième ou septième tentative, il avait eu la conviction qu'elle était chez elle et qu'elle ne répondait pas. Il avait sauté dans sa voiture.

En arrivant dans la rue tranquille où vivait Catherine, il vit que sa voiture était garée dans l'allée devant la maison plongée dans l'obscurité. Il frappa à la porte. Comme personne ne répondait, il se baissa pour essayer de jeter un coup d'œil par la fente de la boîte aux lettres. Il ne distingua que des ombres grisâtres dans l'entrée. « Catherine, appela-t-il, tu es là ? »

Il fut submergé par un pressentiment terrible, qui lui fit l'effet d'une douche froide. Il fit le tour de la maison, ouvrit le portillon. Pas de lumière de ce côté-là non plus. Le jardinet était désert. Il frappa à la porte de la cuisine. « Catherine ! »

Il essaya d'ouvrir et à sa grande surprise, s'aperçut que la porte n'était pas verrouillée. Il aperçut les affaires de Catherine éparpillées sur le plan de travail : sa veste, ses clés de voiture. Une porte de placard était ouverte.

Il se tourna vers la petite salle à manger et eut la surprise de trouver Catherine assise à la table, parfaitement immobile. Les yeux fermés, la tête légèrement penchée en arrière, elle semblait exprimer de la circonspection ou du dégoût. Elle ne bougea que lorsqu'il s'approcha d'elle. « Bonté divine ! Qu'est-ce qui se passe ? Qu'est-ce que tu fais là, assise dans le noir ? »

Catherine se leva et avança vers lui. « J'ai dû m'endormir », dit-elle en se passant une main dans les cheveux. « Quelle heure est-il ?

— Presque huit heures. Je n'ai pas arrêté de t'appeler.

— Ah bon ? Je suis venue chercher quelques papiers nécessaires pour la vente de la maison, d'après Robert… J'étais dans le bureau. » Elle s'interrompit.

« Qu'est-ce qui ne va pas ?

— Je… Helen assistait à la vente aux enchères cet après-midi.

— Helen ?

— Elle est venue se présenter, poursuivit Catherine.

— J'ignorais totalement qu'elle était ici.

— Elle ne t'a pas appelé ?

— Non.

— Elle m'a dit que tu lui avais demandé de passer. » John essayait de déchiffrer son expression. « Quand tu l'as retrouvée à Londres, c'était un secret ?

— Non, bien sûr que non.

— Mais tu n'avais pas parlé de ce voyage.

— Elle m'a appelé la semaine dernière en me demandant de la retrouver là-bas.

— Tu ne m'en as rien dit.

— Je ne savais pas si je devais y aller. Helen… Helen peut se montrer difficile. »

Catherine se dirigea vers l'autre bout de la pièce, alluma la lumière. Lorsqu'elle se retourna, John lut sur son visage le sentiment qu'il redoutait d'y voir par-dessus tout : le doute.

« Il n'y a pas de secret », se défendit-il.

Elle eut un petit sourire pincé. « C'est drôle, parce que c'est exactement le contraire de ce que m'a dit Helen.

— À quel propos ?

— Des secrets. J'essayais de me souvenir de ses propos exacts. Elle a parlé de ta collection. Et puis elle a ajouté : “Tous ses petits secrets.” Elle m'a demandé : “J'imagine qu'il vous a montré la collection complète ? Tous ses petits secrets, sans exception” ?

— Helen est… Il y a quelque chose chez Helen… » bredouilla-t-il en se frottant la tête.

Mais Catherine levait la voix. « Et puis elle m'a regardée et elle a dit : “Mon Dieu, comme vous avez dû être ravie.” Voilà ce qu'elle m'a dit. » Elle regardait John dans les yeux. Le doute planait. « Je me demande ce qui était censé me ravir à ce point.

— Catherine…

— Pourquoi ne pas m'avoir dit que tu la retrouvais pour déjeuner ? C'était donc si personnel ?

— Non.

— Tu es allé jusqu'à Londres. Tu as dû être absent toute la journée – c'était le jour où Mark et moi nous sommes occupés du catalogue jusqu'à huit ou neuf heures du soir ?

— Oui, mercredi dernier.

— Mais...

— Catherine, pouvons-nous rentrer ? J'aimerais mieux avoir cette conversation à la maison.

— C'est grave à ce point ?

— Je préférerais être à la maison. »

Il lui tendit la main, mais elle ne réagit pas. Elle le dévisageait toujours. « Qu'est-ce qu'il y avait de si personnel dans ce rendez-vous ?

— Je ne voulais pas t'inquiéter.

— Pourquoi aurais-je été inquiète ? »

Il poussa un soupir d'exaspération. « Tu as raison. Tu n'as aucune raison de l'être. C'est moi qui suis inquiet.

— Pourquoi ?

— Parce que... Helen est spéciale. » Il lui tendit les bras, mais elle fronçait toujours les sourcils.

« Quelque chose m'échappe. Je ne comprends pas ce qui se passe.

— Je veux tout t'expliquer. Rentrons à la maison. »

Elle fit un pas de côté et il remarqua un shaker vide sur la table. Elle avait l'haleine chargée de whisky. Elle ne buvait jamais d'habitude, à peine quelques gorgées de vin et encore moins d'alcools forts. « Tu es assise là depuis combien de temps ? » demanda John.

Elle lui tourna le dos. Il alla vers elle, la prit dans ses bras. Elle se débattit et le repoussa doucement. Il eut soudain conscience que plus de quelques centimètres les séparaient. Il sentit le gouffre se creuser entre eux, eut la nette impression de se trouver au bord d'un précipice. « Oh non. Ne t'imagine pas ça. »

Mais elle exprima tout haut ce qu'il craignait d'entendre. « Tu me caches quelque chose. Quelque chose d'important. »

Elle passa devant lui en allant vers la cuisine, ouvrit la porte et sortit dans la cour. Il la suivit et l'entendit prendre de profondes inspirations. Il ressentit une douleur légère, précise, dans la poitrine, comme si la pointe d'un couteau lui entrait entre les côtes. Il s'efforça de soulever la tête, de redresser les épaules. Il respirait, mais l'air ne pénétrait pas dans ses poumons. Il lui semblait que son souffle dépendait de Catherine : s'il pressait ses lèvres contre les siennes, elle respirerait pour lui. Il chassa de son esprit cette image de lui en parasite, volant l'air qui coulait dans sa gorge. Il admira son profil – l'arc dessiné par son cou quand elle pencha la tête pour regarder le ciel humide parsemé de nuages – qui se détachait sur la barrière couverte de vigne vierge, l'ombre diaprée, et il la sentit s'éloigner, s'engouffrer dans une fausse idée de lui.

« Je vais tout te dire, promit-il.

— Je croyais pouvoir te faire confiance. Je croyais que c'était différent cette fois, que nous étions différents.

— Tu peux me faire confiance. Nous le sommes.

— On m'a déjà caché des choses. Pourquoi ?

— Je ne te cacherai plus rien. » Il avait envie de la supplier.

« Robert me cachait ses sentiments, poursuivit-elle lentement, et ses projets. Et maintenant, c'est ton tour.

— Dis-moi ce que tu aimerais savoir. Je n'ai pas de secret pour toi. Je n'aurai plus de secret pour toi », se reprit-il.

Elle croisa les bras et secoua la tête presque imperceptiblement. « Les secrets de famille. Helen parlait d'une espèce de secret de famille. Tu l'as caché à Claire aussi ? »

La douleur devint plus raffinée, ligne brûlante courant de la base de la gorge au centre de la poitrine.

« Je pensais qu'elle parlait de la porcelaine, continua Catherine, mais il ne s'agissait pas de ça. Elle parlait d'autre chose, n'est-ce pas ? J'ai eu l'impression qu'elle pensait que j'éprouvais de l'intérêt pour… ce dont il s'agit. Que j'étais contente de l'avoir découvert. Elle a peut-être peur que je le lui prenne. » Elle s'était rapprochée de lui, une main sur la gorge et le regardait intensément. « Qu'est-ce que c'est, John ? De l'argent dont vous avez hérité tous les deux ?

— Oh, mon Dieu. Je t'en prie, ma chérie.

— J'ai tort ?

— Helen dit des tas de choses. Elle a une vision tordue du monde. Elle…

— Quel est ce secret ? » insista Catherine.

Il sentit l'univers vaciller, les images et les sons faisaient bloc. Le visage et le corps de Catherine oscillaient vers lui. Il posa la main contre le mur et baissa la tête. L'obscurité se mua en une tapisserie dont le moindre détail semblait d'une infinie précision : les lambeaux de lichen sous ses doigts, la brique rugueuse, la course des étoiles entre les nuages.

Il vit le magicien sous le pinceau de Dadd écarter les bras pour se saisir des ailes pommelées et des mains jointes ; il sentit sur ses épaules le pas des danseuses, aussi léger que des gouttes de pluie. La fille au miroir vert ne bougeait pas, la déception se lisant sur ses traits.

« Pourquoi ne peux-tu rien me dire ?

— Je peux. Je ne le veux pas. » Il se redressa et le jardin rebondit comme une photo que l'on plie, un bout de celluloïd. « Je serais prêt à te donner tout ce que j'ai », dit-il.

Elle recula. « Me donner tout ce que tu as ? Mais je ne veux rien de toi.

— Je ne voulais pas dire…

— Tu crois que je veux te prendre ce que tu as ? » Il perçut dans sa voix qu'il l'avait profondément blessée. « Tu penses que c'est ce qui m'intéresse ?

— Non ! Bien sûr que non !

— Tu n'as rien compris ! Je ne veux rien de toi. Rien du tout !

— Catherine...

— Je ne veux pas de ta maison, hurla-t-elle, ni de ton argent, je n'ai que faire de ta famille et de ses secrets ! Je n'ai que faire de tout ça !

— Catherine... »

Elle passa les mains sur ses tempes. L'espace d'un instant, sa voix fut réduite à un murmure rauque : « Tout ça me rappelle tellement Robert. »

La panique s'empara de lui. Il essaya de l'attraper par le bras, mais elle l'évita. « Tu ne crois pas que j'en ai marre des gens qui s'accrochent à ce qu'ils possèdent ?

— C'est différent, murmura John. Toi seule pourrais comprendre à quel point. Même Claire ne comprenait pas vraiment. Je lui en ai parlé, mais jamais montré. »

Catherine baissa les bras. « Je m'en moque. Tu ne comprends pas ? Je me moque de savoir ce dont il s'agit. Même si ce sont les joyaux de la couronne. » À sa grande horreur, il s'aperçut qu'elle pleurait. Elle essuya ses larmes du revers de la main. « Tout ce que je voulais, c'était toi. Voir le monde à travers tes yeux. Connaître ta vision des choses... »

À ces mots, quelque chose se brisa en lui.

« Mais maintenant je comprends que j'ai eu tort. » Elle le frôla sans le toucher. « Et... tu sais ? J'étais juste en train de me dire, assise là, que tu avais dû parler de moi avec Helen. Vous avez dû discuter et à cause de ce que tu as dit, elle a conclu que l'on ne pouvait pas me faire confiance...

— Non ! coupa John. Catherine, ça ne s'est pas passé comme ça.

— Peu importe comment ça s'est passé.

— Ne fais pas ça, je t'en prie. »

Mais elle avait franchi le seuil et le regardait à présent, lui tournant à demi le dos, main sur la porte, visage dans l'ombre.

« Je t'en prie, rentre avec moi. S'il te plaît, Catherine.

— Je t'appelle demain », dit-elle d'une voix remplie de déception.

« Ma chérie…

— Dans la journée. »

Elle entra et il entendit la clé tourner dans la serrure.

Lucretia, 1854

Deux femmes le hantaient.

La rumeur courait qu'un meurtre avait été commis dans la prison des femmes.

Il pensait à Lucrèce, martyre, héroïne, partenaire fidèle, à qui l'on avait volé sa vertu, et il avait entamé un portrait d'elle dans des tons de brun et de violet, tirant le poignard des plis du manteau qui lui couvrait les épaules, et pointant la lame sur sa poitrine.

On disait que les deux femmes ne se connaissaient pas, qu'elles avaient été amenées séparément et n'entendaient parler l'une de l'autre que par personnes interposées. Les ragots évoquaient la jalousie : elles se disputaient un homme et ses biens, auxquels toutes deux pensaient pouvoir prétendre.

Il chassa leur dépravation de son esprit pour se concentrer sur les épaules nues de Lucrèce, sur ses yeux tournés vers le ciel, et sur la cascade de cheveux tombant sur son cou. Sa peau laiteuse, lumineuse contrastait sur fond sombre ; plis du vêtement représentés dans leur moindre détail. Puissance de la pose, détermination meurtrière du regard.

« Qu'est-il arrivé à la meurtrière ? » demanda-t-il à l'infirmier un matin.

« Elle est enfermée », fut la seule réponse qu'il put obtenir.

Et elle resterait enfermée jusqu'à la fin de ses jours, à moins de pouvoir prouver qu'elle simulait la folie. Il entendait les chuchotements, comme s'ils circulaient à travers la brique, se mêlaient aux ragots passant pour des conversations dans les couloirs sombres. On disait qu'elle ne s'était fait emprisonner que pour retrouver sa victime, pour débarrasser le monde de son ennemie et faire main basse sur son héritage. La pointe de la lame lui apparaissait clairement en rêve et il peignit le poignard de Lucrèce, très pâle contre le manteau sombre, sa main gauche qui l'agrippait flottant presque et elle n'était pas consciente de son intention. Il la représenta avec audace, comme un homme, obsédée par la disgrâce supposée de son époux, ignorant son pardon.

Il ferma les yeux, le pinceau posé sur les plis du vêtement.

Il s'efforçait de se souvenir des femmes de sa famille. Sa mère, dont le visage se perdait aujourd'hui dans les profondeurs de sa mémoire, au point d'avoir oublié le moindre de ses traits. Il se rappelait Mary Anne, son aînée de trois ans. On avait toujours dit qu'elle ressemblait à sa mère ; peut-être pouvait-il conserver le souvenir de leurs deux visages, deux pièces fondues dans un même moule, avec son regard intense, empli de compassion, les boucles sur les tempes, le bonnet de dentelle qui lui couvrait les cheveux. Il y avait de l'anxiété dans ses yeux, songeait-il. Était-ce un souvenir fabriqué – le reflet des craintes qu'elle nourrissait à son égard ? Il se demandait si elle pensait jamais à lui.

Et puis il y avait Maria Elizabeth qui avait épousé son ami John Phillip.

Du moins, c'est ce qu'on lui avait dit.

Phillip était peintre : avait-il fait le portrait de Maria ? Des deux sœurs ensemble ? Est-ce qu'il avait fait le portrait de Catherine, la femme de son frère ? Existait-il quelque part une image les réunissant toutes qu'il serait autorisé à partager ?

Dadd posa les yeux sur Lucrèce. Il comprit en un instant passionné qu'il désirait voir sa sœur. Et sa belle-sœur. Il désirait voir Catherine. Il voulait savoir s'il y avait des enfants. Personne ne lui parlait jamais de sa famille. Il vivait dans un monde parallèle au leur, pourtant il brûlait de les entendre et de les voir ; il resta immobile devant le tableau pendant plus d'une heure jusqu'à ce que l'infirmier vienne lui enlever le pinceau des mains.

« Je voudrais voir mes sœurs, annonça Dadd.

— Vos sœurs, monsieur ?

— Mes sœurs. » Et lorsqu'il n'obtint d'autre réaction qu'un sourire, il se mit à hurler : « Vous êtes sourd ? Êtes-vous aussi fou que ceux que vous faites semblant d'aider ? Mes sœurs, mes sœurs ! »

En fin de matinée, l'infirmier en chef lui rendit visite.

Dadd était assis tranquillement après qu'on lui eut fait prendre du laudanum.

L'homme lui apprit que Maria Elizabeth, la plus jeune, la plus douce, la plus pure de toute la famille, avait été enfermée dans un asile d'Aberdeen.

Sa sœur avait tenté d'étrangler le plus jeune de ses enfants.

L'homme lui expliqua avec le plus de douceur possible – pensait-il que Dadd allait se jeter sur lui pour le frapper ? Pensait-il qu'il allait frapper les murs et se blesser ? Il était trop faible pour ce genre de choses, beaucoup trop faible – qu'il y avait de grandes chances pour que, comme lui, sa sœur ne sorte jamais de l'endroit où on l'avait envoyée.

21.

Deux jours s'étaient écoulés.

Robert rentrait d'un voyage d'affaires à Manchester ; en sortant du métro à la station Bank, il fut assailli par Londres à l'heure de pointe. Il observa Cheapside un moment tandis que la foule déferlait autour de lui. Ses vêtements lui collaient au corps ; il avait l'impression d'avoir dormi tout habillé. Ç'avait été une longue journée ; comme d'habitude, le train avait eu du retard. Il avait passé deux heures cet après-midi-là à étouffer dans un wagon tandis que Newcastle-under-Lyme s'éloignait à une allure de tortue. Il se sentait mal, épuisé, et les prémices d'un mal de tête commençaient à se faire sentir quelque part derrière ses yeux. Il faisait trop chaud pour se trouver dans la City. Bien trop chaud.

Il s'appuya contre les barrières, appela son bureau, mais personne ne répondit. Il laissa un message disant qu'il serait présent à la réunion tôt le lendemain matin. Puis, l'air morose, examina son portable un moment avant de le fourrer dans sa poche. La circulation était très dense, les vapeurs d'essence presque palpables.

À ce moment précis, il ressentit le désir intense de se retrouver dans le Dorset, de quitter la gare de Dorchester

South en voiture, comme cela lui était arrivé des centaines de fois au retour de voyages d'affaires. À ses yeux, le Dorset avait aujourd'hui des allures de paradis perdu. Il ne fallait passer que deux feux rouges pour quitter la ville et se retrouver sur la longue ligne droite menant à Beaminster, grimper les collines venteuses dominant les vertes vallées qui s'étendaient de part et d'autre de la route. Il avait envie de retrouver sa ville natale, avec sa place biscornue, en pente. Mais cette route lui était désormais interdite.

Il n'apercevrait plus en passant les panneaux noir sur fond blanc des années quarante plantés de travers sur le bas-côté, ne tournerait plus à gauche en bas de la côte en allant chez Pearsons dont on apercevait le toit rouge au milieu d'un assemblage hétéroclite de grès et d'ardoise. Il n'emprunterait plus ce chemin bordé de cerfeuil sauvage et de hêtres, ne freinerait plus avec précaution dans le virage toujours verglacé en hiver et où la pluie formait de grosses flaques à l'entrée d'un des champs. Il savait pertinemment qu'il avait lui-même pris la décision, réfléchie, consciente – c'était du moins ce qu'il pensait à l'époque – de revenir à Londres. Mais le passé, la paix lui manquaient. Observer la forme des choses : l'ombre du feuillage sur la route, les étonnantes dorsales calcaires, les cercles dans les champs, profiter du calme de son jardinet.

Pour une raison qui lui échappait, il revoyait à présent le coin du jardin dans ses moindres détails. Il posa sa mallette sur la rampe et s'appuya dessus. Une file de taxis s'arrêta près de lui dans un bruit de moteurs, haletant comme une meute de chiens en attendant que le feu passe au vert. *Comme des chiens. Assailli par les chiens.* D'où est-ce que ça sortait ? Quelle drôle d'idée. Il se retira mentalement dans le jardin où, un an auparavant, il avait aménagé un coin pour s'asseoir, juste assez large pour accueillir un banc. Il avait installé une petite barrière peinte par ses soins. C'était la première fois qu'il bricolait et il était fier du résultat. Catherine y avait installé une plante grimpante ; il essaya de se souvenir de son nom. C'était une espèce de clématite avec une fleur couleur magenta. Avoir réalisé ça de ses mains, avoir mené le projet à bien lui avait procuré un plaisir démesuré.

Il y pensait comme à son territoire. Pourtant, il ne lui appartenait plus désormais, plus vraiment. On leur avait déjà fait une proposition pour la maison ; l'agent immobilier tenait à conclure l'affaire. Quelqu'un d'autre profiterait de son petit coin dans le jardin. C'était ridicule, puéril, mais il se sentit trahi. Il eut envie de récupérer cette partie de sa vie – tourner au bas de la côte, s'asseoir sur son banc, regarder Catherine planter sa clématite sous la pluie. Il se redressa et prit Lombard Street.

L'appartement était situé dans un immeuble à façade de marbre derrière Bishopgate. Il était fonctionnel. C'est le mieux que l'on pouvait en dire. Il n'avait pas été conçu pour être occupé sur le long terme. Robert arrivait devant l'entrée ; il quitta les trottoirs grouillant de monde, pénétra dans le modeste hall avant de monter les trois étages à pied.

Il ouvrit la porte et se dirigea vers le lit, ôta sa veste et s'allongea dessus en soupirant, épuisé ; il faisait une chaleur étouffante dans la pièce. Il revoyait Catherine lors de leur dernière rencontre, deux jours auparavant. Elle était tellement différente, songeait-il. Son allure était différente. Elle se montrait plus silencieuse, plus calme, semblait sûre d'elle, ce qui ne lui ressemblait pas. Et puis en s'approchant d'elle, il avait bien vu que son départ lui avait fait un coup. Il n'éprouvait aucune satisfaction à affronter le regard direct, critique qu'elle lui adressait, comme si toutes les idées préconçues qu'elle pouvait encore nourrir à son sujet avaient été balayées. Elle lui adressait le regard indifférent que l'on destine à un inconnu, et il avait pu constater qu'elle avait vieilli aussi. Elle avait toujours eu l'air d'une gamine, mais plus maintenant.

Il consulta sa montre. Dix-sept heures quarante. Il n'avait rien à manger ici. Que faire ? Aller acheter un sandwich grec avant que le bar au coin de la rue ne ferme ? Traverser le pont et s'asseoir dans l'un des pubs au sud de la Tamise où il allait toujours boire une bière avant de reprendre le train à la gare de Waterloo. S'asseoir près de la Tate Modern et regarder couler la rivière ; entrer et manger un morceau, peut-être.

Il sourit. Si Catherine avait été là, le choix aurait été facile : avec elle, c'était musée après musée.

Lors de leur première rencontre – un jour de grève à Liverpool Street, la gare la moins belle, la moins digne d'inspirer un peintre, et plus tard dans la queue devant la cabine téléphonique, à l'époque où ni l'un ni l'autre ne possédait de portable – elle lui avait donné l'impression d'être plutôt frêle, d'avoir besoin d'être protégée. Elle portait un manteau dont elle avait remonté le col pour se protéger les oreilles. Il avait remarqué ses poignets fins, sa pâleur. Elle frissonnait. Il lui avait payé un café, voilà comment leur histoire avait commencé.

Elle n'avait quasiment rien dit de son travail, au début. Elle lui en avait caché la nature : elle travaillait chez Bergens, avait-elle dit en lui laissant croire qu'elle était réceptionniste. C'est à ça qu'elle ressemblait, à une fille de banlieue qui savait se montrer séduisante et polie. Sa modestie lui avait plu.

Elle n'avait pratiquement rien dit d'elle ; lors de leurs premiers rendez-vous, ils ne parlaient que de lui. Elle le faisait parler – il n'avait pas envie de monopoliser la conversation. Mais il l'avait vue faire la même chose avec les autres, des clients. Elle les laissait parler et obtenait ainsi les renseignements qui l'intéressaient. C'était une interlocutrice pragmatique et prudente. À la fin de la conversation, elle savait tout de vous. Mais vous ne saviez rien d'elle. Ou si peu.

C'est ce qui l'avait attiré chez elle. Il la trouvait mystérieuse, distante. La princesse dans le donjon. Avec le recul, il l'avait sous-estimée ; il avait simplement été flatté par son regard intense, ses questions. Il lui avait fait la cour. Concept démodé ; pourtant, il avait adoré ça. Quelle jeune fille calme. Il lui avait offert des fleurs – son visage s'était illuminé de plaisir cette fois-là. Elle n'avait pas l'habitude que l'on s'occupe d'elle ; elle vivait seule depuis le décès de ses parents. Elle avait passé toutes ses années de fac sans personne.

Pour une raison quelconque – qui s'était révélée inexacte –, il s'était imaginé que la solitude de Catherine ressemblait à la sienne. Il s'était renfermé sur lui-même parce qu'il ne supportait pas la présence de sa mère. Il pensait que refus d'intimité et manque d'intimité étaient la même chose. Mais cela n'avait évidemment rien à voir. Lui s'était volontairement isolé du spectacle permanent qu'offrait sa mère ; Catherine, elle, avait été séparée d'une femme qu'elle adorait. Chacun d'eux était seul, et il avait cru que cela les plaçait sur la même longueur d'onde.

En l'espace de quelques semaines, il avait compris qu'elle était tombée amoureuse de lui. « Je ne comprends pas pourquoi », avait-il confié à une collègue.

Elle lui avait souri. « Tu es bel homme. Intelligent, digne de confiance. Les femmes adorent ça, Robert. »

Voilà donc ce qui avait séduit Catherine ? Peut-être. Tout était parfait au début. Il lui avait fallu six mois pour se rendre compte – que de regrets il avait éprouvés – que Catherine ne se résumait pas à ce qu'il avait cru voir en elle. Que le physique de fée qui l'avait fait fantasmer cachait un fond de dureté. Elle avait des idées arrêtées, se montrait résolue. Elle savait ce qu'elle voulait. Son travail l'absorbait beaucoup ; sa mémoire visuelle était phénoménale.

Et c'est alors, juste avant leur mariage, qu'il avait découvert qu'il n'avait pas fait suffisamment attention, contrairement à Catherine. Il avait continué sur sa lancée, à faire son travail, à se montrer digne de confiance, à gagner un salaire conséquent en croyant faire l'admiration de Catherine ; mais soudain, il s'était rendu compte qu'elle était son égale, qu'elle lui était supérieure, même, car elle possédait quelque chose qu'il n'aurait jamais.

Une qualité qu'il ne lui enviait pas.

Elle donnait sans compter. Elle se donnait à lui corps et âme, mettait tout ce qu'elle avait en elle pour construire leur couple. Elle s'y appliquait. Elle voulait atteindre le plus profond de son être. Il le ressentait comme une violence, comme si elle lui faisait subir une espèce d'agression insidieuse.

Il comprit soudain qu'elle allait habiter son être, le coloniser, lui imposer ses règles. Elle voudrait *savoir.* Elle voudrait *voir.* C'était précisément cette étrange, persistante, usante envie de *voir* qu'il ne supportait pas. Il lui en voulait. Pis, elle lui faisait peur. Il avait peur de s'en remettre à elle, peur de son exaltation. Et ce qui l'avait attiré chez elle au premier abord commençait à l'éloigner d'elle.

Au bout de deux ou trois mois de mariage, il savait qu'elle essaierait toujours d'obtenir ce qu'il ne souhaitait pas donner. Il s'arrangerait toujours pour ne pas céder. Elle se sentirait constamment repoussée. C'était plus fort que lui, il n'arrivait même pas à se sentir coupable.

Pour être parfaitement honnête, il pensait qu'il s'était fait embobiner, qu'elle voulait le forcer à donner quelque chose dont il refusait de se séparer. Il se sentait trahi. Elle lui avait semblé inoffensive et calme, mais se révélait complètement différente.

Un soir où ils étaient assis ensemble en train de lire, elle lui avait lancé un regard exprimant plus que de l'amour : il traduisait un bonheur parfait. Un tel regard ne devrait inquiéter personne – cela paraissait étrange à présent de penser que ç'avait été le cas –, et pourtant… Il avait vu à quel point elle était capable de renier son être. Surprenante capacité. Il savait qu'il ne l'acquerrait jamais. Qu'il ne ressentirait jamais cela. Et plus important encore, qu'il n'en éprouverait jamais le désir. L'idée même lui glaçait le sang.

Il s'imaginait – il se souvenait de ces sentiments avec acuité – contraint de se donner corps et âme. C'est à ce moment précis qu'il avait commencé à se détacher de Catherine. Et au fil du temps, elle avait fini par comprendre. Jamais elle ne parviendrait à l'atteindre. Il serait toujours à part. Il garderait son précieux sanctuaire.

C'est peut-être là que l'amoindrissement – c'était le terme approprié – avait commencé. Il avait de moins en moins de tout. Moins de conversations. Moins de tolérance. Elle restait avec lui, bien sûr, mais elle voyait le ressentiment s'insinuer entre eux. À la fin, au cours des mois précédant Noël dernier, ils ne se parlaient presque plus. Le silence les séparait, ainsi que la conviction de Catherine d'avoir été trahie.

Il pensait à elle comme à l'un de ses tableaux, une de ces toiles victoriennes aux détails méticuleux, ces toiles immenses qu'elle connaissait si bien, occupées par une foule de personnages. Elle admirait les peintres qui se consacraient au rendu du détail. Lui, il en avait horreur. Il détestait l'idée que l'on puisse dévorer quelqu'un de cette façon, la moindre particule, le moindre centimètre de tissu ou de peau, le moindre cheveu, et le motif du tapis sous leurs pieds, les fleurs sur la tapisserie derrière leur tête, le reflet dans le miroir qu'ils tenaient à la main. C'était presque du cannibalisme, ce désir de reproduire un autre être humain.

Il se leva en soupirant et ôta ses vêtements, salis par le voyage. Il plia la veste, le pantalon, les mit soigneusement de côté pour les porter au pressing. Il prit une douche, laissant le jet d'eau chaude lui masser les épaules et le dos. Il mit la tête sous l'eau, se mouilla le visage. Elle ne quittait pas ses pensées, présente dans les films qui passaient dans sa tête.

Il avait vu sa mère le week-end précédent ; il se sentait obligé de l'inviter maintenant qu'il habitait ici. Il avait offert de l'emmener prendre le thé chez Fortnum's, mais ses efforts n'avaient pas vraiment été récompensés par de la gratitude. À peine était-elle installée qu'elle se plaignait déjà. « Bonté divine », avait-elle murmuré en jetant un coup d'œil dans la direction d'un groupe de jeunes femmes hilares, assises à une table voisine. « C'est de pire en pire. »

Il avait passé commande. Sa mère portait une robe chemisier style années cinquante assez ridicule avec son jupon volumineux. « Je me souviens de cette robe », lui avait-il dit.

« Elle est comme moi, mangée aux mites », avait répondu Eva.

Les ventilateurs ronronnaient au-dessus de leurs têtes. Le bruit et le mouvement des pales ne faisaient qu'ajouter à l'impression d'incohérence que Robert éprouvait. Il n'était pas où il souhaitait être, même après tous ses efforts pour se libérer. Il se rendait compte, avec un vague dégoût, qu'il ne se libérerait certainement jamais de sa mère et, à travers elle, de sa femme. Elles lui collaient à la peau comme des toiles d'araignées.

« Tu l'as quittée pour de bon ? » s'enquit Eva, comme si elle lisait dans ses pensées.

« Oui.

— Tant mieux. Elle était d'un tel ennui. »

Il n'arrivait pas à la regarder en face. Elle but une grande gorgée de thé. « La peinture, c'est tout ce dont elle parlait. En ce qui me concerne, j'aurais eu du mal à me contenter de ça.

— Te contenter de ça ?

— J'aurais voulu m'amuser un peu plus, comme ton père et moi, dit-elle en caressant le tissu de sa robe. Neuf ans à

Singapour. Une fête tous les soirs. Un bonheur permanent. C'était l'époque où les Britanniques savaient vivre. »

Il la dévisageait en constatant l'ampleur de sa cruauté et de son égoïsme. Sa cruauté au sujet de Catherine, son égoïsme au sujet du passé. Son père et elle avaient passé neuf ans en Extrême-Orient pendant son enfance ; ils étaient censés travailler pour une compagnie de tabac mais en réalité, passaient du bon temps, lui faisant sentir qu'il était de trop ; il était devenu la victime de leur mauvais caractère, subissait leurs disputes continuelles jusqu'à ce que la bulle n'éclate et que les capitalistes, les colonisateurs ne rentrent chez eux. Déjà à l'époque, il ne supportait plus les hurlements et la présence de sa mère.

Il lui lança un nouveau regard et comprit à quel point son aversion pour la détermination de Catherine, sa façon de se cramponner à lui, était une réaction contre cette femme, assise en face de lui et qui portait le collier délicat qu'il lui avait offert à Noël. Il voulait faire une surprise à Catherine au départ, jusqu'à ce qu'il comprenne qu'il allait la quitter ; après ça, il avait semblé ridicule de le lui offrir.

Voir sa mère le porter le rendait mal à l'aise, comme si elle portait un symbole de la disgrâce de sa belle-fille.

Un doute était né dans son esprit, un doute terrible, écœurant : il avait peut-être confondu Catherine avec sa mère, s'était représenté sa femme sous les traits de sa mère.

Il entendit la sonnerie de son portable en sortant de la douche.

Il se dirigea vers la chambre et prit l'appel, persuadé que son bureau répondait au message qu'il avait laissé plus tôt.

« Allô ? Vous vous souvenez de moi ? » demanda une voix féminine.

Il la connaissait mais était incapable de mettre un visage dessus. « Excusez-moi… ?

— C'est Helen. Helen Brigham. »

Il l'avait conduite à la gare l'autre jour et lui avait donné son numéro quand elle s'était demandé si le train serait à l'heure. Elle lui avait paru si angoissée qu'il lui avait proposé de l'aider si elle restait en plan – sur le coup, il n'avait pas réfléchi à ce qu'il aurait bien pu faire, étant donné qu'il était à l'hôtel, et ne s'était pas demandé non plus pourquoi Helen n'appelait pas son frère.

« Bonsoir, répondit-il, toujours décontenancé.

— Bon, je suis sur Cheapside, face à Bransgore Street. À quel numéro habitez-vous ? »

Il resta interdit. Elle était à Londres – mais elle vivait quelque part à l'est de la ville. « Y a-t-il un problème ? demanda-t-il.

— Non, mais j'ai besoin de vous parler… si cela ne vous dérange pas.

— Je vois.

— Alors ?

— Oui, bien sûr. » Il lui donna le numéro de son appartement.

Cinq minutes plus tard, elle frappait à la porte. Il s'effaça pour la laisser entrer, elle le dévisagea, remarquant ses cheveux mouillés. « Je vous dérange.

— Non, je rentre de voyage.

— Je revenais du travail. J'avais quelque chose à vous demander. »

Il la conduisit dans le minuscule salon. « Vous buvez quelque chose ? » proposa-t-il.

Elle eut un haussement d'épaules.

« Un café ?

— Un verre de vin serait parfait. »

Il le lui apporta quelques minutes plus tard. Elle leva son verre comme pour porter un toast. « À quoi pourrions-nous boire ?

— Je n'en ai pas la moindre idée, répondit-il.

— À la vie et ses rebondissements bizarres. La vie se résume à une note.

— Pardon ?

— Une note, vous savez les petits détails dont on truffe les textes. Une espèce de réflexion faite après coup.

— Pourquoi considérer votre propre vie de cette façon ? demanda-t-il, perplexe.

— Ce n'est pas ce que vous pensez, vous ? Vous restez sur le carreau alors que les autres avancent.

— Vous parlez de Catherine ?

— Oui.

— Mais elle ne m'a pas abandonné. C'est moi qui l'ai quittée. »

Helen baissa son verre, déjà à moitié vide. Elle l'observait. « Vous l'avez quittée.

— Oui.

— Pourquoi ? »

Il se rembrunit.

« J'ai une bonne raison de vous le demander.

— Laquelle ?

— Elle vit avec mon frère, expliqua Helen. Je voudrais savoir de quel genre de personne il s'agit. »

Robert digéra lentement la nouvelle. Il avala une gorgée de vin. « Quelle importance ? Ils sont adultes tous les deux.

— Elle est très jeune. »

Il réfléchit à la remarque. Catherine avait trois ans de moins que lui ; cette femme avait sans doute six ou sept ans de plus, elle approchait de la quarantaine. Même s'il n'aurait pu en jurer. Très pâle, elle avait les mains veinées, la peau sèche, les articulations trop proéminentes à son goût. S'il était vrai qu'elle rentrait de son travail, elle portait une tenue très décontractée : jean, t-shirt et sandales. Il remarqua qu'elle avait les pieds sales, comme si elle avait marché longtemps. Son jean non plus n'était pas très net. Elle ressemblait à un enfant vieillissant. Elle avait l'air triste aussi ;

ça, il l'avait remarqué l'autre jour quand elle était assise à côté de lui en voiture.

Il se rendit compte qu'il la dévisageait et rougit.

« Est-ce qu'elle fait bien son travail ? demanda Helen. Ces… expertises d'objets d'art, la vente.

— Oui.

— Elle a une spécialité ?

— La période victorienne.

— Les tableaux ?

— Et les sculptures. »

Elle se leva, posa son verre vide, s'approcha de la fenêtre et regarda l'immeuble d'en face.

« Y a-t-il un problème ? »

Robert s'aperçut alors qu'elle pleurait et la frustration monta en lui – pas la compassion, mais la frustration qu'elle vienne l'accabler chez lui. Il la rejoignit.

« Puis-je vous aider ? s'enquit-il. Que se passe-t-il ? »

Elle se cachait le visage dans les mains. « Elle va me le prendre. C'est tout ce que j'ai pour l'avenir.

— Vous prendre quoi ?

— Est-ce qu'elle a de l'argent ? » demanda-t-elle soudain en éloignant les mains de son visage.

Il ne savait que répondre. L'autre jour, à la salle des ventes, Mark Pearson avait expliqué que Catherine et lui étaient associés.

« Voyez-vous, je dois protéger mon frère, expliqua Helen.

— Le protéger ? fit-il, abasourdi.

— Des femmes intéressées. »

Surpris, Robert éclata de rire.

« Ça n'a rien d'une blague. Les gens sont comme ça, vous savez.

— Je suis navré. Mais je ne crois pas que vous ayez besoin de vous inquiéter.

— Vous ne croyez pas ? Pourquoi pas ?

— Parce que… » Il cherchait un moyen de lui expliquer. « Parce que Catherine ne s'intéresse pas à ce genre de choses. »

Incrédule, elle eut une grimace sardonique. « Tout le monde est intéressé, à un niveau ou à un autre. On a tous envie d'obtenir ce qui est à notre portée.

— Pas Catherine. Ça ne lui viendrait pas à l'idée.

— Ça pourrait, si elle trouvait quelque chose qui valait le coup.

— Je ne vous comprends pas. »

Elle croisa les bras sur sa poitrine.

« En avez-vous parlé à votre frère ?

— Non. Je ne suis pas allée chez lui. Je ne l'ai pas vu.

— Pourquoi pas ?

— Parce que… » Elle secoua la tête. « C'est difficile à expliquer. Il trouverait ma réaction disproportionnée. Voyez-vous, je lui ai demandé il y a quelque temps… » Elle se frotta le front. « Je crois que c'était la semaine dernière, je lui ai demandé… Je suis inquiète… Je ne dors plus… J'ai besoin d'argent… »

Robert était gêné. Les larmes roulaient doucement, des larmes plus vivantes que la peau parcheminée sur laquelle elles coulaient. « Je suis sûr qu'il ne refuserait pas de vous aider », dit-il.

Elle lui jeta un coup d'œil. « Ah non ? » répondit-elle comme si Robert connaissait mieux son frère qu'elle. « Il ne le garderait pas à cause d'elle ?

— Je ne connais pas votre frère, lui rappela-t-il.

— Moi non plus. Je ne connais plus personne. » Elle fondit en larmes. Il n'y avait rien d'autre à faire que de la prendre dans ses bras. « On ne peut faire confiance à personne », fit-elle, la tête au creux de son épaule. Elle leva le visage vers lui. « Vous ne croyez pas ?

— Je n'en sais rien », répondit-il, déconcerté par le désespoir qu'il lisait dans son regard.

« Vous l'aimiez ? Vous aimiez Catherine ?

— Oui.

— Et elle vous aimait ? Autrefois, je veux dire. Vous l'aimiez autrefois, et elle aussi ?

— Oui », dit-il, avec la désagréable sensation de mentir.

Helen lui serra le bras. « Ça aussi c'est trompeur. »

Elle lui caressa le bras, l'épaule et pressa ses lèvres contre celles de Robert. Surpris, il céda un court instant à l'insistance du contact, presque tenté de lui rendre son baiser jusqu'à ce qu'il sente ses doigts sur son visage. Cette intimité le fit reculer. Il aperçut son visage, paupières closes, lèvres légèrement entrouvertes. Quelque chose dans la bouche charnue, l'odeur de renfermé qui imprégnait les vêtements d'Helen le submergea. Elle ouvrit les yeux.

« Je suis désolé », dit-il. Helen avait l'air désorienté. « Venez vous asseoir. »

Elle le suivit.

« Vous allez bien ? » Cette situation, cette femme, avaient quelque chose de bizarre même s'il ne savait pas très bien pourquoi.

« Oui, ça va.

— Vous ne croyez pas que vous devriez aller voir votre frère et lui parler de tout ça ? » Il chercha quelque chose de positif à ajouter, un bon conseil. « Et peut-être à Catherine aussi ?

— Vous voulez que j'aille voir Catherine ?

— Cela pourrait vous tranquilliser.

— Vous voulez que j'aille voir votre femme et mon frère ?

— Ce n'est qu'une suggestion.

— Vous ne pouvez pas m'aider ? »

Il était complètement décontenancé maintenant. Il avait envie de se débarbouiller pour faire disparaître le goût qu'elle avait laissé sur ses lèvres, mais ne trouvait aucune excuse pour s'absenter. « Je suis désolé, mais vous aider à quoi faire ?

— Vous ne pouvez pas parler à Catherine ? » demanda-t-elle en posant la main sur sa cuisse.

« À quel sujet ? Je ne comprends pas. Que voulez-vous que je lui dise ? » Il recula, s'efforçant d'échapper à son contact.

Elle perçut le mouvement et se leva brusquement. « Je vois que vous ne voulez pas de moi chez vous.

— Helen, je...

— Désolée de vous avoir fait perdre votre temps. » Il tenta de nouveau de dire quelque chose, mais elle lui fit signe de se taire. Elle se dirigea vers la porte, hésita, main sur la poignée et lui lança un regard. « Parlez à Catherine, ordonna-t-elle doucement. Vous allez lui dire... » Elle s'interrompit pour le jauger, le dévisager. « Vous m'écoutez ?

— Oui. »

Elle ouvrit la porte. L'espace d'une seconde, elle s'arrêta sur le seuil, se caressant lentement la main, se massant les doigts, le poignet, l'avant-bras.

« Je vais lui parler », promit-il.

Elle examina ses bras, puis la pièce presque vide, anonyme. « Dites-lui de laisser mon frère tranquille », murmura-t-elle.

Songe de la fantaisie, 1864

Richard Dadd fut transféré le 23 juillet 1864 à l'hôpital de Broadmoor dans le Berkshire, asile spécialement construit pour les fous criminels.

Il venait de passer presque vingt ans à Bedlam.

On avait craint de rencontrer certaines difficultés pour le convaincre de quitter la cellule à laquelle il était habitué, mais il avait accueilli la nouvelle avec calme, presque sans réagir et avait passé plusieurs jours à remplir la malle mise à sa disposition ; il avait demandé de petits bouts de cotonnade dans lesquels il enroulait ses pinceaux et dont il se servait aussi pour envelopper ses volumes de poésie.

Le matin du départ, Brigham ayant commencé son service plus tôt que d'habitude avait trouvé Dadd assis sur son lit, un livre ouvert sur les genoux.

Le peintre avait l'air inoffensif. Il était difficile de croire que c'était un esprit dérangé, un schizophrène, un meurtrier. Dadd avait quarante-sept ans mais paraissait plus âgé. Il n'avait plus grand-chose à voir avec la photo prise de lui seulement cinq ans auparavant. Après plusieurs semaines de souffrance, il avait fini par accepter qu'on immortalise son image ; on le voyait au chevalet où il travaillait à Oberon and Titania, homme imposant, large d'épaules, massif fixant non pas l'objectif mais le photographe. Sa chevelure était encore noire, à cette époque, parsemée de rares mèches grises. Aujourd'hui, il avait l'air hébété et sa chevelure était presque uniformément blanche.

D'après le médecin, Dadd avait soudain – bien qu'un peu tard – pris conscience de sa situation. Après qu'on l'eut photographié, il n'avait plus eu de crises de rage, ne s'était plus montré ni violent ni querelleur. « Son caractère s'est amélioré », pouvait-on lire dans son dossier, « même s'il a toujours ses vieilles certitudes. »

« Que lisez-vous ? » lui demanda Brigham ce matin-là.

« Resolution and Independence, *répondit Dadd en lui tendant le livre.*

— William Wordsworth. "Toute ma vie n'a été qu'un songe heureux..." » Brigham sourit. « Eh bien, monsieur, voilà une idée à méditer.

— "Tous mes vieux souvenirs ont disparu de ma mémoire, ainsi que le monde des hommes", lut Dadd.

— C'est bien. Nous n'avons que faire des vieux souvenirs, monsieur.

— Vous croyez ? » murmura Dadd. Il ramassa le dernier morceau de coton, referma le livre, l'en enveloppa et le plaça contre sa poitrine.

On avança la voiture qui devait emmener Dadd et quatre autres détenus à onze heures.

Le peintre ne réagit pas avant d'arriver sur la dernière volée de marches d'où il apercevait la courette, la jante des roues et pouvait entendre les sabots des chevaux claquer sur les pavés de l'allée. Il agrippa la rampe et s'arrêta.

« Il faut avancer maintenant, ordonna Brigham. Encore quelques marches, monsieur. »

Mais Dadd refusait de bouger. Figé sur place, ses yeux se remplirent de larmes. Elles se mirent à couler, de grosses larmes qui roulaient doucement.

« Il n'y a aucune raison d'avoir peur. Venez, monsieur : au bout du voyage, un beau bâtiment tout neuf vous attend. Une belle vue sur la forêt, des terrasses où vous pourrez marcher. C'est un endroit plus agréable que celui-ci, monsieur Dadd.

— J'ai dû la laisser, murmura le peintre.

— C'est ça, monsieur, l'encouragea l'infirmier. C'est ça, vous devez partir. »

Dadd se tourna vers lui. Les larmes inondaient sa veste de futaine, la même qu'il portait à son arrivée dans cet hôpital, vingt ans plus tôt. « Elle sera à vous.

— Quoi, monsieur ?

— La toile qu'ils ne veulent pas me laisser emporter. »

Il y avait plus de quarante toiles dans la réserve verrouillée qui jouxtait le bureau du médecin.

« Vous m'avez vu travailler à ce tableau. »

L'infirmier hocha la tête. Il prit son mouchoir et essuya le visage du peintre. Soudain, celui-ci fouilla ses poches. Il en tira un morceau de papier. « Je veux écrire, annonça-t-il.

— Nous n'avons pas le temps, expliqua Brigham. Le chauffeur attend. Votre train part dans quarante minutes.

— Donnez-moi un crayon. »

Brigham n'éprouvait que de la pitié pour cet homme. Quelle vie gâchée, songeait-il. Maintes fois, il s'était assis pour le regarder dessiner. Dadd passait parfois une journée entière à travailler sur un détail, un visage, une main, une branche. Et puis il chiffonnait la feuille de papier avant de la jeter. Brigham en avait ramassé quelques-unes. Il les conservait chez lui, les défroissait soigneusement et les posait sous une malle dans laquelle sa femme rangeait des draps. Un ou deux avaient pris l'humidité, et les enfants en avaient dérobé certains autres, mais il lui en restait un certain nombre. Il s'était pris d'affection pour cet homme étrange ; il trouvait ses dessins très jolis. Parfois, le matin, quand le peintre avait passé une mauvaise nuit, il s'asseyait près de lui et l'écoutait raconter quelles horreurs peuplaient l'obscurité.

Il saisit un bout de crayon dans sa veste et le tendit à Dadd qui griffonna en toute hâte pendant quelques secondes avant de lui tendre le papier. « Prenez ceci, Edward », dit-il en appelant l'infirmier par son prénom pour la première fois. « Donnez-le à M. Neville et dites-lui de s'en occuper. » Sa main se referma sur le poignet de Brigham. « Gardez-la pour moi. Vous avez été la gentillesse même. Vous êtes un brave homme et très touchant. Vous êtes Polyphème.

— Non, pas du tout, monsieur.

— Dans les Idylles *de Théocrite, l'amant de Galatée.*

— Je n'en doute pas, monsieur. Mais ce n'est pas moi, monsieur.

— Il m'a pris neuf ans, expliqua Dadd. Il s'intitule The Fairy Feller's Master Stroke. *Je n'ai rien d'autre à vous donner. »*

L'infirmier sourit. « Je ne peux pas le prendre, monsieur, car vous en avez déjà fait cadeau à M. Haydon.

— Ce tableau précis ? fit Dadd en le dévisageant, dérouté.

— Oui, monsieur. »

Dadd baissa le regard vers les taches de soleil éclaboussant la roue de la voiture. « Je vais vous en peindre un autre, promit-il, une copie, et il faudra vous servir parmi tous ceux qui sont ici.

— Ça n'a pas d'importance, monsieur.

— Mais si », murmura Dadd en pressant le bout de papier qu'il avait déjà mis dans la main de l'infirmier. « Je vais vous en peindre un autre, monsieur Brigham. »

La voiture s'ébranla. Elle cahota lentement sur la longue allée et s'engagea sur Lambeth Road en direction du plus vieux quartier de Londres, Lambeth Palace.

Les stores restèrent d'abord baissés pour ne pas perturber les patients ; mais moins de deux kilomètres plus loin, on se dit que le bruit de la rue – tellement assourdissant que l'on ne pouvait l'atténuer – était plus dérangeant si l'on était privé de la vue sur l'extérieur. On leva les stores et Richard Dadd put voir Londres pour la première fois depuis vingt ans.

Ils approchaient de la rivière et de Westminster Bridge. Étant donnée la lenteur du ferry traversant la Tamise à Lambeth, le chauffeur emprunta le pont, dans une cohue de charrettes, de voitures et de piétons. Au beau milieu de la traversée, Dadd se pencha à la fenêtre pour regarder sur sa gauche. « Qu'est-il arrivé au Palais de Westminster ?

— Il a brûlé, lui répondit-on. On est en train de le reconstruire. Il y aura une grande horloge sur le pont. »

Le peintre observait l'édifice de Pugin et Barry, à moitié terminé derrière l'échafaudage où les ouvriers qui s'affairaient entre les poutres avaient l'air de fourmis. Il aperçut les trous béants des fenêtres, les bêtes de charge qui somnolaient dans la chaleur de cette fin de matinée. Des nuages de poussière étaient suspendus au-dessus de la Tamise à la surface crayeuse, aux eaux animées de tourbillons de vase, sur lesquelles se pressaient les bateaux.

La voiture tourna vers la droite en direction de la caserne des Horse Guards, puis à gauche vers le Mall et Constitution Hill. Dadd ignorait Pall Mall, sur sa droite, rue où s'élevait la British Institution qui, l'année de ses vingt-deux ans, avait exposé ses œuvres pour la première fois ; c'était du temps où il comptait parmi les étoiles montantes, les génies, du temps où on le courtisait. Deux ans plus tard à peine, il avait peint Titania Sleeping *et* Puck, *toiles acquises par Henry Farrer, à l'époque le marchand d'art le plus doué pour les affaires ; il lui avait prédit de grandes choses, la notoriété, la gloire, la fortune. Mais ce passé était révolu ; Henry Farrer aurait eu du mal à le reconnaître aujourd'hui.*

La voiture arriva sur Hyde Park Corner où elle fut immobilisée. Il y avait une espèce d'embouteillage, le chauffeur dut mettre pied à terre et apprit qu'il ne pourrait aller plus loin. Après avoir négocié une dizaine de minutes, l'un des infirmiers obtint la permission de traverser Hyde Park en longeant Serpentine Road. Les voitures se serrèrent pour laisser passer la leur.

Dadd se penchait en avant sur son siège. Il avait plus d'une fois dessiné la Serpentine, cet étang sinueux. Il aperçut le Long Water et plus loin, les jolies petites charrettes et les coupés le long de West Carriage Drive. Il ferma brièvement les yeux : sa vue n'était plus aussi bonne qu'autrefois. Il avait passé trop de temps le nez collé à ses tableaux. Il n'arrivait pas à se concentrer sur les cascades de couleurs. Deux enfants qui couraient à côté de la voiture jetèrent des poignées de gravier sur les roues ; il tenta de se pencher dehors pour apercevoir leurs visages pleins de vie, mais on le tira en arrière, dans l'ombre.

Ils sortirent du parc par Malborough Gate et retrouvèrent le bourbier des rues ; la verdure n'était plus qu'un souvenir et face à eux, s'élevaient les façades flambant neuves des immeubles en pierre de l'île de Portland. Dadd suffoquait : c'était trop d'émotion pour lui. Pourtant, il devait se rappeler les moindres détails : avant d'être enfermé pour le restant de ses jours, il lui fallait profiter de ce spectacle. Il n'aurait rien d'autre à peindre. Il devait se rappeler à quoi cela ressemblait : la ville était tellement plus animée qu'autrefois, la foule tellement plus dense aujourd'hui. Il devait se rappeler. La ville disparaîtrait dans quelques minutes. Il s'efforça de placer contre la perspective du ciel la ville, la foule marchant sur les trottoirs, les saccades des coupés, les robes claires et virevoltantes des passantes, le pas dansant d'un cheval, l'humanité qui grouillait dans les rues. Il réprima ses sanglots.

Et le bruit, par-dessus tout : mur de voix, écho des arbres et de l'eau, sons caverneux du parc, inertie de la rue, sombres échos des carillons des églises...

Ils arrivaient à la gare. On lui donna un petit verre d'eau additionnée de laudanum. On l'aida à descendre les marches et à traverser la foule hurlante de Paddington jusqu'à l'énorme terminus du Great Western Railway qui reliait Londres à Bristol. Œuvre de Brunel, c'était une immense verrière aux poutrelles et aux nervures de fer, soutenue par des colonnes de fonte.

Le bruit était à présent un monstre vivant, un autre Bedlam. Des hommes tiraient des charrettes remplies de valises, porte-bagages de cuir, sangles brunâtres. Le bruit de ferraille des roues l'assaillait, le suffoquait, atroce bruit métallique à ses oreilles tandis qu'il se traînait le long des wagons, soutenu par les infirmiers. Dadd n'osait pas lever les yeux : déjà les vitres illuminées, le cuivre, les fenêtres ouvertes où, çà et là, un corps se penchait, appelait, faisait signe à quelque chose ou quelqu'un derrière lui, l'emplissaient d'une indicible terreur.

Il s'efforçait plutôt de garder les yeux levés vers le ciel, désorienté, nauséeux : il n'avait jamais pris le train. À la vue de la locomotive à l'endroit précis où les rails s'élançaient vers la lumière, sa terreur atteignit son paroxysme.

On le poussa sans ménagement à travers la fumée et la vapeur ; ils étaient en retard, le train s'apprêtait à partir. Des inconnus l'évitaient en faisant la grimace. C'était insupportable pour lui. Le monde irradiait comme une étoile ; des éclairs de lumière l'assaillaient. La foule hurlait ; il gémit quand on le hissa dans le ventre de la bête et qu'on le fit asseoir à la place qui lui était réservée, tremblant, et se cacha le visage dans les mains pour pleurer.

À son arrivée à Broadmoor, Dadd ne montra aucun intérêt ni pour sa nouvelle chambre, ni pour les affaires qu'on lui avait apportées. On lui avait même acheté un violon qui l'attendait sur un petit bureau.

On nota qu'il était calme, pacifique avec les autres patients ; mais ces remarques ne le touchaient pas. Il n'était pas calme du tout : il s'était retiré, indifférent à la banalité du monde. Il était en exil.

Au fil du temps, on réussit à le convaincre de s'asseoir, de s'habiller et de manger. Il restait assis avec les autres malades dans les salles de jour, mains jointes devant lui, parfois scrupuleusement posées sur les genoux. Il parlait peu, sachant qu'il ne pouvait exprimer ce qu'il savait ou qu'on ne l'accepterait pas. La vie n'existait pas dans ce que lui disaient ses sens, dans les mensonges qu'il percevait par la vue et l'ouïe.

Il savait que l'on devait veiller sur le monde réel où régnait la beauté ; il fallait le protéger de sa parodie. Le monde réel existait, non pas à l'extérieur de lui, mais en lui, don des dieux anciens. Le monde réel vibrait sous le verre, visible à travers une loupe penchée sur le papier. La plus petite des portes s'ouvrait sur ce monde, le véritable monde tapi dans les fibres invisibles du coton et du bois, aplati et transformé en papier et en toile. C'est là que le monde réel se cachait, entre les fils du tissu et les herbes. Quelque part, au cœur de ce monde se trouvait la vérité.

Il s'installa près de la fenêtre donnant sur la forêt, mais pas pour admirer la vue.

Il tint parole et réalisa une copie de son tableau The Fairy Feller's Master Stroke *pour Edward Brigham.*

Et il l'appela Songe de la fantaisie, *son havre de paix.*

22.

C'est à dix heures du matin que Catherine trouva John assis dans le couloir du service de cardiologie de l'hôpital, son portable sur les genoux. Sur le point de composer un numéro, il s'interrompit lorsqu'il la vit approcher.

Elle se planta devant lui, apparemment frustrée, agacée. « Peter Luckham m'a avertie. Il a appelé pour me demander combien de temps il allait devoir garder Frith. »

John éteignit son portable.

« Tu n'allais rien me dire ? Pas un mot ? » Elle était rouge et essoufflée d'avoir couru. « J'ai dû attendre de l'apprendre par quelqu'un d'autre. Peter a dû m'appeler ! Comment as-tu osé faire ça ?

— Je suis navré, dit John. La dernière fois que l'on s'est vu, tu...

— Ça fait deux jours que tu es à l'hôpital et c'est Peter Luckham qui est obligé de m'avertir, fit-elle, exaspérée. Bon sang ! Tu croyais sincèrement que ça ne m'intéresserait pas ?

— Catherine, tu m'as dit que tu m'appellerais. Comme tu ne l'as pas fait... fit-il en désignant le portable.

— Je sais très bien ce que j'ai dit », murmura-t-elle. Elle commençait à reprendre son souffle. « Qu'est-ce que tu fais, assis là ?

— Je m'apprêtais à partir.
— On t'y a autorisé ? Ils ont fini ? Quels examens ont-ils pratiqués ? Qu'est-ce qu'ils ont dit ?
— Catherine, ce n'est pas grave.
— Peter a dit que tu avais appelé une ambulance il y a deux nuits de ça !
— C'est vrai, oui.
— Quand exactement ?
— Vers trois heures du matin.
— Après être venu chez moi, cette nuit-là ?
— Oui.
— Oh, mon Dieu… dit-elle, radoucie. Et ça, ce n'est pas grave d'après toi ? Tu aurais quand même pu me passer un coup de téléphone. Tu crois vraiment que je n'aurais pas essayé de t'aider ? Qu'après avoir finalement appris la nouvelle, je m'en serais moquée ? fit-elle, sarcastique.
— Je n'étais pas sûr que tu aies envie d'avoir de mes nouvelles. »

Elle en eut le souffle coupé. « Espèce d'imbécile ! Tu es complètement idiot ! » Il se leva, doutant toujours d'elle. Elle se détourna, essayant de toute évidence de se calmer. « Bon, explique-moi au moins ce qu'ils t'ont dit. »

Il tourna la tête vers l'entrée.

« Tu ne veux rien dire ? Qu'est-ce qu'il y a ? C'est un secret d'état ou quoi ? Allez, raconte !
— C'est une angine de poitrine, répondit John.
— À cause du stress ?
— Non, pas exactement.
— Quoi alors ? » Il ne répondit pas. Elle remarqua le fourre-tout à ses pieds. « C'est à toi, ça ?
— Peter me l'a amené. »

Elle s'assit à deux sièges de lui, tournée vers lui. « S'il te plaît John, explique-moi ce qu'ils t'ont dit. »

Il s'efforçait de ne pas céder au soulagement et à la peur qui avaient dominé ces dernières quarante-huit heures. Il se sentait toujours si vulnérable dans un hôpital. Il avait simplement envie de rentrer chez lui, et s'était attiré les bonnes grâces du personnel en demandant à ce qu'on le laisse partir. Il avait fini par signer une décharge. On l'avait laissé dans le couloir en attendant ses médicaments.

Il fuyait le regard de Catherine.

« Angine de poitrine rebelle, annonça-t-il.

— Je ne sais pas ce que c'est.

— C'est... » Il se massa la main gauche. « J'en souffre depuis un moment.

— Ah bon ? fit Catherine, atterrée. Depuis que tu es rentré d'Espagne ?

— Depuis plus longtemps que ça.

— Mais combien de temps ?

— Plusieurs années. »

Elle le dévisageait. « C'est pour ça que tu es rentré ?

— Entre autres.

— Depuis que je t'ai rencontré ? Depuis que je te connais ?

— Oui.

— Mais tu pourrais sans doute te faire opérer ? Ça se soigne. Il y a des solutions, non ?

— J'ai passé une angioplastie en Espagne, mais il s'agit d'angine réfractaire.

— On pourrait te faire un pontage. Je travaillais avec quelqu'un qui en avait subi un. Ç'avait été miraculeux.

— Ce genre d'angine de poitrine ne s'opère pas. On l'appelle parfois angine têtue, et c'est exactement ça. Angine à la con. Tu places un stent d'un côté pour ouvrir l'artère et ça se bouche ailleurs.

— Je ne t'ai jamais vu prendre un seul cachet.

— Je suis sous bêtabloquants, calcium-bloquants. Avant, je prenais des statines. Du sotalol. Je prends toujours des nitrates. »

Il y eut un long silence. Elle était déroutée par sa désinvolture. Elle avait entendu parler des bêtabloquants, mais pas du sotalol ni des statines. Elle n'avait aucune idée de ce que c'était. Sur le mur, au-dessus de la tête de John, une affiche aux couleurs criardes vantait les mérites de l'exercice et d'une alimentation saine. Ce n'est pas comme s'il avait des kilos à perdre, songeait-elle. Il ne fumait pas. Ça n'avait aucun sens.

Une aide-soignante passa avec un chariot chargé de boissons et tourna dans un service proche. Ils l'entendirent parler aux patients, plaisanter avec eux.

« Que croyais-tu que j'allais faire ? demanda Catherine. Pourquoi ne m'as-tu pas parlé de tout ça ? Tu croyais que j'allais te quitter ou quoi ? Tu me croyais incapable de comprendre ?

— J'essaie de ne pas y penser. J'ai horreur de ces endroits, horreur de tout ça. Voilà pourquoi je ne t'ai rien dit. J'essaie de ne pas y penser, c'est tout.

— Cette explication ne me suffit pas. C'est des conneries, tout ça.

— C'est mon problème.

— Eh bien, merci de ta confiance. »

L'infirmière en chef s'approchait d'eux, un sac rempli de cachets à la main. Elle adressa un léger signe de tête à Catherine et tendit le sac à John. « Je n'ai pas besoin de vous expliquer ce que vous devez faire avec ça ?

— Non, répondit John en se levant.

— Vous devez voir le spécialiste.

— D'accord.

— J'ai appelé sa secrétaire. Vous avez manqué le rendez-vous la semaine dernière. »

Catherine lui lança un regard accusateur.

« J'irai le voir. Merci. »

Catherine et John se dirigèrent vers la sortie ; il s'effaça pour la laisser passer. Il y avait du vent ce jour-là, les nuages couraient dans le ciel pommelé. Sur les marches de l'hôpital, John fourra les médicaments dans la poche de sa veste.

« Je te ramène, proposa Catherine.

— Je peux prendre un taxi. J'allais justement en appeler un quand tu es arrivée.

— C'est hors de question. »

Il s'éloigna. Elle le regarda, étonnée, avant de lui emboîter le pas. « Qu'est-ce qui t'arrive ?

— Rien.

— Regarde-moi, ordonna Catherine. Regarde-moi dans les yeux. Tu fuis mon regard depuis que je suis arrivée. »

Il s'exécuta à contrecœur.

« Qu'y a-t-il ?

— Je ne voulais pas te mêler à tout ça.

— Tu as vu le résultat ? » fit-elle avec un petit rire.

« Tu mérites mieux, Catherine. Ce n'est pas juste envers toi. »

Il s'engagea sur la pente douce menant en ville. Sa démarche était étrange, il était courbé, les épaules voûtées, comme s'il parait un coup. Au carrefour suivant, il s'arrêta pour laisser entrer une file de voitures dans le parking : la dernière était un taxi. Il le héla, se pencha pour parler au chauffeur.

Catherine courut à sa rencontre et le prit par le bras. « Comment oses-tu faire ça ? Tu ne manques pas d'air !

— Écoute...

— Non, c'est toi qui vas m'écouter, John ! Tu ne vas pas t'en tirer si facilement. Tu voulais que je vive avec toi, tu voulais que je sois près de toi à chaque seconde de la journée...

— Je croyais que c'était ce que tu voulais.

— C'est vrai. Qu'est-ce que j'ai fait ? Qu'est-ce que j'ai fait de mal pour que tu me caches la vérité ?

— Je ne peux pas t'expliquer. Je l'ignore.

— Tu refuses de me dire que tu es malade ? Tu refuses de me parler de cette histoire avec Helen, tu… hésita-t-elle…me rejettes ?

— Je suis seul depuis longtemps.

— Et tu trouves que c'est une raison ? s'emporta-t-elle. Il me semble que c'est une bonne raison pour vouloir quelqu'un à tes côtés, pour vouloir être aimé et ne jamais plus vouloir être seul, et pour ne pas te renfermer sur toi-même.

— Je ne voulais pas te faire supporter un tel poids. C'est mon problème.

— Merde, alors. Tout ça c'est des conneries, John. Tu ne m'as jamais fait confiance.

— Non, c'est faux. C'est à moi que je ne fais pas confiance. Je ne sais pas quoi faire. »

Elle le dévisagea, frustrée, décontenancée.

Autour d'eux, un flot de patients et de visiteurs, de camions de livraison envahissait la bretelle d'accès. Ils attendaient au coin de la rue, petite oasis de calme.

En la regardant, il se disait qu'il lui restait peut-être un an ou deux – un homme de son âge pouvait espérer vivre vingt-cinq ans de plus. Qu'allaient changer ces deux années ? Tu parles d'un miracle ! Pas pour un homme de cinquante ans. Deux ans avec Catherine. Deux ans, huit saisons.

Huit saisons avec elle.

Il pinça les lèvres, mais malgré ses efforts, il ne put contrôler sa bouche. *Et merde,* songea-t-il. *Tu ne vas pas te mettre à pleurer devant elle.* L'absurdité de cette idée le fit rire. « Bon Dieu », maugréa-t-il en cherchant un mouchoir dans sa poche et en s'apercevant qu'il n'en avait pas.

« Que vas-tu faire ? demanda Catherine.

— À propos de quoi ?

— De ça. Il doit bien y avoir quelque chose à faire. Une opération. »

Il ouvrit la bouche pour répéter *artériosclérose, angine réfractaire inopérable*, mais se ravisa. Il détestait ces mots qui refusaient de lui sortir de la tête. Il aurait voulu s'ouvrir le crâne pour les en extirper. Entendus une fois, jamais oubliés.

Il dévisagea Catherine et elle lut la réponse dans son regard. Elle pâlit, clouée sur place.

Deux mois plus tôt, il avait demandé à son généraliste quel était son pronostic.

« Il vous faut du repos, avait-il répondu.

— Existe-t-il un autre traitement ?

— On expérimente la thérapie génique aux États-Unis. Injection de facteur de croissance dans le cœur.

— Je peux en bénéficier ici ?

— Je vais me renseigner. »

Ils s'observaient ; John s'efforçait de lire entre les lignes.

« J'ai le droit de faire de la marche ?

— Oui, bien sûr.

— Quelle distance puis-je parcourir ?

— Celle que vous voulez.

— Faire du sport ?

— Ça ne serait pas raisonnable. »

Raisonnable ? Il ne l'était pas. Être raisonnable revenait à être invalide. Tout ça ne ressemblait pas à ce qu'il avait imaginé – non, vraiment pas –, alors il s'était mis à réparer les écluses, à charger du bois sur des remorques. Un matin, avant sa rencontre avec Catherine, il avait fait une promenade de plus de deux kilomètres, ce matin glacial de mars où les premiers rayons matinaux pointaient leur nez à travers les branches, où les premières pousses des campanules sortaient dans la forêt de Derry Woods, par ce premier beau matin de printemps, plein de promesse, en espérant que la douleur lancinante, épuisante allait arrêter son cœur tout net. Il ne pouvait pas être raisonnable, s'asseoir et attendre. Il aurait préféré placer un pistolet sur sa tempe et en finir.

Et puis, Catherine était venue lui rendre visite. Et tout d'un coup, la décision n'était plus aussi facile à prendre. Le choix n'était plus le même. Il ne s'agissait plus de se promener dans la forêt pour atténuer la douleur. Il s'était juré de prendre ses médicaments, de ne pas faire de trop longues promenades ni d'entreprendre des tâches pénibles. Il avait décidé de restaurer l'escalier ; c'était un projet court, une tâche méticuleuse mais pas trop physique. Il avait menti par omission pendant tout ce temps. Il troquait l'amour contre la raison et priait Dieu de ne pas mourir dans son lit.

Il se sentait coupable à présent. « Je suis égoïste. J'avais envie de toi. »

Elle le prit par le cou. Elle ne pleurait pas, mais il sentit quand elle approcha son visage du sien qu'elle avait le souffle court. Au bout d'une minute ou deux, elle s'écarta de lui, sortit les clés de son sac. « Je te ramène. »

Il la prit par la main. « Ne me ramène pas, ça voudrait dire que je suis malade, que tu m'aiderais. Mais je ne veux pas de ton aide. Je ne veux pas d'une infirmière. Je veux juste que tu rentres à la maison avec moi.

— Comme tu veux, John », fit-elle avec un hochement de tête.

23.

Ce soir-là, ils montèrent la colline vers la forêt de Derry Woods ; ils partirent à travers champs depuis les écluses, au crépuscule, alors que l'obscurité était déjà presque complète. Les sentiers étaient secs sous leurs pas, la craie affleurant à mesure qu'ils progressaient. L'air était chaud et humide, vestige d'une belle journée. Sous les hêtres, l'ombre était plus épaisse. Frith les devançait, fouettant les broussailles de la queue.

Leur dernière promenade ici remontait à trois semaines. C'était début mai et les nouvelles pousses sur les branches se paraient alors d'une teinte vive, éblouissante, plus proche du jaune que du vert. Les hêtres, alignés le long de la colline, dessinaient un tunnel vert ; en contrebas, juste au-dessus de la rivière, sous un capharnaüm d'aubépine et de buissons, l'ail sauvage recouvrait le sol, ses feuilles vernissées s'ouvrant en éventail, emplissant l'air d'une odeur puissante, presque rance.

Ils se retournèrent pour admirer le point de vue et le chemin qu'ils venaient d'emprunter ; par-dessus la cime des arbres, ils apercevaient les collines environnantes qui se résumaient à présent à une ombre, à l'autre bout de la vallée. Bridle Lodge avait disparu ; ils devinaient la courbe de la rivière. Dans la vallée, tout n'était que silence. Seuls des merles, probablement dans le jardin de John, se querellaient aux dernières lueurs du crépuscule.

Ils gardaient le silence, John enlaçant Catherine.

Ils étaient rentrés à la propriété à midi. John s'était tout de suite dirigé vers l'alarme devant la porte du salon. « Viens ici, je veux te montrer quelque chose », avait-il dit à Catherine en lui tendant la main.

Après qu'il eut neutralisé l'alarme, ils avaient pénétré dans la pièce en refermant derrière eux.

John s'était dirigé vers le bureau de l'autre côté, près des fenêtres, avait sorti une liasse de papiers d'un tiroir. « Voici les factures que j'ai pu retrouver. J'ai tout trié en rentrant de chez toi, l'autre nuit. Elles couvrent ces dix dernières années. Je peux me rappeler où et quand j'ai acheté certains objets, mais pour d'autres… les petites choses, certains bibelots en porcelaine de Bow, je ne sais pas… mais je vais tout vendre. »

Elle s'approcha de lui en essayant de digérer l'information. « Allons à Londres, finit-elle par dire. Si tu souhaites vraiment vendre, autant en tirer le meilleur prix possible. Et puis, du point de vue éthique, ça ne paraîtrait pas très correct de le faire chez Pearsons. »

Il lui prit la main, la porta à ses lèvres.

« Ou tu peux encore y réfléchir. Rien ne presse…

— Si. Je veux me débarrasser de tout ça.

— Cela représente une telle collection, John. Tu voudras sans doute garder quelques objets. »

Il lâcha la main de Catherine. « En parlant de secrets, Helen ne faisait pas allusion à tout ça. Il y a autre chose. »

Il la fit asseoir près de la fenêtre, face à lui. Il lui lança un coup d'œil par-dessus son épaule avant de se diriger vers le centre de la pièce, de pousser la table anglaise et d'en poser le contenu par terre, contre les plinthes. Puis il se mit à quatre pattes et enroula le tapis. Le sol avait un aspect poli, la patine du parquet de chêne était presque noire.

« Ça m'a pris un temps fou. J'ai failli cracher le morceau quand nous nous sommes rencontrés, quand on a parlé de soulever le parquet. Je voulais que ce soit invisible. J'ai arraché les lattes et je les ai découpées. C'était en janvier, pendant la période où il n'a pas arrêté de pleuvoir. Quand j'ai eu fini de creuser la cachette, le bois avait travaillé. J'ai dû attendre qu'il sèche. J'ai mis les lattes dans la cuisine, à côté du poêle… »

Elle le dévisageait, perplexe.

« Voilà », dit-il. Il s'efforçait de faire jouer une latte du bout des doigts, mais elle refusait de bouger. Il se leva en jurant et partit chercher un petit tournevis dans le buffet. Catherine appuya ses coudes sur ses genoux.

Au bout de quelques minutes, il réussit à soulever deux lattes ; il sortit une boîte en métal du trou qu'elles dissimulaient. C'était un petit tiroir de bureau étroit et peu profond équipé d'un couvercle en acier. L'extirper de la cachette demandait une certaine dextérité et une fois la manœuvre terminée, John posa la boîte par terre devant Catherine. « Je la laissais dans un coffre à la banque jusqu'à présent.

— Qu'est-ce que c'est ? » demanda Catherine.

Il ne répondit pas.

Le tiroir était divisé en deux compartiments, l'un plus petit que l'autre. Il l'ouvrit et déposa sur le parquet des chemises en plastique, contenant chacune une enveloppe kraft.

« Je les ai enveloppés dans deux ou trois couches de papier sans acide. »

Il lui apporta les chemises, environ une vingtaine d'après ce qu'elle put estimer. Il lui apporta ensuite une paire de gants en coton qu'elle enfila.

« Ouvre-les », ordonna-t-il.

Elle posa la pile d'enveloppes près d'elle et prit la première. On pouvait lire *Night and Day, 1864* en haut à gauche. Elle inspira et regarda John.

« Ouvre-la. »

Elle sortit de l'enveloppe le papier sans acide et le dessin qu'il protégeait.

Elle posa sur ses genoux une esquisse au crayon, un demi-cercle qui ressemblait à une ébauche de sculpture ou de frise ; elle portait une inscription en bas à droite : « Richard Dadd, 1864. »

« Mais ce dessin appartient à la collection de l'Ashmolean, remarqua-t-elle doucement. Ils l'ont acheté juste avant la guerre.

— Celui-ci est une copie. De la main de Dadd. »

Étonnée, elle fixa le dessin pendant quelques instants, puis jeta un coup d'œil aux chemises posées près d'elle. Il tendit la main pour récupérer le premier dessin ; sans un mot, elle prit la seconde enveloppe et l'ouvrit.

« *Port Stragglin,* s'exclama Catherine. Oh mon Dieu. »

Elle avait consacré une communication à cette aquarelle peinte en 1861. Sur l'original, Dadd avait écrit une inscription poignante : *« Vue d'une partie de Port Stragglin – le rocher et le château de la solitude/et le phare Blinker au loin/pas peint d'après nature. »*

Elle retourna l'enveloppe et regarda de nouveau la date inscrite dessus : 1865. « Il les a redessinés ? murmura-t-elle.

— Tout ce qu'il a laissé à Bedlam ou offert. »

Catherine regarda de nouveau le dessin. « "Pas peint d'après nature". Il dessinait des choses si belles, des arbres, des fleurs comme les peintres préraphaélites ou les surréalistes... et cette inscription, "pas peint d'après nature" parce qu'il n'avait pas de vue sur un jardin... » Elle souleva le dessin. « J'ai toujours pensé que celui-ci était parfait : le rocher, la ville, les bateaux dans le port, leurs gréements, les cheminées des maisons. Les tours le long de la route menant au rocher. Au premier abord, on pense que c'est impossible. Aucun endroit sur terre ne ressemble à ça. Faire contenir tout un monde sur un petit bout de papier de quinze centimètres sur… je ne me souviens plus, quinze sur dix ?

— Douze.

— Alors, c'est une réplique exacte.

— Exactement de la même taille que l'original. »

Catherine s'adossa à la fenêtre. « J'ai les mains qui tremblent », fit-elle en fermant les yeux. « C'était de ça dont tu parlais. C'est ça que veut Helen.

— Non, elle déteste ces œuvres. Elle veut les vendre. C'est l'argent qui l'intéresse.

— Et elle croit que moi aussi je veux les vendre », murmura Catherine. Elle se rembrunit soudain. « Tu vas les garder ?

— Qu'en penses-tu ?

— Eh bien, rien que ça… Combien en tirerais-tu si tu les vendais ? Je ne sais pas… c'est impossible à dire. Dix mille livres ? Vingt, trente ? On n'en trouve jamais sur le marché. Je pense que le British Museum possède l'original de celui-ci. Et puis il y a quelques collectionneurs privés », ajouta-t-elle, en réfléchissant tout haut. « Aux États-Unis. Il y en a un dans le Connecticut… la Tate en possède quelques-uns, le Victoria and Albert Museum aussi… » Elle jeta un coup d'œil au dessin puis à John. « Mais pour la plupart, les catalogues se contentent de la mention “introuvable”. Il se peut qu'il existe un dessin, une copie ou une photo prise il y a des années, mais personne… personne ne sait où ils se trouvent. Ils ont disparu. »

John avait replacé le premier dessin dans son enveloppe. Elle le dévisagea. « John, combien en possèdes-tu ? »

Il indiqua l'enveloppe suivante d'un hochement de tête. Elle l'ouvrit.

Elle reconnut *Mother and Child.* « Oh, bon sang », murmura-t-elle.

« Regarde les vêtements, dit John, ces plis incroyables. Il y a simplement trop de tissu, trop d'ombres. Ils donnent le frisson, c'est merveilleux. Cette emphase. Comme si la maladie de Dadd, son obsession, se trouvait là, sous nos yeux.

— Et l'oiseau, au fond, dit-elle en souriant. Il est tellement étrange avec ses plumes hérissées. » Elle pencha la tête de côté. « C'est étrange de le voir si petit.

— Il en a quasiment fait une miniature.

— C'est un tableau assez important. Huile sur toile. Il est arrivé sur le marché dans les années cinquante.

— Soixante. »

Elle regarda les dessins tour à tour. « Comment a-t-il pu se souvenir de tout ça ? Tout est identique, comme s'ils avaient été photocopiés. »

Il prit *Mother and Child* et lui passa le suivant.

Dix minutes plus tard, elle étala tous les dessins sur la table vide. John ne dit rien. Au bout d'un moment, elle se tourna vers lui et lui demanda : « Il n'y a rien d'autre ?

— J'ai dix-huit tableaux et quatorze miniatures sur émail. »

Elle resta silencieuse et immobile.

« *The Child's Problem, Bacchanalian Scene, Cupid and Psyche, The Pilot Boat, The Flight of Medea*…

— Merde alors, John. »

Il éclata de rire. « Ça n'a rien d'une réponse de spécialiste, madame Sergeant.

— Au contraire. Tu possèdes une miniature de *Bacchanalian Scene* ?

— Oui.

— Sur émail…

— Dadd a tenté tout un tas d'expériences à Broadmoor. Il a peint un rideau de théâtre, les décors des pièces données à l'hôpital, des lanternes. Il a fait de la gravure sur verre… »

Catherine était retournée près de la fenêtre. Elle contemplait le jardin, une main sur les lèvres.

« Dix-huit tableaux.

— Oui.

— Des copies ?

— Tu es vraiment forte quand il s'agit de garder ton calme, lui dit-il en souriant.

— Des copies, ou pas ? »

Il s'approcha du tiroir en métal dont il sortit un sac en tissu.

« Ils n'ont jamais été dépliés, expliqua-t-il. D'après mon père, ils n'ont jamais été encadrés. Alors… » Il ouvrit le sac. « … certains sont craquelés. Ils ont tous besoin d'attention, d'être restaurés, encadrés et… »

Il lui tendit une toile.

« Qu'est-ce que c'est ?

— Déroule-la. »

Parmi tous les visages, elle remarqua d'abord celui du magicien. Occupant le centre de la toile, il était assis, les bras écartés. Ébahie, Catherine se pencha pour étudier ses traits avant de se tourner vers John. « Il est différent. Regarde ça… regarde-le. »

Elle se leva et fit jouer la lumière sur la toile que son regard embrassait tout entière. Comme dans *Songe de la Fantaisie*, les fleurs étaient ouvertes alors qu'elles n'étaient qu'en bouton ou même invisibles dans l'original. Les herbes qui ondoyaient sur la toile portaient des graines, et leurs minuscules pétales étaient ouverts. « Elles sont toutes différentes, toutes autant qu'elles sont. »

La reine des fées de *The Fairy Feller's Master Stroke* se tenait juste au-dessus du magicien, le regard perdu au loin au lieu d'être tourné vers son partenaire. La libellule trompette se dirigeait droit vers le spectateur, ailes déployées. Tous les personnages de la toile regardaient devant eux, certains avec le regard fixe des personnages de *Bacchanalian Scene*, d'autres paraissant simplement curieux.

Catherine caressa du bout des doigts la silhouette des deux jeunes filles debout derrière le magicien.

John était venu la rejoindre.

« C'est toi. Le magicien, c'est toi », murmura-t-elle en abaissant la toile.

Il jeta un coup d'œil au tableau : même les couleurs avaient changé. Les gris de l'original avaient été remplacés par un bleu poudré, la terre sous les pieds du magicien était devenue jaune vif. Les personnages semblaient heureux, la toile grouillait de vie. Leurs yeux brillaient. C'était comme si l'artiste les avait saisis en train de danser, de courir. Les jupes de la fille au miroir flottaient, ses pieds ne touchaient pas le sol : elle volait, portée par les ailes qui lui poussaient dans le dos.

« Regarde dans le miroir », l'exhorta John.

C'était le visage de Catherine. Une femme jaillissait du miroir, une femme dont le teint et les vêtements ressemblaient à ceux de la fille au miroir, mais sans être identiques. C'était une autre femme ; elle transcendait le miroir, le traversait.

Catherine n'arrivait pas à détacher le regard de la toile. « C'est de ça dont tu parlais quand tu m'as dit de regarder la fille au miroir : tu avais vu ce visage. Tu avais vu qui se cachait dans le miroir.

— Ton visage. Je n'arrivais pas à y croire quand je t'ai vue pour la première fois. Tu vis dans le miroir. Il y a vu ton reflet et l'a reproduit.

— Tu es sérieux ?

— Bien sûr que oui. Pourquoi pas ? Il était capable de voir d'autres mondes, certains aussi vastes que Port Stragglin et d'autres si minuscules qu'encore aujourd'hui il faudrait se servir d'une loupe pour les découvrir.

— Mais c'est impossible », s'écria Catherine.

John se plaça directement derrière le tableau qu'elle admirait pour pouvoir la regarder. « Bien sûr que ça l'est. D'un autre côté, y a-t-il quelque chose de vraiment impossible ? Où se situent les frontières du possible ?

— Tu ne peux pas croire sérieusement qu'il m'a vue.

— Non, mais je crois qu'il a vu une autre version de notre monde, un univers parallèle. Une autre réalité », fit-il en désignant la toile de la tête. « On les appelait *tableaux à dormir debout*, comme s'ils décrivaient quelque chose qui n'existait pas. Mais des tas de gens, tout autour du monde, affirmaient avoir vu ces images, tout comme lui. Les tableaux de ce type sont devenus une véritable industrie ; ils sont restés à la mode pendant des années.

— Mais ces images n'existaient pas vraiment.

— Peut-être pas. On peut toujours se dire que rien de ce que Richard Dadd a peint n'a vraiment existé. Après tout, il a passé la majeure partie de sa vie d'adulte enfermé dans un asile. Il était assez fou pour égorger son père et être persuadé pendant le restant de ses jours d'avoir fait le bon choix. Il entendait des voix…

— Mais toi, tu crois que tout ça était réel ?

— Si tu me demandes si je crois en l'existence des fées…

— Tu y crois.

— Non. Mais je crois qu'un homme comme Dadd avait accès à un monde dont nous n'avons aucune idée. Qui peut dire qui vit dans ce monde tout près du nôtre, parmi nous, en compagnie de tout ce à quoi nous ne faisons pas attention ou que nous apprenons à ignorer ?

— L'altérité.

— Quoi ?

— L'altérité. J'ai entendu que l'on en parlait en ces termes. »

Il examina de nouveau la toile. « Que vois-tu d'autre ? demanda-t-il.

— Je vois ton visage dans celui du magicien », répondit-elle en secouant la tête.

« Ah, mais ça n'a rien de magique.

— Pourquoi ?

— Parce que cette toile a été peinte pour mon arrière-grand-père, Edward Brigham. »

Elle en resta bouche bée. Puis son visage s'éclaira.

« L'infirmier qui s'occupait de Dadd à Bedlam. Il s'en est occupé pendant neuf ans. C'est à cette époque que Dadd a peint *The Fairy Feller's Master Stroke.*

— Dont il a fait cadeau à l'infirmier en chef de Bedlam, M. Haydon, qui avait adoré *Oberon and Titania* au point de lui demander quelque chose de semblable.

— Et quand Dadd est parti à Broadmoor, il a peint cette copie, copie qui n'en est pas une puisqu'elle surpasse l'original.

— Et il a représenté le visage de Brigham.

— Et le tien. »

Catherine rit doucement, trop ébahie pour réagir autrement qu'en examinant la toile.

« Tu ne penses pas que le dessin est meilleur ?

— Je n'en sais rien. Je n'arrive pas vraiment à réfléchir de façon cohérente.

— Je pense que celui-ci est meilleur, plus optimiste.

— Je suis incapable de réfléchir. Prends-la. »

Il la lui prit des mains et elle se laissa tomber sur son siège. « Je n'arrive pas à croire ce qui est en train de se passer. Tu possèdes dix-huit aquarelles, les miniatures, ça et...

— Onze autres toiles.

— Onze ? Là-dedans ?

— Oui.

— Des copies de tableaux que je connais ?

— Cinq copies. Six originaux.

— Six originaux de Dadd ? » fit-elle en portant la main à son front. « Des huiles ?

— Oui.

— Comment le sais-tu ?

— Quoi ?

— Que ce sont des originaux. Tu veux dire qu'ils ne sont jamais apparus dans aucun catalogue, aucun ouvrage de référence ?

— Ses carnets de voyage en Syrie y font allusion, répondit John. Tous les dessins ont pour sujet l'Égypte, la Syrie et la Grèce. »

Catherine resta silencieuse. Elle regarda John replacer délicatement les dessins dans le sac de toile imperméable. « Il faut les conserver mieux que ça.

— Je sais. Tu veux voir les autres ?

— Demain.

— D'accord. » Il rangea la boîte, remit les lattes de parquet en place, puis le tapis et enfin la table. « Ça va ? » demanda-t-il d'un air circonspect. « Tu n'as pas l'air très en forme.

— Ça t'étonne ? Je n'en reviens pas que tu gardes tout ça sous ton plancher. »

Il faisait tout à fait noir à présent, mais une espèce de lumière semblait émaner de Derry Woods. Assis sur la terre sèche et gorgée de chaleur, ils attendaient que Frith revienne. Au bout de quelques minutes, il réapparut, courant à perdre haleine entre les arbres ; il repéra leur odeur alors qu'il les avait presque rejoints.

« Où étais-tu passé ? » lui demanda John alors que le chien se couchait près d'eux et se roulait voluptueusement sur le dos.

Il n'y avait pas un nuage dans le ciel. Catherine eut la sensation de flotter entre les étoiles, comme lorsqu'elle était enfant. Elle serra la main de John dans la sienne.

« J'ai envie de donner quelque chose à Helen. Elle a besoin d'argent.

— Pourquoi ne vends-tu pas tout ? suggéra Catherine. Tu en tirerais beaucoup d'argent. Un million, peut-être plus. Tu pourrais donner la moitié de la somme à Helen.

— C'est ce que tu ferais ?

— Ces œuvres ne sont pas à moi, la décision ne m'appartient pas.

— Mais est-ce que c'est ça que tu ferais ?

— Si j'avais absolument besoin d'argent, il faudrait bien.

— Imagine que tu n'en aies pas besoin, que ferais-tu alors ?

— Je n'en sais rien.

— Tu les garderais ?

— Je n'en sais vraiment rien.

— Tu les laisserais à tes enfants ?

— Si c'était la tradition jusque-là, alors… oui.

— Mais je n'ai pas d'enfant. » John garda le silence un moment. « Mon père les a gardées toute sa vie, reprit-il enfin. Il ne nous en a jamais parlé. Il nous les a léguées par testament. Ce n'est pas comme s'il n'avait pas eu besoin d'argent de son vivant, mais le legs original contenait une clause interdisant de les vendre. Dadd les avait données à Edward Brigham à condition qu'elles ne soient jamais vendues.

— Mais l'autre jour, tu as parlé de tout vendre.

— Je voulais parler de la porcelaine. Je le crois, du moins – peut-être qu'alors, je voulais aussi parler des Dadd. Mais maintenant…

— Quoi ?

— Ça ne me semble pas bien. » Il ramena les genoux vers lui, croisa les bras dessus. Catherine arrivait à peine à distinguer son profil. « Je dois réfléchir à tout ça, à Helen, aux tableaux… Je ne peux pas simplement les abandonner.

Il faut les trier. Je fais l'autruche depuis trop longtemps en essayant de ne pas y penser. Je dois me décider.

— Tu as encore le temps. »

Pour toute réponse, John serra la main de Catherine. Elle éprouva soudain le désir violent de rester là, dans le noir, de ne jamais rentrer à la maison. En pleine lumière, les choses étaient différentes, plus nettes, plus cruelles. Dans le noir, on pouvait faire semblant d'être invulnérable, de garder le monde à distance.

« Les relations d'Helen ne durent jamais longtemps, expliquait John. Toutes les aventures qu'elle a eues se sont mal terminées.

— Quel dommage, murmura Catherine.

— Rien ne dure bien longtemps avec elle. Elle a beaucoup de choses à cacher.

— Des choses à cacher ? » Catherine se pencha pour mieux distinguer le visage de John. « Qu'est-ce que tu veux dire ?

— Elle est atteinte d'un trouble bipolaire. Du temps de Dadd, c'était connu sous le nom de manie. Il y a quelques années, on appelait ça maniaco-dépression.

— Ah, je vois…

— Elle le cache. Elle cache même son traitement. J'ai vécu chez elle à Londres peu après la mort de Claire. Elle a eu un accident, et n'a pu travailler pendant quelque temps. Le médecin du travail est venu la voir. Elle n'avait jamais parlé de sa maladie, son employeur l'a appris. On l'a forcée à démissionner.

— Ça semble injuste.

— Les gens ne sont pas toujours justes quand il est question de troubles psychiatriques ; mais elle leur avait caché sa maladie. Ils ont estimé qu'il s'agissait d'un abus de confiance.

— Qu'a-t-elle fait après ?

— Elle est partie travailler à l'étranger. Elle a pas mal bougé. Elle est revenue à Londres au bout de quelques années. Mais je crois qu'elle ne s'est jamais vraiment remise de son licenciement. Elle en voulait à la terre entière à cause de ça – c'est dans son caractère, comme tu as pu le remarquer. »

Ils entendirent un bruit provenant du bas de la colline. Frith s'assit, oreilles dressées.

« Tu n'as pas intérêt », l'avertit John en l'attrapant par le collier.

« Qu'est-ce que c'est ? demanda Catherine.

— Un chevreuil, je pense. »

Porté par le vent qui venait de se lever, le bruit de plusieurs animaux se déplaçant au pied de la colline monta jusqu'à eux. Ils les écoutèrent progresser lentement, d'ouest en est. Une fois déjà, tard un soir comme celui-ci, ils avaient aperçu un grand cerf et un petit groupe de biches. Ils avaient laissé Frith à la maison. Au détour d'un sentier, dans une clairière, ils s'étaient trouvés face au cerf, immobile.

Un orage se préparait en mer, à une quarantaine de kilomètres ; tard cette nuit-là, il s'était déchaîné sur la maison, en faisant trembler les fenêtres. Mais pendant leur promenade, il se résumait encore à un courant d'air, à quelques nuages noirs dans le ciel.

Les muscles sur les flancs du cerf avaient tressailli. Les biches étaient sorties du bois une par une puis avaient traversé pour plonger à l'abri des épais buissons. Parfaitement immobile pendant qu'elles traversaient, le cerf lançait de temps à autre des coups d'œil à John et Catherine. Puis, en l'espace de quelques secondes, lui aussi avait disparu.

Catherine se demandait si ce même groupe se trouvait à présent en bas de la colline. Elle repensa à cette autre nuit, sur le chemin du retour, la barrière d'où l'on pouvait apercevoir le village, les champs et l'orage arriver par-dessus les collines.

Les branches des châtaigniers et des chênes dansaient au vent qui s'était levé, et tandis que Catherine et John observaient les volutes indigo des nuages, des gouttes de pluie avaient éclaboussé leurs visages et leurs vêtements. Pas une pluie d'orage, mais quelques gouttes venues en éclaireurs, de grosses gouttes glacées portées par la bise. Aussi beau qu'une journée d'été, ils admiraient le spectacle des nuages qui approchaient, des arbres se balançant avec eux, du ciel changeant.

Les chevreuils s'éloignaient à présent. Le vent du soir apporta à Catherine les effluves de la forêt. « N'est-ce pas étrange ? murmura-t-elle. Il y a un parfum.

— Ce sont les pins douglas, répondit John. Il y en a un petit bouquet à environ deux kilomètres, sur la colline vers Bere Regis. Leurs épines sentent l'orange et le citron.

— Ça doit te rappeler l'Espagne.

— C'est vrai.

— Pourquoi n'y retournes-tu pas ? Remets les tableaux dans leur coffre et retourne à Alora te faire dorer au soleil.

— Tu me suivrais ?

— Bien sûr.

— Je ne peux pas te demander ça. Et je ne peux pas remettre les tableaux dans leur coffre.

— Pourquoi pas ?

— Parce qu'ils appartiennent aussi à Helen.

— Qu'est-ce que ça change ?

— Pourquoi crois-tu que je les ai enlevés de la banque au départ ? J'avais peur qu'elle ne décide de les vendre un beau jour.

— Mais elle n'en a pas le droit !

— Je les ai pris avec moi, en tout cas. Moi aussi, je pensais les vendre.

— Elle le sait ?

— Non. Elle n'en saura jamais rien.

— Et si elle découvre en allant à la banque qu'ils n'y sont plus ?

— Ça n'arrivera pas. En tout cas, je l'espère. Elle n'y est jamais allée depuis qu'ils sont en notre possession. Je ne les ai retirés qu'en janvier, après lui avoir parlé en rentrant d'Espagne. Je l'avais trouvée survoltée, d'humeur destructrice. » Il hésita. « Elle avait des problèmes avec son ami du moment.

— Si elle découvre ce que tu as fait, elle va venir te trouver. »

Ils se turent. Frith, qui mourait d'envie de se lancer à la poursuite des chevreuils, gémissait à fendre l'âme. John lui tapota la tête, se leva en tendant la main à Catherine.

« Tu n'as toujours pas répondu à ma question, insista John.

— Laquelle ?

— Que ferais-tu des tableaux si tu n'avais pas d'enfant à qui les transmettre ? »

Elle se délectait du contact de sa main dans la sienne, de la précieuse chaleur de sa peau, de la pression exercée par ses doigts. « Si Helen avait des enfants, les tableaux passeraient à tes neveux ou tes nièces.

— Elle n'attendrait jamais aussi longtemps : ils seraient vendus bien avant leur naissance.

— Tu ne peux pas en être sûr.

— Si, crois-moi. »

Elle se tourna vers la colline. « Alors, fais-en don à quelqu'un. Fais-en don à la nation. C'est tout ce qui te reste à faire.

— Pour qu'on les garde dans une remise pendant ces cent prochaines années ?

— Non, pour qu'on les aime. Qu'on les admire. »

The Crooked Path, 1886

Ils lui dirent des choses étranges cette année-là.

Dadd reçut la visite de nombreuses personnes, encouragées par les nouvelles de son calme retrouvé. Ils amenèrent le monde avec eux, le monde grouillant et ses myriades de problèmes, ses idées en vogue, la souillure de ses villes.

Ils lui apprirent qu'à cause du flot d'émigrés, la superficie de Londres avait doublé depuis qu'il avait été enfermé à Bedlam. Le monde entier connaissait son immensité et elle était de loin la plus grande ville sur terre.

Il y vivait plus d'Irlandais qu'à Dublin, plus de catholiques qu'à Rome ; ses faubourgs s'étendaient maintenant jusqu'à Highbury, Hornsey, Brixton et Balham. Holloway, Islington, Soho et le Strand que Dadd connaissait dans sa jeunesse – du temps où il avait été admis dans la Clique – comme élégants et réservés aux gentlemen, étaient devenus des taudis. Holloway se résumait aujourd'hui à un terrain vague occupé par une gare de triage ; entre les voies de chemin de fer désaffectées, on vivait l'enfer au quotidien : là, on faisait bouillir des os, on triait des chiffons et les entrepreneurs venaient vider leurs tas de détritus.

Le chemin de fer, bien qu'il soit une bénédiction, était aussi un véritable fléau pour la ville. Une décennie plus tôt, les bêtes venaient paître et le cresson poussait dans les champs de Gospel Oak, Kentish Town et Chalk Farm. Puis étaient venus le North London Railway, le Tottenham et Hampstead Junction Railway et le Midland Railway qui avaient transformé ces quartiers en voies de garage noyées sous la fumée de charbon. Le quartier de Primrose Hill qui, aux yeux de Dadd, était aussi isolé de la ville que le plus lointain village de campagne, était aujourd'hui coupé en deux par la Euston line.

Dadd était attentif aux tableaux que lui brossaient ses visiteurs. Il n'avait pas aimé le train la fois où il l'avait pris. Il ne s'agissait pas simplement du bruit, après le silence dont avait été faite sa vie, mais de la capitulation face à tout ce qui était mécanique, physique et visible. Il lui semblait que les hommes n'avaient plus foi qu'en ce qui était quantifiable. On se moquait de Dieu, transformé en caricature gothique. Les petits détails modestes n'avaient plus droit de cité. Il préférait se retirer dans son monde et se réjouissait de ne pas devoir vivre dans l'autre que l'on appelait réalité, de l'autre côté des murs de Broadmoor.

Ce qui le hantait, c'était l'histoire du chemin de fer souterrain. La nouvelle District Line à Londres reliait Paddington à South Kensington puis continuait vers l'est et Blackfriars où elle plongeait sous terre. On avait commencé à forer le sol pour installer des rames électriques. Les ouvriers avaient déjà creusé sous la City et Stockwell, comme des rats dans les égouts, couverts de crasse, allant et venant en silence sous les pieds de la foule qui grouillait dans les rues.

Un détail précis, qui lui faisait particulièrement horreur, hantait ses nuits : sous la Tamise, un tunnel unique reliait Tower Hill et Vine Street, au sud. Il était déjà ouvert depuis quatorze ans lorsque Dadd en entendit parler pour la première fois. Quatre cent vingt-cinq mètres de long et seulement deux mètres quinze de diamètre, tapissé de fonte. Le jour de son inauguration, un petit wagon mû par une locomotive à vapeur, à laquelle il était relié par un câble infiniment long, circulait sur un rail de soixante centimètres de large sur la rive sud du fleuve.

Dadd n'arrêtait pas de penser à ce petit wagon grouillant de monde. Il cahotait le long des rails étroits, peinant sous la charge. Il suffisait aux passagers de tendre le bras pour pouvoir toucher les parois du tunnel sombre. Lui se sentirait prisonnier de ce long tuyau de fer, les rivets sur les murs passant à quelques centimètres de son corps. Les rivets et les anneaux de fonte qui permettaient d'assurer l'étanchéité du tunnel.

C'était l'enfer sur terre, la demeure des démons aux yeux exorbités qui lui apparaissaient depuis des années. Un cercueil fabriqué par l'homme empestant l'humidité, la fumée et la transpiration des autres passagers.

Mais le funiculaire n'était resté en service que trois mois, au terme desquels on avait ouvert le tunnel aux piétons. Chaque année, un million de personnes traversaient le fleuve à la lumière de réverbères en empruntant ce souterrain et en évitant les rails de chemins de fer toujours en place.

Il pensait à ces gens, ces millions de visages éclairés par la lumière artificielle, le souffle de ces millions de personnes exhalé dans l'air fétide. Il les voyait descendre l'escalier de bois au coude à coude, jour après jour. Il pensait à ce qui arriverait en cas d'incendie ou d'inondation : le tuyau de fer se remplirait d'eau, les flammes s'engouffreraient dedans, avec l'escalier de bois comme seul moyen de regagner l'air libre.

Pour échapper à ces visions, il se mit à peindre des précipices. Des montagnes s'élevant au-dessus de lacs, des sentiers serpentant entre des pics voilés de brume. Il rêvait qu'il avait grimpé au sommet de la plus haute montagne, où même les couleurs n'avaient pu résister à l'altitude.

Il peignit The Crooked Path *en septembre, mois aussi sec que l'été qui l'avait précédé. Des lignes verticales se dressaient à droite de la toile : des falaises à pic. Sur la plus haute d'entre elles, en équilibre précaire sur une saillie d'une étroitesse extrême, deux soldats d'époques différentes se livraient à un combat mortel. Sous la saillie, trois silhouettes tournées vers le point de vue sur la campagne environnante se désintéressaient du duel. Deux d'entre elles étaient courbées et voilées, la troisième semblait indifférente.*

Il voulait montrer qu'elles n'avaient que faire de la lutte qui avait lieu au-dessus de leurs têtes ; enfermées dans leur prison de pierre, rien n'expliquait comment elles avaient pu arriver jusque-là. Il baptisa la toile The Crooked Path, *bien qu'aucun sentier, aucun chemin ni aucune route ne la traversât. Les deux soldats qui luttaient pour emporter la victoire n'avaient nulle part où aller ; les autres ne tenteraient jamais de continuer leur promenade ou de faire demi-tour. Isolé, abandonné, chacun des personnages semblait pousser son dernier soupir.*

Deux membres de la Société de chalcographie lui rendirent visite. Dadd n'avait pas retenu leurs noms.

« Où mène le chemin ? demanda l'un. D'après moi, le titre n'est pas approprié : il n'y a pour ainsi dire pas de sentier. »

Dadd resta indifférent à leurs commentaires : en dépit de leur analyse, ils restaient aveugles. La perception était une ruse, l'opinion un semblant facile.

« Combien de personnes avez-vous dessiné sous la saillie ? demanda l'autre. Je compte trois corps, mais cinq visages. »

Dadd se tourna vers lui. Le cinquième visage était soigneusement dissimulé entre les plis de l'habit. L'année précédente, il avait peint Fantaisie du harem égyptien *et avait placé un visage, un peu à gauche du centre ; cachés sous un manteau, le visage et les yeux bruns apparaissaient, simples fentes dans la blancheur de la scène, touche de charbon dans la gouache.*

« Il y a des témoins cachés dans le sable », leur dit-il. Il leur adressa un large sourire en attendant leur réponse.

Mais ils ne voyaient rien. Entre les pierres, sous les saillies désertes, aux pieds des soldats, sous les mains des voyageurs qui se reposaient, gravés sur les parois à pic de la montagne, des milliers d'yeux vous regardaient.

Voilà ce qui vous attendait au bout du voyage : la vigilance des dieux.

Il quitta sa chambre et demanda à sortir sur la terrasse. Là, il passa le reste de la journée à faire les cent pas, sentant les yeux attentifs rivés sur lui, et regarda le sol se dérober sous ses pieds.

24.

Toutes les fenêtres de chez Catherine étaient ouvertes ; c'est la première chose que remarqua Amanda en se garant dans l'allée.

Son amie lui ouvrit lorsqu'elle frappa à la porte.

« Qu'est-ce qui se passe ? s'enquit Amanda.

— Je fais le ménage. »

Amanda fit la grimace. « Je trouve que c'est une perte de temps », plaisanta-t-elle en entrant. « En quel honneur ?

— Nous avons un acheteur. Je vide mes affaires.

— Toutes ? »

« Oui », répondit Catherine en indiquant les piles de linge de toilette et de draps.

« Tes vêtements, tes meubles ?

— Je détourne un des camions de la boîte. Les déménageurs seront là après le déjeuner.

— Ah », fit Amanda en posant son sac sur le canapé. « Un détournement. Je dois me souvenir d'en parler à Mark. »

Catherine alluma la bouilloire et, préoccupée, posa les mains sur ses hanches. « L'horaire semblait approprié. » Elle monta un nouveau carton et colla les rebords avec du scotch avant d'attraper, de plier et d'y ranger deux ou trois serviettes.

« Alors, tu emménages avec John ?

— Oui.

— Catherine, ça va ? »

Catherine jeta à son amie un regard interrogateur.

Ayant compris qu'elle n'obtiendrait aucune réponse immédiate, Amanda se dirigea vers la cuisine et en revint avec le thé. « Dis-moi tout. Ou rien, si tu préfères », dit-elle en remplissant les tasses et en versant deux cuillères de sucre dans la sienne. « En l'espace d'une heure, j'ai avalé deux barres de chocolat et quatre biscuits, ironisa-t-elle, désabusée. Il n'y a pas assez de sucre en ce bas monde pour me rassasier. Je me réincarne en homme la prochaine fois ! » Elle jeta un coup d'œil à Catherine. « Tu ne penses pas que tout ça est un peu précipité ?

— Tout quoi ?

— Avec John.

— Tu crois que je commets une erreur ?

— Il est un peu tôt.

— Je n'en ai pas l'impression.

— Le fait de quitter ta maison ne t'oblige pas à emménager avec lui de façon permanente. Tu pourrais venir vivre chez nous.

— Tu crois vraiment que je fais une erreur. »

Amanda haussa les épaules. « Il est beaucoup plus âgé que toi.

— Je le sais.

— Et tu es fragile en ce moment.

— Ah bon ? fit Catherine avec un rire bref.

— Écoute, ma chérie. Ton mari te quitte sans un mot... Ou plutôt, en te laissant un petit mot stupide...

— Sur ce, je rencontre John.

— Exactement, et sa sœur dérangée. Ah, tu sais ? Elle nous a fait un chèque sans provision.

— Pour payer le secrétaire ?

— Oui. Alors, si ça t'est égal, je ne pense pas que nous allons le faire envoyer chez John. » Amanda dévisagea son amie. « Tu n'as pas l'air surprise.

— Pas vraiment.

— Elle a déjà fait ce genre de choses ?

— John m'a dit qu'elle ne roulait pas sur l'or.

— Il aurait peut-être pu nous en parler avant que nous acceptions un chèque sans provision », observa Amanda sèchement. Elle soupira. « Revenons-en à un sujet plus important : son frère et toi. » Elle vida sa tasse. « Tu as passé l'âge de ce genre de choses.

— De quoi parles-tu ?

— Le coup de l'amour éperdu...

— Tu as tort.

— Soit, si tu veux : j'ai tort.

— Je n'ai pas la tête dans les nuages. En fait, c'est tout le contraire.

— Ah », fit Amanda en haussant un sourcil.

« John est malade », annonça Catherine.

Amanda resta silencieuse un instant. « Mais rien de grave ?

— Problème cardiaque.

— Il doit subir un pontage ?

— Non.

— Une greffe ?

— Non. Ça ne servirait à rien.

— Mon Dieu, je suis désolée. »

Catherine se laissa tomber dans un fauteuil et jeta un regard distrait sur le jardin.

« C'est pour ça que tu déménages là-bas ?

— Être ailleurs n'aurait pas de sens.

— Tu es sûre qu'il n'y a vraiment rien à faire ? fit Amanda, émue.

— Il existe un traitement aux États-Unis, expliqua Catherine. De la thérapie génique. Une hormone de croissance injectée directement dans le cœur.

— Et il ne peut pas en bénéficier ici ?

— Il a demandé à son généraliste. Moi, je lui ai dit d'aller directement là-bas, sans se soucier de l'avis de son médecin.

— Et alors, il va le faire ?

— Je ne sais pas. Il paraît résigné, comme s'il attendait.

— Qu'est-ce qu'il attend ? »

Catherine ne répondit pas ; elle finit par soupirer. « Tu sais que mon père est mort à l'âge de cinquante ans.

— Oui, mais pas d'une crise cardiaque ?

— Non, mais ce qui est étrange, c'est qu'il faisait un rêve récurrent. J'y ai repensé récemment. Il rêvait qu'il était debout sur le toit d'un immeuble, près du bord. Il nous racontait qu'il arrivait à voir le couronnement de pierre tout autour du parapet. Il mesurait plus d'un mètre ; mon père l'avait escaladé et regardait en bas.

— C'est horrible. Ça semble suicidaire.

— Ce n'était pas le genre de mon père. C'était le plus gai des hommes, et je trouvais ça bizarre de sa part de rêver de se jeter d'un toit. Mais ce n'est pas le plus étonnant.

— Raconte. »

Catherine eut un pauvre sourire. « Il nous disait toujours qu'un jour, il sauterait, qu'il y serait obligé.

— Et ça, ce n'est pas suicidaire ?

— Non. Il expliquait que c'était quelque chose qu'il devrait faire, comme une corvée qui l'attendait, un projet – presque un exercice. Pour voir s'il en était capable. » Elle avait le regard perdu dans son souvenir. « Et le jour de sa mort, je me suis dit qu'il avait sauté. C'est tout. Ça y est, il a sauté.

— C'était peut-être une prémonition ?

— Tu crois à ce genre de choses ?

— Le monde est bizarre. Rien n'est impossible à mon avis.

— Tu crois qu'il a pu voir ce qui allait se passer, qu'il l'a pressenti ?

— C'est possible.

— Une prémonition en rêve ?

— Oui. »

Catherine hésita. « J'ai fait le même rêve.

— Quand ? fit Amanda, surprise.

— La nuit dernière.

— Exactement le même ?

— Je me tenais au bord d'un précipice et j'ai plongé dans le vide. La chute m'a réveillée en sursaut.

— Oh mon Dieu, c'est horrible.

— Ça l'était, oui.

— Et tu penses que c'était le même rêve que ton père ?

— Pas toi ? »

Amanda se rapprocha de Catherine. « Non, on peut en faire une interprétation tout à fait différente, fit-elle avec sévérité. Tu t'inquiètes pour John. Dans ta tête, l'inquiétude est liée à John et ton cerveau produit cette image du saut. C'est une association d'idées, pas une prémonition.

— D'accord, tu as raison.

— C'est à ça que tu réfléchissais, ici toute seule ? »

Avoir décrit le rêve à Amanda le lui faisait revivre. Cette sensation épouvantable de sauter dans le vide lui donnait la chair de poule. Le vertige, l'air qui fouettait ses joues. Les rochers qu'elle voyait passer à toute vitesse. Elle s'était réveillée avec des fourmis au visage et aux mains.

Elle s'était levée dans le noir, était sortie à la hâte du lit de John, horrifiée. Il était cinq heures passé. Elle s'était approchée de la fenêtre et debout, les mains sur le rebord, avait attendu que les premières lueurs du matin effleurent le jardin. Elle avait dû rester là plus d'une heure, trop effrayée pour se retourner et s'apercevoir que ce n'était pas elle qui tombait dans le rêve, mais John.

Elle avait peur d'avoir rêvé à sa place. Plus elle y pensait, plus cela semblait plausible.

À l'affût du moindre bruit dans le noir, elle n'était pas certaine de l'entendre respirer. Au fur et à mesure que les secondes s'écoulaient, sa panique grandissait ; elle fut bientôt convaincue que si elle se retournait, elle le retrouverait parfaitement immobile. Elle s'approcherait de lui. Toucherait sa peau glacée. Cela arrivait parfois. Elle l'avait lu quelque part. La plupart des crises cardiaques survenaient au milieu de la nuit. Elle avait fait ce rêve terrifiant parce qu'il le lui avait mis en tête en la quittant.

L'aube s'était levée imperceptiblement. Il faisait complètement noir et puis, une seconde plus tard, lui semblait-il, elle parvenait à distinguer les contours vaporeux des arbres, la terrasse. La seconde suivante, elle aperçut les noues balayées par le brouillard venu de la rivière. Une lumière fauve, entre le gris et le brun roux, donna l'espace d'un instant aux champs une couleur d'automne. Et puis au bout de cinq minutes à peine, l'herbe prit une teinte vert très pâle, presque translucide, la couleur des jeunes pousses.

Elle s'était retournée. Il lui faisait face, couché sur le côté. Ses mains avaient frémi. Puis il avait soupiré. Elle s'était sentie ridicule. Ce désir, cette peur, ce sentiment compliqué défiait les pauvres mots dont elle disposait pour le décrire. Et elle savait qu'il n'y aurait jamais suffisamment de temps.

Pourtant, elle n'avait pas besoin de beaucoup de temps, parce qu'elle le connaissait déjà. Ça n'avait rien à voir avec l'âge, avec l'homme qu'il était, avec les tableaux de Dadd. Ni même avec ces points communs qu'ils partageaient, cette harmonie. C'était autre chose. Ils s'étaient reconnus. La seconde fois – peut-être la troisième – qu'elle l'avait vu, elle l'avait reconnu. Une conviction soudaine, surprenante totalement différente du sentiment qu'elle avait éprouvé pour Robert. Elle était dévouée à Robert, mais cela paraissait mécanique par rapport à ce qu'elle ressentait pour John. Être avec lui ne lui coûtait aucun effort, ne représentait aucun compromis, et peu importait ce qu'en pensait Amanda.

Elle savait qu'en expliquant cela à son amie, elle aurait droit à une remarque ironique. Amanda avait beaucoup de qualités, mais il n'y avait pas en elle une once de romantisme ou d'imagination. Catherine ne pourrait jamais expliquer à Amanda ou à Mark – ni à quiconque – ce qu'elle ressentait. Elle avait la satisfaction de savoir qu'elle était à sa place, tout simplement, comme un acteur qui joue son rôle sans réfléchir sur scène. Elle connaissait déjà son rôle, l'interprétait déjà. Tout était écrit.

Quand John l'avait regardée, elle la fille du miroir, elle avait compris ce qu'il disait et avait ressenti un soulagement presque palpable. Elle avait découvert cet autre monde à la droite du magicien.

Elle sentit la main d'Amanda se poser sur son épaule. « Ma chérie, rien n'arrivera à John.

— Non, non.

— Tu dois le convaincre de tenter cette thérapie génique, quoi que ça implique.

— J'en ai bien l'intention », fit Catherine en se frottant les yeux.

« Mets-le dans un avion, insista Amanda.

— Oui, c'est ce que je vais faire », dit Catherine en rendant son sourire à son amie.

Mais elle savait déjà qu'elle n'en ferait rien.

Parce qu'ils avaient déjà sauté dans le vide. Et ils tombaient déjà. À travers l'espace. À travers le miroir.

25.

« Il faut que je te parle », annonça Robert.

Catherine venait de décrocher son portable en entrant dans l'allée de Bridle Lodge au volant du camion de chez Pearsons, cet après-midi-là. Les portes de la maison étaient ouvertes : John l'attendait et vint à sa rencontre, vêtu d'un jean et d'un tee-shirt maculé de peinture. Il lui fit un signe de la main lorsqu'elle gesticula pour lui indiquer qu'elle parlait au téléphone.

« D'où appelles-tu ?

— De l'autoroute. Je suis à la station-service près de Ringwood. »

Elle fut surprise : il n'était plus qu'à une soixantaine de kilomètres.

« Qu'est-ce que tu viens faire ici ?

— C'est samedi et je dois voir John au sujet d'Helen.

— Helen ? fit Catherine, décontenancée. Pourquoi ? » Elle regarda John à travers le pare-brise. « John est devant moi.

— Et je dois te parler, aussi. De nous. »

Catherine eut un coup au cœur en voyant John s'approcher de la voiture. Derrière lui, le doreur venu lui donner un coup de main pour mettre la touche finale à l'escalier et achever la restauration des panneaux sortit de la maison. Il se massait le dos tout en se protégeant les yeux pour regarder dans l'allée.

« Je suis occupée, là.

— Je ne te le demanderais pas si ce n'était pas important.

— Robert, je suis en train de déménager mes meubles.

— Où ça ?

— À Bridle Lodge. La maison de John. »

John se tenait à côté de la portière, qu'elle ouvrit. « Ne quitte pas », dit-elle à Robert, puis elle couvrit le haut parleur. « C'est Robert. C'est au sujet d'Helen.

— Dis-lui de venir ici, répondit-il, perplexe.

— Ça t'est égal ?

— Oui, pourquoi pas ?

— Robert, viens chez John, ordonna-t-elle.

— Très bien », répondit Robert après une hésitation. « Indique-moi la route. »

Il arriva à Bridle Lodge en moins d'une heure. Il y avait eu une courte averse, une pluie drue qui avait éclaboussé les vitres et assombri la pelouse. Ils s'étaient dépêchés de rentrer les meubles – le camion était à moitié vide – qu'ils avaient entreposés dans l'entrée. Robert sortit de la voiture et s'approcha de Catherine avec raideur.

« Robert, je te présente John. »

Les deux hommes se serrèrent la main.

« C'est à propos d'Helen ? demanda John.

— Est-elle chez vous ?

— Non.

— L'avez-vous vue cette semaine ?

— Non, je ne l'ai pas vue depuis un moment.

— Que s'est-il passé ? » s'enquit Catherine.

Robert regarda tour à tour John et Catherine. « Elle est venue chez moi à Londres et elle m'a appelé plusieurs fois.

— À quel sujet ? » demanda Catherine.

Robert l'ignora. « Elle m'a appelé tous les jours cette semaine, expliqua-t-il à John. Jusqu'à cinq ou six fois par jour. »

John restait silencieux.

« Je ne l'ai rencontrée que deux fois », dit Robert en insistant sur chacun de ces mots.

« Elle ne va pas bien, murmura John.

— C'est ce que j'ai cru comprendre », fit Robert en lui lançant un regard qui indiquait que pour lui, John était responsable de l'attitude de sa sœur.

« Je lui ai demandé de venir me voir, dit John, mais elle n'a répondu à aucun des messages que je lui ai laissés cette semaine.

— Entre », proposa Catherine.

Elle désignait la maison ; on apercevait les meubles par la porte ouverte.

« Je peux te parler en privé ? » demanda Robert d'un ton plein de sous-entendus en s'éloignant lentement sur l'allée de gravier, les mains dans les poches.

« Désolée, fit Catherine en se tournant vers John.

— Vas-y, dit-il. Je t'attends. »

Catherine rejoignit son mari au bord de la terrasse où il s'était arrêté.

« Il n'en a rien à faire d'elle ?

— Bien sûr que si. Tu ne sais rien de ce qui s'est passé entre eux. »

Robert eut un rire bref. « Eh bien, elle n'a pas beaucoup d'estime pour toi.

— Pour moi ?

— Tu ne devrais pas être là, dit-il brutalement.

— Quoi ?

— Tu ne devrais pas te mettre entre un frère et une sœur.

— C'est mon choix.

— Et tu n'as pas beaucoup hésité avant de le faire. » Il y eut un court silence. « Quel bel endroit.

— Oui, c'est vrai.

— Tu es retombée sur tes pattes, on dirait. »

Catherine se sentit insultée. Elle entendit John refermer la porte après être rentré. Elle regarda son mari. Il n'avait pas changé. Habillé avec soin. Impeccable, comme un sou neuf. Il était toujours tiré à quatre épingles, tout était parfaitement à sa place chez lui. Maître de ses émotions. Elle voyait maintenant qu'il était plus net, plus impeccable, plus coincé que jamais. « Triste comme une porte de prison », avait-elle expliqué à John.

Il avait ri. « C'est incroyable.

— Tu trouves ? Son corps tout entier est… une clôture, une barrière. Il est rigide, littéralement inflexible. » John devait penser qu'elle exagérait.

Elle aurait aimé qu'il soit là en ce moment. De profil, Robert semblait anormalement immobile.

« Ça doit demander un entretien énorme, murmurait Robert. Une véritable propriété. Tu devrais voir où je vis à Londres. Un lapin préférerait un clapier à mon appartement. » Il sourit. « John n'a vraiment pas eu de ses nouvelles ?

— Non.

— Tu peux lui faire confiance ?

— Oui. »

Il fit mine de s'asseoir sur le muret de la terrasse avant de s'apercevoir qu'il était toujours mouillé. « Il est comme elle ? demanda-t-il.

— Comment ça ?

— Question… tempérament. »

Elle secoua la tête.

Robert se tenait très droit, menton relevé. On aurait dit qu'il venait de s'apercevoir qu'on l'avait insulté. Elle frotta la pointe de sa chaussure contre le bas du muret avant de se baisser pour ramasser les quelques feuilles qui s'y étaient amoncelées. Elle en fit une boule.

« Catherine, tu devrais prendre tes décisions de façon plus rationnelle. »

Le fait qu'il se sente encore autorisé à lui parler de la sorte la laissait pantoise. « Comme toi, rétorqua-t-elle. Je devrais te ressembler davantage, toi qui as pris la décision rationnelle de me quitter sans en discuter au préalable.

— Tu m'en veux. Ça ne te ressemble pas.

— Tu as tort. Je ne t'en veux pas du tout. Plus maintenant.

— C'est l'influence de Brigham, je suppose.

— Que veux-tu dire ?

— Cette froideur.

— John ? Tu ne pourrais pas être plus loin de la vérité.

— Mark Pearson m'en a parlé.

— Il t'a dit que John était froid ?

— Quelque chose du genre.

— C'est faux », fit Catherine en penchant la tête pour le regarder. « Il n'a rien à voir avec toi. »

Robert parut surpris, comme si elle l'avait giflé.

« Exactement. Il n'est pas du genre à éprouver les émotions au compte-gouttes.

— De quoi parles-tu ?

— Au compte-gouttes. Une petite dose de sentiments de temps en temps. Autant te faire faire une ordonnance.

— Ce n'est pas vrai.

— Ah non ? Tu n'as jamais été là pour moi, Robert, pas complètement, pas corps et âme.

— Je suis venu t'aider à résoudre le problème de la sœur de ton amant qui, si tu tiens à le savoir, me harcèle... »

Elle porta une main à son oreille comme pour ne pas entendre ce qu'il disait. « Je n'ai pas besoin de ton aide. Tu es incroyable. Je ne devrais pas être surprise, pourtant. Je refuse d'avoir cette conversation.

— Tu crois que j'en ai envie, moi ?

— Je ne sais pas où est Helen », dit-elle en essayant de retrouver un peu son calme, « et John non plus. Si tu veux, tu peux entrer prendre un thé et lui parler… »

Robert la dévisagea. « Parler à l'homme avec qui tu vis ?

— Robert, je te le propose, tu n'es pas obligé d'accepter. Nous t'aiderions si nous le pouvions, mais nous ne l'avons pas vue, elle n'est pas venue ici. S'il n'y a rien d'autre… »

Elle fit mine de s'éloigner. Il l'attrapa par le coude. « Alors c'est *nous*, comme si vous formiez un couple ?

— Lâche-moi.

— Et moi, alors ? Tu penses que je suis un salaud au cœur de pierre, je parie.

— Je n'ai jamais dit ça.

— À peu de choses près.

— Tu n'as pas la moindre idée de ce que je pense. Tu as toujours gardé tes distances.

— C'est un défaut ?

— Évidemment, répondit Catherine, ébahie. Il n'y a pas pire défaut.

— Si, il y a pire.

— Cite-m'en un qui soit pire que celui de ne pas aimer sa femme. Ou de dire qu'on l'aime sans jamais lui donner son cœur. En la gardant à distance.

— Le manque de contrôle. »

Elle posa les mains sur ses oreilles, malgré elle. « Tu es incroyable. Tu n'es que l'image d'un être humain, tu sais ça ? Le manque de *contrôle* ! »

Il l'agrippa par les poignets, lui plaqua les bras le long du corps. « Est-ce que tu as la moindre idée de ce que c'est de perdre le sens des proportions ? Comme ma mère. Tu te rends compte comme c'est destructeur de faire subir son satané égoïsme à son entourage ? »

Ils gardèrent le silence un moment. Robert agrippait toujours les poignets de Catherine.

« Il y a une différence entre perdre le contrôle et tomber amoureux.

— Non, il n'y en a aucune.

— C'est ce que tu faisais ? Tu gardais le contrôle ? fit-elle en le regardant dans les yeux.

— Oui.

— Pour ne rien changer, te sentir en terrain connu.

— Oui.

— Je t'aimais et toi, pendant tout ce temps, tu ne te donnais pas entièrement.

— Nous nous complétions. C'était un partenariat idéal. »

Elle vit qu'il était convaincu de ce qu'il disait. Il fallait qu'il y croie.

« Qui t'a laissé croire que tu pouvais tout contrôler ? »

Il la lâcha.

Elle n'oublierait jamais cette conversation. Elle n'oublierait jamais qu'il s'était économisé, convaincu de faire ce qu'il fallait.

« Je constate que tu as déménagé mes affaires ici.

— Tes affaires ?

— Tu les as fait apporter depuis chez moi.

— Nous nous sommes mis d'accord. Sur chaque objet qui se trouve ici », protesta Catherine.

Elle n'arrivait pas à déchiffrer son expression. Il semblait en proie à une lutte intérieure, s'efforçait de ne pas se laisser aller, de ne pas sombrer. Son visage se décomposa soudain et elle vit une partie inconnue de lui : l'être vulnérable, sans défense. « J'ai commis une erreur », déclara-t-il.

Pendant un moment, elle crut qu'elle avait mal entendu. « Quoi ?

— Je n'aurais jamais dû partir.

— Tu as perdu le contrôle, sans doute, ironisa Catherine.

— Et voilà ce qui se passe quand ça arrive.

— C'est impossible. » Soudain, Catherine eut pitié de

lui. « Si tu crois que nous pouvons nous remettre ensemble, tu te trompes. Tu te trompes, Robert.

— Pourquoi pas ? Rien de ce qui s'est passé n'est irréversible. » Il répéta la phrase une seconde fois.

« Tu veux que je revienne ?

— Je veux retrouver ma vie d'avant, dit-il. Ça peut s'arranger, Catherine.

— Tu appelles ça une vie ?

— De quoi tu parles ? Nous avons passé des années ensemble. Nous étions mariés et nous le sommes toujours, d'ailleurs. Tu l'as peut-être oublié.

— Pas du tout. »

Il avait l'air troublé. « Tu penses vraiment que ce n'était pas une vie ?

— Pas le genre qu'il me faut, en tout cas. » Elle lança un coup d'œil vers la maison.

« Oh, et ce genre de vie, tu l'as ici, avec John Brigham.

— Oui, dit-elle d'un ton égal.

— Tu le connais depuis cinq minutes.

— Je l'ai connu toute ma vie. »

Robert éclata de rire. « Oh, bon Dieu, j'aurai tout entendu. »

Elle ne répondit pas, se contenta de soutenir son regard.

Il lui souriait. « Et ça n'a rien à voir avec l'argent, rien à voir avec le fait qu'il habite une maison qui vaut un demi-million de livres… »

Le visage de Catherine se pétrifia, son regard devint glacial.

Robert s'approcha d'elle. « Il a vingt ans de plus que toi et a l'air d'en avoir trente de plus. Qu'est-ce qui se passe ? Tu attends qu'il passe l'arme à gauche ? Bonne stratégie. La propriété te tombera entre les mains. Je suppose qu'il ne l'a pas laissée à Helen ? »

Elle tourna les talons et s'éloigna vers la maison ; il la rejoignit. « Catherine ! Catherine. »

Elle était arrivée à la porte. « Tu ferais mieux de t'en aller, lui conseilla-t-elle.

— Catherine, je suis désolé.

— Au revoir, Robert.

— Écoute, je... » Il s'interrompit. « Catherine, puisque je te dis que j'ai fait une erreur. »

Elle ne réagit pas.

« Tu ne te souviens pas... de notre voyage en France, et avant, avant... »

Elle mit la main sur la poignée. « Qu'est-ce que ça t'a apporté ?

— Qu'est-ce que tu veux dire ? »

Elle s'efforçait de se maîtriser. « De ne pas te donner entièrement et de me garder à distance ? Rien du tout. Regarde-toi. »

Il broncha.

« C'est complètement fou, murmura-t-elle en soupirant. Ça n'a plus aucune importance, maintenant.

— Nous pouvons recommencer.

— Parce que... quoi ? La vie est trop dure ? C'est ça ?

— Il est si différent que ça ? Tu vas le trouver difficile à la longue, je te le garantis. Tu ne crois pas que le tempérament d'Helen est de famille ?

— Ah non, ne commence pas avec John. Il ne lui ressemble pas.

— Ce n'est qu'une question de temps. Tu le verras bientôt sous son vrai jour.

— Non », rétorqua Catherine en serrant une main sur sa poitrine.

Robert la regardait. « Tu peux tomber amoureuse, ou t'en persuader, du moins. Tu peux partir dans un délire et voir la vie en rose. Mais au bout du compte, tout se résume à cette vérité : l'amour meurt, c'est un fait.

— Ce n'est pas vrai.

— Si, insista-t-il, en s'échauffant. Qu'est devenu l'amour que tu éprouvais pour moi ? Sur la durée, tout ça ne veut rien dire.

— Tu as tort.

— Non. Ça sera pareil avec John. »

Elle secoua la tête.

« C'est le pragmatisme qui fait tourner le monde, pas les coups de cœur. » Il s'était rapproché d'elle, leurs visages se frôlaient.

Elle se détourna. « C'est impossible, désolée, mais c'est impossible. » Elle essayait d'ouvrir la porte.

« Tu verras que j'ai raison.

— J'en doute.

— Je changerai.

— Tu en es incapable.

— Peu importe la maison. Nous en achèterons une plus belle. Tu n'as qu'à choisir.

— Ce n'est pas une histoire de maison ! Comment peux-tu croire que c'est le cas ? » Elle repoussa la main qu'il avait posée sur elle.

« Et il ne sera jamais question de Brigham. On fera comme s'il n'avait jamais existé, je te le promets. »

Elle faillit suffoquer de colère, main sur la poignée de la porte. Elle en examina la serrure en cuivre et le reflet déformé qu'elle lui renvoyait.

Robert sauta dans sa voiture et recula à toute vitesse, projetant une gerbe de gravillons.

Catherine le regardait s'éloigner quand elle entendit des pas dans l'entrée ; John ouvrit la porte.

Ils ne dirent pas un mot.

Elle tremblait de tous ses membres ; il lui prit la main. Puis ils s'éloignèrent dans le jardin détrempé, cheminèrent entre les arbres et passèrent finalement devant les parterres de pivoines abattues par la pluie et dont les corolles cramoisies dessinaient un éventail sur les pavés de l'allée.

Flora, 1882

Il reçut une visite dans les derniers mois de 1877 : un critique d'art de Londres payé par un journal pour voir l'ancien génie au travail. Dadd l'avait remarqué dans l'entrée de Broadmoor, regard tourné vers le réfectoire et les jardins. Les rayons du soleil donnaient à ses vêtements noirs une teinte rouille. Corpulent, le dos voûté, il tenait son chapeau à la main, apparemment absorbé dans ses pensées.

Quand on le présenta à Dadd un peu plus tard, dans le bureau du directeur, celui-ci comprit que l'homme n'avait rien d'un gentleman. Le col de sa chemise était jauni, les bandes de satin aux revers de son manteau usées. Tout en lui semblait tomber : les commissures de ses lèvres, ses yeux. Ses mains étaient jointes de façon étrange, l'une reposant sur l'autre.

Autrefois, il y avait près de trente ans de cela, Dadd avait peint le portrait d'un homme qui lui ressemblait – un apprenti qui s'essuie les pieds avant d'entrer chez son maître. Il avait intitulé la toile : Insignificance ou Self-Contempt – Mortification – Disgusted with the World. *Le monde pesait sur les épaules du petit homme, le monde qui faisait comme un manteau noir et rouille et l'enveloppait dans les rayons du soleil. Voilà pourquoi la première question qu'il avait posée au journaliste avait été : « Comment va le monde ? »*

Le journaliste avait lancé un coup d'œil à l'infirmier : il ignorait apparemment s'il avait le droit de dire quelque chose. « Le monde court à toute vitesse, avait-il fini par dire.

— Après quoi ? avait demandé Dadd.

— Oh, tout un tas de miracles.

— Ont-ils un nom ?

— Le télégraphe... le phonographe... l'ampoule lumineuse. »

Dadd penchait la tête. « Qu'est-ce qu'une ampoule lumineuse ?

— Un filament... du vide... qui crée une lumière artificielle.

— Comment ?

— Je ne sais pas exactement », avoua le journaliste.

Les yeux de Dadd balayèrent son visage.

« J'ai entendu dire que vous aviez réalisé des fresques, continua le journaliste, et le rideau du théâtre de l'hôpital.

— C'est vrai.

— Vous avez peint les décors sur du tissu ?

— Oui.

— Quel sujet avez-vous choisi ?

— Les étoiles, les planètes. Le lever du soleil.

— Je n'ai jamais vu de ciel peint par vos soins. En revanche, j'ai vu beaucoup de vos personnages et de vos paysages. »

Dadd réfléchit à cette vérité. « J'ai cherché un autre monde sous mes pieds », murmura-t-il.

Dans son article publié juste après Noël cette année-là, le petit homme au manteau noir et rouille qualifiait les tableaux de Dadd de « monuments mélancoliques géniaux ». C'était bien mieux que la précédente critique dans laquelle le journaliste les qualifiait de « curieux caprices de l'imagination ». Cependant, cela ne dérangea pas Dadd qui ne lut jamais les articles. On ne les lui montra pas de peur de le perturber.

Il songea pendant un moment à ces voix transmises par câble et gravées dans la cire ; tout cela lui semblait être le produit d'esprits malades, plus gravement atteints encore que lui. Ces noms étaient si étranges. Phonographe. Téléphone. Comment l'homme pouvait-il graver une voix dans la cire ou la faire courir le long d'un fil ?

Les oiseaux pendus à des fils. Parfois, lorsqu'il était enfant, les paysans tuaient et suspendaient des corbeaux à l'orée des bois ou à l'entrée de leurs champs afin de dissuader les intrus. Dadd se représentait les voix du monde suspendues à des barrières, tête en bas, étranglées, raides, nouées, attachées.

On cherchait à soumettre les voix et la lumière comme on soumettait les oiseaux. Une voix, une illumination, un soleil ou une étoile créée par l'homme, compressée dans sa paume, environnée de gaz. C'était encore plus étrange que de voir le reflet inversé d'une pièce que l'on connaissait bien à travers un miroir. Le monde entier marchait dans la même direction, capturé, prisonnier, soumis.

Le seul but de l'homme, semblait-il, était de dominer l'univers. D'enfermer le soleil dans un globe de verre, de graver une symphonie sur un cylindre de cire. Mais cela n'apportait rien, sauf peut-être un peu d'espace, un espace vide autrefois occupé par les personnes qui parlaient, les musiciens qui jouaient. Cela créait un vide là où, autrefois, un public assistait au concert, un homme lisait à haute voix dans sa chambre. Cela prolongeait un moment unique, le transformant en quelque chose de minuscule, de désin-

carné, qui n'était plus rattaché désormais à un endroit précis.

La musique voletait dans la reproduction sépia du monde, un monde photographié et enregistré, perdant en spontanéité puisque l'on pouvait le revoir et le réentendre à l'envi. On pouvait sauvegarder le présent et vous le rejouer. L'expérience de la passion pouvait être reproduite et partagée des milliers de fois, identique la première et la centième fois. Reproduction sans aucune progression.

Il se demandait si les instigateurs de ce faux miracle avaient été enfermés, si eux aussi se laissaient gagner par la vieillesse. Il l'ignorait. Il n'avait pas posé la question, étonné de voir qu'un petit homme si triste pouvait avoir autant d'imagination ou être si crédule.

Il imagina que l'on capturait sa voix pour la lui rejouer. C'était simplement l'expression de ce que son esprit lui disait depuis des années : dans ce monde, des voix assaillaient certains corps et habitaient certains esprits. Des imitations.

Bientôt, songeait-il, prostré devant un mur nu, le monde croirait en ses fantômes immatériels. Il les entendrait, les transmettrait aux autres et chacun se laisserait convaincre de leur existence. Bientôt, le monde entier serait enfermé derrière des barreaux et les portes des asiles s'ouvriraient car plus rien ne distinguerait les fous du reste de l'humanité.

Ainsi, après tout, il n'y avait pas grande différence entre les fous et les sains d'esprit, ni entre les artistes et les esprits dérangés. Ils se confondaient.

Un mois plus tard, Dadd apprit le décès de Rossetti.

Dante Gabriel Rossetti qui portait un prénom d'ange et qui, à son tour, avait représenté des anges dans ses tableaux. Un homme qui n'avait pas besoin de platine, d'iridium, de zirconium, ni de magnésium pour illuminer les visages de ses personnages. Pourtant, lui aussi avait été confronté à ses propres tourments : il avait exhumé le corps de sa femme pour récupérer un de ses recueils de poésie et s'était ensuite réfugié dans une addiction à l'hydrate de chlore. Rossetti, qui n'avait cessé de reproduire le magnifique visage de son modèle et l'avait appelé Proserpine, La Ghirlandata ou Venus Verticordia.

Dadd décida de peindre sa propre représentation de la beauté.

Il la baptisa Flora ; elle était aussi réelle qu'Elizabeth Siddall, la muse de Rossetti. Il prit pour modèle Florence, la femme du médecin chef qu'il voyait parfois. Il demanda l'autorisation de peindre une fresque à son effigie, à la manière des grands maîtres. Elle était gentille et douce et l'implora de peindre sur les murs de sa propre entrée pour qu'elle puisse voir la fresque en entrant chez elle.

Dadd mit beaucoup de lui-même dans son portrait, réalité de l'imagination qui ne pouvait être reproduite qu'une seule fois. Une réalité qui ne pouvait être imitée, pas plus que ses propres délires ne pouvaient l'être.

Il peignit son portrait en grand, directement sur le plâtre, mettant en pratique une technique apprise quarante ans plus tôt et qui consistait à mélanger les pigments à l'eau et à les appliquer sur le plâtre frais. Il s'appliqua à représenter les fleurs des champs : le sainfoin rose et délicat, la trigonelle, la vesce à épis, plante grimpante à la silhouette aérienne, aux fleurs pareilles à des orchidées ; le mélilot blanc, le trèfle des prés, le pied de lièvre. Dans les mains de Flora, il mit une corne d'abondance d'où s'échappait une gerbe flamboyante de coucou, de cardamine des prés, de julienne des jardins, d'ancolies sauvages aux frêles tiges couronnées d'un bouton violet.

Il la peignit sous les traits d'une Reine de mai, *le buste ceint d'une guirlande de fleurs, une couronne dans les cheveux. Il se souvenait que son père lui avait parlé de la tradition du* Garland King *dans le Derbyshire, que l'on faisait défiler à travers la ville à dos de cheval, couvert de fleurs et de feuilles, un faune à l'allure humaine. Cette tradition remontait à la nuit des temps, plus vieille que les forêts et les montagnes. Beltane devenue fête du premier mai. Il avait vu les gens battre les bornes, faire le tour de la paroisse le premier mai en agitant des branches de saule ou de peuplier.*

Il songeait à l'étroite relation existant entre la terre et les fruits qu'elle donnait, et les images jaillissaient du pinceau pour courir sur les murs : grande amourette, fleurs de coucou, campanules, chélidoine. Il s'appliqua à dessiner les brins d'herbe comme il l'avait fait dans The Fairy Feller *: le magnifique orge queue-de-rat et sa touffe de fins cheveux, l'oyat, fier porteur de lance, vulpin des prés, fléole ; et l'agrostis, si délicat, mobile, mû par la plus légère brise, ondoyant sous les pieds nus de Flora.*

Il eut davantage de mal à peindre son visage. Au lieu de lui donner celui de la femme du médecin chef, il eut le soudain besoin de peindre Catherine, mais aucune image ne lui vint. Il finit par représenter le visage d'une fée à qui il donna son propre regard, noir et perçant.

Elle chantait, l'appelant sans cesse, sur fond de soleil levant, une brume de chaleur flottant au-dessus des champs, les arbres recouverts d'un feuillage sombre, la rivière serpentant dans la plaine, au loin.

La fresque lui prit huit semaines. Quand il eut terminé, Dadd se retira dans sa chambre, s'allongea sur son lit et n'en bougea plus, en proie à ce qu'il appelait « une oisiveté » : « Je me sens très oisif », dit-il au médecin appelé à son chevet.

Celui-ci ausculta son cœur et sa poitrine. « Ses poumons sont un peu congestionnés », conclut-il. « Rien que de très normal chez un homme de soixante-cinq ans. »

Couché sur le dos, mains croisées sur sa taille, Dadd fermait les yeux, représentation du sommeil, statue de prophète.

En rêve, il se vit chevaucher la terre qui résonnait de mille échos. Il dessinait les planètes et les étoiles sur la toile du ciel, Catherine auprès de lui.

26.

Helen se gara sur le bas-côté. Elle regarda droit devant elle un moment, vers les petits cottages alignés sur le chemin qui gravissait la colline. Puis lentement, pesamment, elle sortit de la voiture et se dirigea vers le pont.

Au loin, la rivière cédait place à des noues, devenait moins profonde et ses eaux plus vives ; mais ici, près du pont, elle était beaucoup plus profonde. Helen se pencha sur le parapet pour regarder l'eau couler. L'eau, assez claire pour que l'on puisse distinguer le lit de galets et de craie, paraissait fraîche. Sa surface était animée de remous, de vaguelettes ; de longues herbes d'un vert acide ondoyaient doucement au gré du courant. Helen caressa la pierre, fouilla les interstices du bout des doigts, passa la paume sur les touffes de lichen aux rebords ondulés.

Une famille se promenait au bord de la rivière. Elle distingua d'abord les voix du couple et de leurs trois enfants avant d'apercevoir leurs silhouettes entre les arbres, au bord de l'eau, à l'endroit où les herbes devenaient plus épaisses. Un chien, un petit épagneul, les accompagnait. Il trépigna sur la berge avant de plonger dans la rivière pour récupérer le bâton que l'aîné des garçons y avait jeté. Helen admira le tableau : les cinq membres de la famille suivaient le chien depuis la berge en attendant qu'il revienne, avec pour toile de fond les arbres, la haie rase et les prairies qui blondissaient doucement à perte de vue.

Elle les laissa passer en leur souriant. Le soleil lui tapait sur la nuque ; elle descendit vers le sentier, vers l'ombre.

Les kilomètres parcourus l'avaient épuisée, à tel point qu'elle aurait aimé s'allonger sans attendre. En regardant la rivière, elle se demanda si elle se sentirait soulagée de se laisser emporter par le courant, de glisser comme l'Ophélie de Millais entre les roseaux. Elle avait envie de se tremper dans l'eau fraîche, d'y plonger la tête quelques secondes, de sentir l'eau dans sa bouche, sur son cou, lui mouiller les yeux et les cheveux. Elle se sentait tellement épuisée. Ce serait merveilleux de pouvoir tout oublier, ne serait-ce qu'une minute. Ou une heure. Une heure dans le tableau de Millais.

Sa visite à la banque, en haut de Walbrook, datait de vingt-quatre heures maintenant. Elle était tellement énervée que son cœur battait la chamade, et elle avait bien cru s'évanouir. Sa dernière visite remontait à douze ans, à l'époque de la mort de Claire, lorsque John et elle y avaient transféré les tableaux depuis la banque de leur père. C'était plus commode pour tous les deux. Elle n'avait qu'un vague souvenir des locaux, mausolée noir et or partiellement modernisé, qui combinait colonnes corinthiennes et vitres de sécurité fumées.

Elle avait donné son numéro de compte et ses coordonnées, montré ses papiers. Rien dans le regard des employés ne l'avait préparée à la vérité. Ils avaient fait comme s'ils n'étaient au courant de rien. En revenant dans l'entrée après s'être rendue au coffre, elle s'était sentie piquée au vif : ils lui adressaient un sourire mauvais, celui du conspirateur.

Elle était sortie en suffoquant et, sans réfléchir, avait tourné vers le sud de la ville. En arrivant à la station de Cannon Street, elle s'était rendu compte qu'elle se dirigeait vers Embankment. Elle avait parcouru plusieurs kilomètres, avait traversé le cœur étouffant de la City, longé le fleuve, traversé Bloomsbury, remonté Kingsway avant de s'arrêter sur les marches du British Museum et de s'asseoir au milieu de la foule, assommée par la déception, trahie.

John n'aurait eu qu'à lui en parler. Elle ressassait cette idée. Il n'aurait eu qu'à lui parler. Il n'avait même pas besoin de lui demander sa permission, simplement de lui en parler. Mais il ne l'avait pas fait. Il n'avait même pas pris la peine de l'appeler ou de lui écrire. Voilà ce qu'elle trouvait le plus déprimant : il ne lui faisait pas suffisamment confiance pour lui faire part de sa décision. Il n'avait pas laissé un seul tableau, pas un seul dessin. Ni même les miniatures ; pourtant elle lui avait dit un jour que bien qu'elle détestât tout le reste – ô combien ! Ce monde rempli de petites fées sinistres et monstrueuses, noyé sous les détails – elle aimait bien les miniatures sur émail dont certaines avaient la taille d'un ongle. Elle aimait les examiner, les trouvait d'une incroyable profondeur. On pouvait passer une éternité à les regarder et toujours découvrir un détail nouveau.

Mais il les avait prises aussi, les avait empochées comme un voleur. Exactement, se disait-elle, assise parmi les groupes d'étudiants et les familles avachies sur les marches, assaillie par le bruit et le soleil qui brillait sans relâche. Il les lui avait volés. Il les avait tous pris, les avait cachés sans dire un mot.

Elle n'était pas rentrée chez elle. Elle avait loué une voiture pour descendre jusqu'ici, ce sud si vert avec ses prairies à perte de vue, ses falaises de craie. Et c'était ici, la nuit dernière, dans le noir, qu'elle avait garé la voiture sur une aire de stationnement, s'était quasiment traînée sur le bas-côté pour vomir dans l'herbe, pressant ses paumes de toutes ses forces sur ses yeux, aveuglée par des éclairs blancs, des lignes noires.

Le jour s'était levé, ruban léger, dansant, flottant au vent. Les voix lui parlaient, pas assez fort pour qu'elle puisse distinguer les mots, juste des sons. Ce murmure incessant qu'elle avait appris à ignorer l'enveloppait.

Elle ne prenait plus jamais de lithium. Le lithium, ce remède miracle. Les médicaments étaient inutiles. Le lithium lui abîmait les dents, faisait tomber ses cheveux, lui faisait prendre du poids. Plus grave encore, il la rendait – lui et tous les autres remèdes qu'on lui prescrivait – vraiment suicidaire.

Un jour, à Londres, après l'accident, elle avait dû se rendre quelque part – à un entretien d'embauche sans doute. Elle attendait le métro à Chancery Lane ; cette station comptait parmi les plus éloignées de la surface et Helen se souvenait d'avoir ressenti ce côté caverneux, d'avoir eu l'impression d'être descendue dans les profondeurs de la terre. Elle se remémorait l'atmosphère étouffante. Elle avait attendu longtemps. Le panneau d'affichage indiquait les retards. Et puis, soudain, elle avait senti la rame arriver, la bouffée d'air dans le tunnel, et avait frissonné de soulagement. Elle pourrait sauter, tomber sur les rails. Ce ne serait pas difficile. Elle avait pris conscience qu'en faisant quelques pas, en tombant, elle avait le pouvoir d'alléger ce poids, l'insupportable fardeau de la terreur et de la nausée…

Elle regardait la rame arriver. Les rails étaient d'une telle simplicité. Ce serait divin de sentir le contact du métal, de s'écraser sur la voie. Il ne faudrait qu'une seconde.

Le métro passa à toute vitesse, le bruit s'engouffra en elle. Elle avait attendu puis était entrée dans la rame comme tous les autres passagers.

La tentation avait été grande. Submergée par le désir de se libérer, elle était restée tranquillement assise, les yeux rivés au sol.

Elle n'en avait jamais parlé à personne, même pas à John. Comme elle avait été renvoyée pour ne pas avoir révélé sa bipolarité, elle n'y avait jamais plus fait allusion au cours de ses conversations et encore moins lors des entretiens d'embauche. Les gens n'avaient qu'à penser qu'elle était lunatique si ça leur chantait, ou difficile. Cela marchait : ses collaborateurs la fuyaient. Ils devaient la critiquer par derrière, c'était sûr, mais elle s'en fichait pas mal. Au moins, ils faisaient ce qu'elle leur demandait. Ils la ménageaient, s'efforçaient de ne pas l'offenser, de ne pas la faire disjoncter. Elle le voyait dans leurs yeux.

À l'époque où elle avait rencontré Nathan, elle était déjà convaincue d'être le centre de son petit monde. Pendant les phases maniaques, elle couchait avec n'importe qui, des hommes qu'elle ne connaissait que depuis quelques heures, quelques minutes, même. C'est pendant l'une de ces phases qu'elle avait commencé à sortir avec Nathan, tourbillon de désir et de possessivité dont elle se souvenait à peine aujourd'hui.

Depuis l'avortement, elle avait sombré, plus déprimée que jamais. Certains jours, elle ne sortait même pas de son lit. Elle aurait voulu que sa relation avec Nathan soit différente. Elle aurait voulu être différente. Elle avait cru fermement – de tout son être – avoir passé un cap, pouvoir contrôler sa maladie. Parce qu'elle l'aimait. Elle s'autorisait à rêver d'une famille, d'une maison, d'un avenir ; elle s'imaginait se ranger. Elle serait calme. Elle allait changer. Nathan, c'était sa dernière chance de changer.

C'était le moment ou jamais. Elle approchait de la quarantaine : le temps filait à toute allure. Elle avait de moins en moins le choix. Elle avait voulu tirer un trait sur son passé, ses habitudes de vie. Elle voulait la vie parfaite, les enfants, la maison, les lits bien nets, les placards remplis de linge, les fleurs fraîches dans l'entrée, la totale. C'est dans ce monde qu'elle voulait vivre, ce monde imaginaire, ce fantasme où elle tirait les ficelles.

Elle était capable de dominer sa maladie, de la vaincre ; et pendant quelque temps, la période la plus longue de sa vie, semblait-il, elle avait résisté à la dépression familière, ce chant des sirènes qui l'attirait vers les profondeurs de l'abysse, l'attrait enchanteur des ténèbres.

Assise sur la berge de la rivière, elle regardait devant elle sans rien voir.

Ça n'avait pas marché. Dans les phases de dépression comme celle qu'elle traversait à présent, le monde ressemblait à un manège tournant de plus en plus lentement. Elle était seule sur ce manège et ceux qui la regardaient n'étaient que des formes floues.

Elle savait que John se trouvait à moins de deux kilomètres d'elle maintenant.

En suivant la route qui passait devant les cottages, elle arriverait à un carrefour. En prenant à gauche, elle reviendrait en ville, en allant tout droit, elle atteindrait l'orée de la forêt. Elle tomberait sur un portail au début d'un long chemin. C'était l'entrée de Bridle Lodge. Elle le savait car elle y était allée la nuit précédente à minuit, avait garé sa voiture et avait tenté de repérer la maison entre les arbres. Il n'y avait pas de lumière. Elle avait songé un moment à marcher jusqu'à la maison dans le noir, ombre parmi les ombres, à forcer une porte, une fenêtre et s'emparer de ce qu'il lui avait pris.

Mais elle y avait finalement renoncé. Elle le verrait en plein jour. Ils auraient une confrontation. Elle lui demanderait des comptes. Elle obtiendrait une explication.

Elle avait fait demi-tour, conduit au hasard et avait fini par s'arrêter sur une aire de pique-nique rudimentaire – une table en bois dans une clairière – dans les collines dominant la vallée de Frome. Elle avait dormi dans sa voiture.

« Vous allez bien ma jolie ? »

La voix la fit sursauter.

Un homme la dévisageait. Il retenait son petit chien par la peau du cou pour qu'il ne se précipite pas vers Helen.

« Oui, dit-elle en s'abritant les yeux. Ça va.

– Vous vous sentez bien ? Est-ce que je peux vous aider ? »

Elle se leva en époussetant ses vêtements. Pourquoi lui demandait-il ça ? Est-ce qu'elle faisait tache ? L'idée ne lui avait pas traversé l'esprit jusqu'à présent. Elle restait là, debout. La voûte des arbres se reflétait dans les eaux vives de la rivière, les reflets jouaient sur le visage de l'homme, le petit chien se trémoussait... Helen vacilla.

L'homme tendit la main comme pour la rattraper.

« Y a-t-il un hôtel dans le coin ? » demanda-t-elle.

L'homme fronçait les sourcils. Elle était déroutée : ce n'était certainement pas une question étrange, la ville se trouvait au cœur de la région touristique. Le comté était parsemé d'hôtels et de chambres d'hôtes.

« Il y a un *bed and breakfast* en haut de la rue. La maison avec un panneau jaune, à gauche sur la route de Derry Woods.

— Merci », dit-elle en caressant le petit chien. Elle rebroussa chemin, consciente que l'homme la suivait des yeux.

Le *bed and breakfast* était là où il le lui avait indiqué. Il y avait une chambre libre. Helen entra avec pour tout bagage un fourre-tout contenant une brosse et quelques accessoires de toilette achetés le matin même.

Une dame la conduisit jusqu'à sa chambre ; elle la suivit en traînant des pieds. L'épuisement la gagna : elle avait du mal à monter les marches. Tout devint gris, ce gris qu'elle connaissait si bien, comme si le monde avait soudain perdu ses couleurs.

Elle avait du mal à se concentrer sur ce qu'on lui disait. Elle avait simplement envie de se coucher. Elle dit quelque chose à la dame, elle ne se souvenait pas quoi – elle avait dû la remercier sans doute, lui dire que la chambre était jolie, peu importait.

Après avoir refermé la porte, elle s'allongea tout habillée. Elle dormait profondément lorsque, une demi-heure plus tard, la pluie d'orage s'abattit soudain contre les vitres.

Tlos in Lycia, 1883

Il faisait noir. Il essayait de se remémorer l'itinéraire qu'ils avaient emprunté au cours de leur voyage, quarante et un ans plus tôt. C'était un jeune homme d'à peine vingt-cinq ans à l'époque. Un jeune homme prometteur que le monde entier avait oublié aujourd'hui. Que le monde entier croyait déjà mort.

Couché dans son lit, Dadd changea de position et tourna la tête vers la fenêtre. Il ouvrit brièvement les yeux et aperçut les gens rassemblés dans sa chambre : il crut voir Brigham qu'il avait laissé à Bedlam. Les physiciens Monro et Morrison et même Sir Charles Hood, debout derrière eux, bien que cela soit impossible puisqu'il était décédé en 1870. Dadd avait appris que les tableaux dont il avait fait cadeau au médecin avaient été vendus aux enchères. Ils avaient été dispersés, comme les cendres du médecin lui-même, tout comme ses restes seraient aussi bientôt dispersés parmi les grains de sable et les herbes qui constituaient son testament.

Il ne savait même pas qui les avait achetés. On lui avait dit que quelqu'un avait payé cent trente guinées pour Oberon and Titania, *nouvelle qui l'avait amusé. Depuis, il avait souvent pensé à son affreuse Titania qui, l'air renfrogné, ornait pour toujours le mur d'un salon.*

Dadd ferma les yeux. Tous ces gens n'étaient que des fantômes.

Il se concentra sur le voyage, la chaleur de ce jour révolu. La Lycie, sur les rives de la Méditerranée. Ils avaient traversé la Grèce, la Carie, Rhodes et abordaient maintenant par le sud un pays dont le nom sonnait comme un murmure, un mot d'amour.

Ils avaient grimpé sur les flancs de la petite montagne toute la journée et en longeaient à présent la crête. Les douces vallées, les collines ondoyantes étaient couvertes d'oliviers, mais sous leurs pas affleuraient le sable et la roche. En arrivant à un tournant, il aperçut le temple, silhouette incongrue du dôme chaulé construit sur un champ de thym et d'herbe. Il s'arrêta pour l'admirer, submergé par le parfum entêtant du thym, du romarin et, plus près de la petite église, celui des roses sauvages presque fanées mais d'une extrême beauté, qui embaumait sous le soleil brûlant.

Le prêtre prenait le soleil sur un banc. Dès qu'ils atteignirent la porte, Dadd remarqua que l'église consistait en un espace unique creusé dans la colline. Elle était sombre et, contraste plus saisissant encore avec le paysage environnant, l'atmosphère y était humide à cause du petit ruisseau qui jaillissait de la roche. Des cierges qui brûlaient sur les murs il ne restait plus qu'une flamme vacillant dans une petite mare de cire. Il n'y avait pas d'or ici, aucun trésor ; le crucifix de bois chaulé avait été assemblé par le prêtre lui-même. Dadd se souvenait du grain du bois de romarin, des branches tortueuses et pleines de crevasses rappelant les mains du Christ en croix.

Il s'était planté sur le seuil de l'église, à la frontière de l'ombre et de la lumière, à l'endroit précis où les ténèbres et le violent soleil de midi se retrouvaient. Couché dans son lit, il avait l'impression de ne jamais avoir quitté ce lieu. Depuis toujours, il se tenait à cet endroit précis, cet équinoxe, tournait le dos à l'ombre, pieds baignés par la lumière ; et entre les deux, des milliers d'univers.

Il repensa à ces matins à Bedlam où le soleil peinait à pénétrer dans les cellules ; à ces journées, plus tard, où l'on avait laissé entrer davantage de lumière. Il se souvenait des fenêtres que l'on agrandissait, des oiseaux en cage. Il se souvenait de l'année où il s'était enfin laissé photographier et du temps passé à se regarder, image dans l'image, car il ne se résumait pas à l'homme représenté sur la photo, tout comme le tableau derrière lui ne se résumait pas à quelques coups de pinceau sur la toile. Ils croyaient l'avoir enfermé, mais en fait ils l'avaient libéré : il avait voyagé bien plus loin que le commun des mortels grâce à ce que Monro, Morrison et Hood s'étaient empressés de qualifier de folie.

Il avait eu la possibilité d'explorer la moindre de ses paranoïas, de représenter son enfer personnel, son paradis. Il songeait à Port Stragglin avec ses parapets, ses montagnes, ses pentes et ses forteresses dont l'ascension était impossible, mais qu'il avait réussi à vaincre dans sa tête. Sa route avait été semée d'obstacles et de triomphes. Il avait réussi l'impossible, tenu le monde au creux de sa main, en avait créé d'autres, avait détruit ce dont il n'avait pas besoin.

Il était magicien, sorcier, la Méduse, Tirésias, père des démons. Délicat et aimable, il avait passé une année à travailler sur les détails d'une aile d'insecte. Il avait représenté une libellule, un satyre, une tonnelle couverte de roses. Il avait représenté un meurtre, des couteaux à portée de main d'un enfant, les cauchemars dans ses yeux. On lui devait des représentations minuscules du jardin d'Eden peuplées de monstres. Il avait été roi et empereur, soldat et voleur. Il avait fait saigner et chanter des toiles nues, les avait emplies de musique. Entailler la chair, sautiller avec ingénuité.

Il sentit qu'on lui prenait la main.

Il ouvrit les yeux. Un médecin se penchait vers lui.

« Buvez ceci », ordonna l'homme en approchant un verre de ses lèvres. Le liquide était un peu trouble. Il l'avala.

« Du laudanum, pour dormir », murmura le docteur.

Dadd remarqua les doigts de l'homme serrés sur son poignet et examina sa propre main avec objectivité : cette main qui avait réalisé tant de choses, à présent inerte.

Plus tard – peut-être au bout de plusieurs heures –, on alluma les lampes du couloir ; il ne distinguait plus leurs visages et quelqu'un derrière la porte demanda à voix basse s'il était toujours vivant.

Il se débarrassa de son corps, aussi léger fût-il, plus léger que l'air, et partit. Le mur s'effondra et il reconnut une foule de visages familiers. Il regarda autour de lui : les brins d'herbe occupaient toute la surface du tableau. Il tendit la main pour caresser le plus proche, dont la tige ressemblait à de la ficelle grossièrement tressée. Il sourit, se mit à rire de plaisir, un rire pétillant qui fit se retourner les personnages rassemblés devant lui : le roi, la reine et leurs courtisans, le pirate, le chasseur, le savant, les insectes et leurs trompettes, le bûcheron lui-même qui, pour la première fois, se tourna vers son créateur et laissa tomber sa hache.

C'était réel, après tout. Tout ce qu'il avait imaginé était réel.

Il n'avait pas vécu dans les ténèbres, il n'avait pas imaginé sa mort, n'avait pas été enfermé, n'avait pas perdu la raison. Il avait vécu. Il avait tout vu, tout entendu. Et tout ça était bien réel, vivant. Il les avait touchés. Ils étaient venus vers lui. Il avait toujours su qu'ils se trouvaient là et qu'il appartenait à ce monde situé à la limite de l'ombre et de la lumière, sur ce méridien invisible.

Il se pencha en arrière, les laissa le parcourir ; des galaxies brûlaient dans un filament, des voix chantaient le long de câbles. L'impossible devenait possible.

Quand il se retourna vers eux, la fille au miroir vert souriait déjà.

Elle quitta la protection du magicien et s'avança vers lui, mains tendues.

27.

Il n'avait pas le choix : il fallait avancer.

John franchit la frontière invisible, voile léger entre ce monde et le sommeil. Il s'était réveillé avant le lever du soleil et était resté étendu là, à écouter la respiration de Catherine répondre à la sienne. Pendant un moment, il s'était calé sur son rythme, imitant la cadence de son souffle, observant ses traits presque invisibles dans l'obscurité, songeant à se lever pour ouvrir la fenêtre. Il avait envie de sentir l'air frais sur son visage.

Mais en se tournant sur le côté, la chambre lui avait paru différente, étrange, comme s'il regardait de petites vagues enveloppées par une brume humide se briser à ses pieds. La chambre, la fenêtre s'éloignaient. Submergé par l'épuisement, il s'était laissé engloutir par la marée et avait fermé les yeux.

En s'éloignant, il vit les vagues lui lécher les pieds, puis des lueurs vacillantes, comme des reflets. Il fut ébloui, et le souvenir d'un voyage très ancien lui revint en mémoire : le voyage à bord du train qui le conduisait parfois à Londres pour son travail. Des peupliers avaient été plantés près de la voie ferrée, sur environ 200 ou 300 mètres. Par beau temps, s'il fermait les yeux, leur image dansait sur sa rétine ;

cela avait un effet étrange, hypnotique, dérangeant, l'image était trop complexe pour son cerveau. Un matin, il avait entendu un passager expliquer que ce genre d'image pouvait déclencher une migraine, comme si un stroboscope dansait derrière vos paupières. C'est ce qu'il éprouvait en ce moment : il avait l'impression qu'un film défilait devant un projecteur.

Puis l'eau disparut et il se retrouva sur la terre ferme.

Il distingua d'abord une tache rouge pâle, presque rose, en forme d'arc. C'était un morceau de tissu qui tombait lentement. Il se concentra pour regarder au loin : des formes, puis des visages lui apparurent sur un talus couleur vert-de-gris. Des regards d'une incroyable intensité le fixaient. Juste devant lui, il distingua une main levée et l'éclat d'un objet métallique frappé par les rayons dorés du soleil ; un autre rayon doré barrait le sol, là où la lumière perçait les ténèbres.

Puis, une à une, les fleurs recouvrant le talus grisâtre s'illuminèrent comme autant de petits soleils. Il vit qu'il s'agissait d'une épaisse haie d'églantines et de marguerites aux pétales si précisément rendus qu'il arrivait presque à percevoir leur texture en les regardant.

Un calme absolu… puis l'image se brisa en s'animant. Elle tourna et tout changea. Des silhouettes de toutes formes et de toutes tailles émergèrent du talus : un capitaine de bateau, bâton de commandement à la main, manteau jeté sur une épaule, une femme vêtue d'un manteau écarlate à épaisse collerette de dentelle, des travailleurs, des campagnards portant blouses et guêtres, un enfant en veste verte, un homme, visage mangé par une barbe grisonnante masqué par la casquette vissée à son crâne. Encore figés entre les feuilles un instant auparavant, ils avançaient maintenant sur l'herbe, piétinaient les éclats de coquilles de noix éparpillés dans l'obscurité.

Il se concentra sur le centre de l'image, là où le morceau de tissu était tombé, et vit que le magicien le fixait, main levée comme pour le mettre en garde, souriant.

L'homme se leva et John s'aperçut de sa taille imposante, de sa carrure qui éclipsait toutes les autres silhouettes maintenant rassemblées autour de lui. À ce moment-là, le personnage en bas de l'image se retourna, hache suspendue au-dessus de la tête. Frappée de nouveau par les rayons du soleil, la lame scintilla une fois, puis deux, aussi éblouissante que les images décousues du passé, les branches des peupliers aperçus par la fenêtre du train, images enchevêtrées sur le métal. John le vit approcher, hache zigzaguant dans les airs.

L'homme souriait, le magicien levait la main ; cloué sur place, John vit le magicien donner le signal à travers la lumière vacillante.

Il se réveilla en sursaut.

Catherine le tenait par le bras. « Qu'est-ce qu'il y a John ? Qu'est-ce qu'il y a ? »

Il voyait encore la foule de visages pressés autour de lui.

Elle se leva, fit le tour du lit pour le rejoindre, prit les médicaments dans la table de chevet.

Il voulut l'en dissuader.

« Il faut les prendre », ordonna-t-elle.

Elle lui tendit un verre d'eau et il avala docilement les cachets. Ils attendirent ensemble, Catherine assise de son côté du lit, lui, à demi allongé, un poing sur la poitrine. Une fois sa respiration calmée, elle lui serra la main.

« Qu'est-ce que tu as eu ?

— Je rêvais.

— Un cauchemar ? »

John hocha la tête. « C'était le tableau *The Fairy Feller's Master Stroke*. Tous les personnages s'animaient, ils venaient vers moi.

— Tu t'inquiètes pour tes tableaux, constata Catherine avec un soupir.

— Peut-être.

— Tu veux aller à Londres pour parler à quelqu'un ? Ou on pourrait simplement y apporter les tableaux nous-mêmes, si c'est ce que tu veux. »

Il fixait leurs mains jointes.

« John. Je voudrais que tu fasses quelque chose.

— On va les y amener nous-mêmes.

— Je ne parle pas des tableaux. Je veux que nous allions aux États-Unis, je veux que tu voies ce chirurgien…

— Non, l'interrompit-il.

— Ça pourrait tout changer. Tu n'as pas besoin de te fier à l'avis de quiconque ici. Il existe d'autres solutions.

— Pas question. »

Elle avait les larmes aux yeux.

Il avait envie de lui parler de la lueur dont il ne cessait de rêver, lui expliquer que, jusqu'à ce matin, il se tenait entre l'ombre et la lumière. Par-dessus tout, il aurait aimé lui parler de cette sensation qui l'avait submergé ce matin et qu'il avait déjà éprouvée plusieurs fois : l'impression de se laisser engloutir par les eaux brumeuses de l'océan, doucement, sans lutter.

« Je ne te comprends pas », lui disait Catherine.

Il se tourna vers elle.

« Si je ne peux pas bénéficier de la thérapie génique, ils vont essayer une nouvelle angioplastie, ou me charcuter avec des cathéters. Tu sais comment ils appellent ça ? Des orifices sous-cutanés pour administrer des médicaments, une espèce de trou dans ma poitrine. Non merci. Je ne veux pas risquer de devenir un cobaye là-bas.

— Ça ferait disparaître la douleur.

— Pas sûr. Ça pourrait aussi déclencher une infection et provoquer une crise cardiaque, fit-il en se levant.

— John. »

Il l'attira vers lui, la prit dans ses bras.

« Il faut que tu fasses quelque chose, murmura-t-elle. Pas simplement te contenter… d'attendre. »

Il approcha son visage du sien, de son doux parfum, puis baissa la tête pour lui embrasser l'épaule.

« Promets-le-moi. »

Il releva la tête et la regarda dans les yeux. « Je vais te dire où on va aller. À Segura de la Sierra. »

Il sourit : elle l'observait, perplexe, le visage sombre. Il l'attrapa par la taille, l'embrassa, recula pour mieux la regarder. « On va partir en voiture un matin avant le lever du soleil, pour ne pas avoir trop chaud. On passera par la montagne. Il y a un village avec un petit château – tu demandes les clés au village et tu entres comme si tu étais chez toi. Le château domine toute la vallée.

— John, arrête.

— Ou à Cazorla. Ça ressemble au tableau *The Crooked Path*. Je te l'ai déjà dit ? Une forteresse, édifiée sur un pic. »

Il se voyait là-bas avec Catherine, très clairement, vision aussi précise qu'un souvenir : ils roulaient sur la route interminable, superbe qui traverse Cazorla, Segura, Las Villas, les forêts touffues où il avait autrefois aperçu des bouquetins. Ils visitaient les magnifiques églises d'Ubeda et la ville Renaissance de Baeza au style mauresque, emplie de trésors médiévaux, la cathédrale blanche et or, Plaza Santa Maria.

C'était une vision d'une clarté et d'une précision absolues ; il sentait le bras de Catherine contre le sien, distinguait leurs ombres noires comme de l'encre dans la chaleur de midi. Il la voyait allongée dans une chambre blanche noyée par la chaleur, nue, son corps pressé contre le sien, sentait sa bouche et ses doigts sur sa peau. La netteté de cette image provoqua un choc violent en lui, une ivresse, et à ce moment exact, il comprit qu'ils n'iraient jamais là-bas, ou qu'elle irait seule et s'allongerait seule dans une chambre comme celle-là, marcherait seule dans les rues de Baeza. Il comprit que la lumière disparaissait, que seuls demeuraient la douceur des vagues qui l'attiraient vers le large et l'inexorable ressac ; il comprit que c'était inéluctable, qu'il passerait, comme ce moment fugace. Les personnages avaient surgi de la toile pour prendre vie. Lui, il vivrait l'expérience inverse : il passerait à travers les tableaux et plongerait dans l'océan et ses secrets, dans le néant. C'était un pas à franchir, un passage obligé. Tout comme les personnages du tableau s'étaient tournés vers lui et s'étaient mis à avancer.

Il voyait autre chose aussi.

Il voyait qu'il avait vécu.

Vécu pleinement. Qu'il avait été plus que vivant avec elle.

Ils descendirent au rez-de-chaussée. L'atmosphère leur parut étouffante malgré l'heure matinale. Ils ouvrirent portes et fenêtres, soulagés quand une brise légère pénétra dans la maison.

« Il n'a jamais fait aussi chaud à cette période de l'année », remarqua Catherine. Elle se retourna pour adresser un petit sourire à John en se dirigeant vers la cuisine.

Il se tenait près de l'escalier quand la voiture arriva.

Immobile, il l'écouta remonter l'allée entre les arbres. Il s'appuya à la porte ouverte en protégeant ses yeux du soleil. Il la vit apparaître ; Helen était au volant, et il remarqua son expression : avant qu'elle n'arrête le moteur, avant qu'elle ne descende du véhicule, il sut ce qui s'était passé.

Elle se dirigea vers lui et il eut le temps de se dire *Oh, non, pas maintenant, pas aujourd'hui*, avant qu'elle ne lui adresse la parole. Les mots, l'idée lui vinrent à l'esprit sans qu'il ait besoin de réfléchir, naturellement. Il alla à sa rencontre.

Helen lança un bref coup d'œil aux deux voitures garées dans l'allée, près de la sienne. « Elle est là ?

— Oui.
— Tu les lui as donnés ?
— Helen, entre. Nous allons en parler.
— Non. Dis-lui de partir. »
Il secoua la tête.
« Dis-lui de partir. Je refuse de te parler tant qu'elle sera là. »
Son regard foudroyant terrifia John. Pourtant, elle ne tremblait pas et parlait calmement. Il ne l'avait jamais vue comme ça.
« Je ne vais pas demander à Catherine de partir », déclara John en tendant la main à sa sœur. « Entre. »
Elle ne bougea pas d'un pouce. « Où sont-ils ?
— Dedans.
— Tu les lui as montrés.
— Oui.
— Oh, mon Dieu. » Elle baissa les yeux, se passa une main sur le front. « Je savais que cela allait arriver. Tu t'es toujours comporté comme s'ils t'appartenaient, et maintenant, tu les as pris.
— Tu peux les voir. Entre et viens les regarder. Ils sont à l'abri.
— Hors de ma portée, tu veux dire ?
— Helen, tu n'en as jamais voulu. Tu veux les vendre depuis toujours. Quant au fait qu'ils m'appartiennent, ils m'ont été légués et j'en ai partagé la propriété avec toi.
— Et tu as toujours voulu les cacher.
— Conformément aux instructions du testament.
— Tu n'étais pas censé les cacher, mais veiller sur eux.
— Je les ai protégés pendant toutes ces années.
— Qu'est-ce qui a changé ? »
Il s'approcha d'elle et lui prit doucement la main. « Helen, comment as-tu appris qu'ils n'étaient plus dans le coffre ?

— Je suis allée à la banque, évidemment.

— Pour quoi faire ? »

Elle le dévisagea.

« Tu allais les prendre ! », s'écria John.

Elle se débattit pour qu'il lui lâche la main.

Catherine sortit à cet instant et s'approcha d'elle. « Helen, vous allez bien ? » Helen lui adressa à peine un coup d'œil. Le regard de Catherine allait de John à sa sœur.

« Je suis venue chercher les tableaux, s'exclama Helen.

— Ah oui, tu es venue les chercher ? s'étonna John.

— J'en veux la moitié. Tu peux les partager comme tu veux. Donne-moi ceux que tu aimes le moins.

— Helen, c'est impossible.

— Tu peux même la laisser partager de façon équitable, insista Helen.

— Helen, c'est impossible. On ne va pas faire ça.

— C'est la seule faveur que je t'aie jamais demandée, fit-elle, agressive.

— Entrez, je vous en prie, intervint Catherine.

— Je n'ai pas envie de vous parler », rétorqua Helen en lui lançant un regard haineux. « C'est à mon frère que je veux parler.

— Je serai dans la cuisine », dit la jeune femme en lançant un coup d'œil à John, avant de rentrer.

« Tu t'es montrée grossière, remarqua John.

— Elle se prend déjà pour la propriétaire des lieux. »

John reprit son souffle. Le pincement familier, l'aiguille cherchant le muscle. Il modifia sa position, comme si cela allait atténuer la douleur. « Je peux te prêter de l'argent, si c'est ce que tu veux.

— Je ne veux pas d'un prêt, je veux simplement ce qui m'appartient.

— Ce ne sont pas tes tableaux. Ils ne nous appartiennent pas. On nous les a confiés, c'est tout.

— Oh, bon sang ! Pourquoi faire tous ces chichis ? Débarrasse-t'en ! Ce ne sont que de vulgaires croûtes. Pourquoi les laisser moisir dans une boîte alors qu'ils pourraient nous rendre service ? »

John l'observait avec intensité. « Où est passé tout ton argent ? »

Elle resta sans voix, rougit. « Ça ne te regarde pas.

— Ça me regarde si ça implique la vente des tableaux.

— Je n'ai jamais eu d'argent.

— Et ton salaire ?

— Dépensé.

— L'argent que papa t'a laissé ?

— Cinq mille livres ? Ces tableaux valent des centaines de milliers de livres ! Tu pourrais m'en laisser au moins une partie ! »

John se frotta les sourcils du bout des doigts. « Nous étions justement en train d'en parler...

— Tu étais en train d'en parler ? Avec elle ?

— Nous nous disions que...

— Tu as discuté de ça avec elle ? s'écria Helen, furieuse. Et ça donnait quoi ? On va en donner un à Helen. Lequel choisir ? L'un des petits que même Madame n'arriverait pas à reconnaître si elle l'avait sous le nez !

— Helen...

— Vous vous prenez pour qui, espèce de salauds !

— Ne réagis pas comme ça, protesta John.

— Je veux une maison, un endroit où m'installer. C'est trop demander ?

— Mais tu ne peux pas obtenir ça du jour au lendemain, juste en claquant des doigts. Tu es à bout.

— Ne commence pas.

— Tu as vu un médecin ? Tu n'as consulté personne avant de venir ici ? »

Elle se rembrunit, furieuse. « Pourquoi ne pourrais-je pas avoir ce que je veux ? Tout de suite ? Tu t'es bien installé avec elle du jour au lendemain, toi. Regarde-la : on dirait qu'elle vit ici depuis des années.

— Tu ne comprends pas.

— Oh, si, rétorqua Helen. Je comprends que toi, tu peux avoir tout ce que tu veux.

— Tout ça, c'est le fruit de mon travail, s'écria John, je n'ai pas attendu que ça me tombe tout cuit ! J'ai créé ma propre entreprise.

— Une entreprise prospère. J'ai entendu parler de tous les contrats que tu as obtenus et de leur valeur. Tu ne penses pas, hurla-t-elle, que tu pourrais arrêter de t'accrocher à ces satanés tableaux étant donné tout l'argent que tu as ? Si tu avais un peu de compassion, tu ne crois pas que tu pourrais me les donner ? Pour m'aider à avoir une vie décente ?

— Je ne vendrai jamais les tableaux. Et tu as tout pour mener une vie décente. » Il la dévisagea, inquiet. Il avait déjà entendu ce genre de raisonnement auparavant. Elle était échevelée, portait des vêtements froissés. La colère et l'impatience qui se lisaient jusque-là sur son visage laissèrent place à une grimace de douleur. « Tu ne sais pas à quoi ressemble ma vie, murmura-t-elle, ni ce que j'ai traversé. »

Cette remarque le déconcerta. Il la regardait, interdit.

Soudain, avant qu'il ait pu l'arrêter, Helen se précipita vers la maison. Il lui emboîta le pas. Elle ouvrit la porte d'entrée violemment et fonça dans le couloir, ouvrant une porte après l'autre, ignorant quelle pièce se trouvait derrière. Au bout du couloir, elle trouva la cuisine.

Catherine était assise à table, une tasse de café posée devant elle.

« Qu'est-ce que vous lui avez dit ? » s'écria Helen. John apparut dans l'embrasure de la porte.

« À qui ? demanda Catherine.

— À mon frère. »

Helen s'appuya sur la table. Croyant que la jeune femme allait la frapper, Catherine eut un mouvement de recul, se levant à demi de sa chaise.

« Vous ne les aurez pas, murmura Helen.

— Je ne veux rien. À part John. »

Helen la dévisagea.

Un ange passa.

Soudain, Helen fonça vers Catherine. Intrigués, John et Catherine échangèrent un regard désolé. Et puis les événements se précipitèrent. Catherine sentit qu'on la tirait en arrière. Helen lui empoigna les cheveux et la força à se lever. Catherine hurla de douleur et de surprise.

« Non ! » s'écria John.

Comme Helen était plus petite qu'elle, Catherine courbait le dos. Elle se débattit pour essayer de lui faire lâcher prise.

« Catherine ! », hurla John.

Helen s'était emparée d'un couteau sur l'évier ; la pression de la lame sur sa gorge mit fin à la tentative de Catherine. « Lâche ce couteau », fit John doucement en avançant vers les deux femmes. Catherine ne pouvait voir le visage d'Helen ; elle osait à peine respirer. Mais John semblait terrorisé. « Helen, nous allons t'aider. Écoute-moi. Nous allons t'aider. »

La pression de la lame s'accentua.

« Je sais ce que tu ressens, murmura John. Je sais ce que ça fait. Lâche Catherine, ça va aller. » Catherine le vit approcher lentement. Il ne quittait pas sa sœur des yeux. « Je peux t'aider. Laisse-moi t'aider. »

La voix d'Helen s'éleva, lointaine, voilée, plaintive, murmure strident. « Il n'y a rien à faire. »

John hésita. Catherine le dévisagea. Il tendait la main vers sa sœur pour qu'elle lui donne le couteau. Soudain, il parut surpris. Il changea de couleur, chancela, essaya d'agripper une chaise mais la manqua et tomba en arrière.

Il s'écroula par terre.

« John ! » hurla Catherine.

Helen recula, le couteau tomba au sol.

« John ! John ! » hurla Catherine en se précipitant vers lui. Elle s'agenouilla près de lui. Il était étendu sur le dos, regard fixé sur le plafond.

« John ! » s'écria Catherine.

Elle était nimbée de la lumière entrant par la fenêtre ouverte.

Il crut sentir le parfum fugace des roses. Il crut la voir se retourner plusieurs fois à travers le vitrail vert, lever le regard vers lui. Il se rendit compte qu'il n'avait jamais terminé la restauration du vitrail dans l'escalier, du portrait qui lui ressemblait tant.

Il ouvrit la bouche pour lui dire de faire attention. De faire attention en manipulant les morceaux de verre craquelés. Il fallait respecter l'harmonie des couleurs. Il avait toujours eu l'intention de respecter les couleurs d'origine.

La teinte était particulière, difficile à retrouver.

Celle des premières feuilles et de la rivière sous le lit de cresson, près de l'écluse, un vert légèrement plus foncé que la couleur de l'herbe en été. Le vert teinté de jaune de ces dizaines de coups de brosse délicats frappant un miroir où se reflétait un visage.

Cette teinte de vert, de vert…

Post-scriptum

La foule se pressait sur les marches de la Tate ; la file serpentait vers Milbank, longeait le fleuve.

C'était un jour d'hiver. La foule faisait preuve de bonne humeur malgré les flocons qui flottaient dans les airs. De temps à autre, les énormes portes du musée s'ouvraient et on laissait entrer quelques personnes pour une visite d'une demi-heure.

En deux jours, six mille personnes avaient vu l'exposition.

Catherine Sergeant se tenait au centre de la salle.

Elle avait passé deux journées entières au musée, à observer les visages des spectateurs lorsqu'ils entraient dans la Tate avec leur programme portant la mention « Legs à la nation : la Collection Brigham ».

The Fairy Feller's Master Stroke – qui faisait déjà partie de la collection de la Tate – avait été mis à l'honneur, au centre de la pièce. Des dépliants et des guides avaient été imprimés pour mettre en valeur les détails qui pourraient passer inaperçus, même en examinant le tableau de très près : le minuscule centaure de couleur claire sur le parterre de trèfle, le visage de M. Dadd père en haut à droite de la toile ; les ceintures, les boucles, les lacets de chaussures ;

les profonds plis du tissu ; le profil féminin à peine visible dans le miroir, et Richard Dadd lui-même à droite de la hache suspendue dans les airs.

Tous les autres tableaux avaient été rassemblés autour de lui : *Songe de la Fantaisie*, prêté par le Fitzwilliam Museum de Cambridge, la copie de *The Master Stroke* propriété de John et Helen. *Contradiction* prêté par un collectionneur privé, *Sketch to Illustrate Melancholy*. Tous les portraits inédits peints à Bedlam, terriblement poignants, ces visages à jamais prisonniers, empreints d'un espoir confus, reflétant de folles obsessions ; *Sketch to Illustrate Jealousy* venu du Connecticut, *The Crooked Path* prêté par le British Museum.

Sur le mur d'en face *Devon Bridge* et *Tlos in Lycia* et les dizaines d'esquisses réalisées lors du voyage en Syrie dont John avait hérité. Au centre, *The Child's Problem* qui attirait tous les regards. Sur le mur d'en face, une vitrine renfermait toutes les miniatures ainsi que les minuscules répliques de *Port Stragglin*, *Marius in Carthage* et *Flight of Medea*.

Catherine ferma les yeux un bref instant. Le vernissage avait été presque insupportable pour elle : voir tous les tableaux réunis dans ce musée avait décuplé sa douleur. John lui manquait terriblement. Même la présence d'Amanda et de Mark ne l'avait pas aidée. Elle avait eu la sensation bizarre, irrationnelle, d'avoir soumis Dadd au regard scrutateur du public, d'avoir violé son intimité.

Aucun des compliments, ni l'enthousiasme des autres collectionneurs dont on exposait les tableaux ne l'avait émue. Tout se mêlait dans sa tête : les bavardages des invités, les questions des journalistes. Elle avait dû sortir prendre l'air ; elle avait regardé les bateaux-mouches chargés de touristes fendre les flots agités du fleuve en direction du National Theater et de la jetée de Cherry Garden Pier, leurs phares miroitant à la surface de l'eau.

Cela faisait deux ans et demi que John était mort.

Deux ans et demi que l'ambulance était arrivée à la porte de Bridle Lodge. On lui avait dit que la mort avait été presque instantanée, mais elle en doutait. Une part de lui était restée très longtemps dans cette pièce, une part de lui qui ne l'avait jamais quittée.

Helen avait passé l'année suivante dans un hôpital psychiatrique. Catherine allait parfois lui rendre visite quand elle était à Londres ; la jeune femme était égale à elle-même, tour à tour exaltée ou déprimée. Elles ne parlaient jamais ni des tableaux, ni de John. Robert travaillait en Allemagne depuis deux ans. Catherine et lui n'avaient aucun contact.

Elle se promenait dans la forêt de Derry Woods tous les jours. Cela l'avait aidée à ne pas perdre pied. Elle avait vu les saisons changer, deux années de suite ; parfois l'été, elle restait assise dans le noir avec Frith et écoutait les chevreuils traverser la vallée en empruntant leur chemin habituel. Pendant les derniers jours d'hiver, en attendant l'arrivée du printemps, elle était allée jusqu'au pont avant de remonter vers les écluses, en contrebas de la maison ; cette maison que John lui avait léguée. La dernière tâche accomplie par l'homme qu'elle aimait la semaine de sa mort : la maison revenait à Catherine, les tableaux à la nation.

Peter Luckham lui avait dit une semaine auparavant qu'il faudrait de nouveau éclaircir le cresson, devenu aussi épais qu'il l'avait prévu. Mais les alisiers blancs étaient de toute beauté au printemps : John avait eu raison de les planter. Leur image se reflétait dans la rivière jusqu'aux noues.

C'était le cadeau que John lui avait fait ; il avait changé son univers. Elle n'aurait pu dire précisément ce qu'il avait fait, ni le quantifier. Pourtant, c'était bel et bien réel, et elle ne serait plus jamais la même. Il lui avait montré quelque chose de radieux, de joyeux, d'important. Même sans lui, elle ne se contentait pas d'exister. Elle vivait.

Ces œuvres ont été créées par amour, lui avait dit John, *pour appartenir au monde*.

Elle ouvrit les yeux.

Elle en avait assez.

Elle avait envie de rentrer maintenant.

Elle lança un dernier regard aux tableaux et à la foule avant de se diriger vers la réception où les visiteurs patientaient.

Elle s'arrêta sur les marches du musée, le souffle coupé par le vent glacial et caressa la miniature qu'elle portait toujours autour du cou. *The Child's Problem.* Une part de John dont elle n'avait pu se séparer, le seul tableau de Dadd dont elle ne leur avait pas parlé.

Elle descendit les marches, main serrée sur le bijou.

Note de l'auteur

Les sentiments et convictions de Richard Dadd n'ont en réalité jamais été consignés ailleurs que dans de brèves observations de ses médecins à Bedlam et Broadmoor ; mon récit est fondé sur des suppositions. Quoi qu'il en soit, nous savons que de nombreuses œuvres de Dadd ont été perdues, et l'histoire de *La Jeune Fille au miroir vert* est construite autour de ce qui aurait pu leur arriver. *The Fairy Feller's Master Stroke* est conservé à la Tate Britain, à Londres.

Pour l'éditeur, le principe est d'utiliser des papiers composés de fibres naturelles, renouvelables, recyclables et fabriquées à partir de bois issus de forêts qui adoptent un système d'aménagement durable.

En outre, l'éditeur attend de ses fournisseurs de papier qu'ils s'inscrivent dans une démarche de certification environnementale reconnue.

Composition réalisée par PCA

Impression réalisée sur CAMERON par
BRODARD ET TAUPIN
La Flèche
en octobre 2008

N° d'édition : 01 – N° d'impression : 49733
Dépôt légal : octobre 2008
Imprimé en France